GW00674341

HISTORIA DE SEVILLA

José María de Mena

Académico Correspondiente de la Real Academia de la Historia y de la Real Academia de Bellas Artes de San Fernando.

PLAZA & JANES EDITORES, S. A.

Diseño de la portada: Joan Batallé

Primera edición: diciembre, 1985
Segunda edición: mayo, 1986
Tercera edición: octubre, 1987
Cuarta edición: diciembre, 1988
Quinta edición: julio, 1989
Sexta edición: septiembre, 1990
Séptima edición: mayo, 1991
Octava edición: diciembre, 1991
Novena edición: mayo, 1992
Décima edición: octubre, 1996
Undécima edición: febrero, 1998
Duodécima edición: septiembre, 1999
Decimotercera edición: febrero, 2003

Printed in Spain – Impreso en España

ISBN: 84-01-37200-3
Depósito legal: B. 9.231 - 2003

Impreso en A & M Gràfic, S. L.
Santa Perpètua de Mogoda (Barcelona)

L 372003

ÍNDICE

CAPÍTULO IX. — REINADO DE LOS REYES CATÓLICOS

CAPÍTULO X. — EDAD MODERNA. MOVIMIENTO COMUNERO CONTRA CARLOS I

CAPÍTULO PRIMERO

TOPOGRAFÍA SEVILLANA — FUNDACIÓN DE HISPALIS POR HÉRCULES — FENICIOS Y CARTAGINESES

Por estudios del subsuelo iniciados en el siglo XVIII por el gran almirante y científico sevillano don Antonio de Ulloa, y continuados en el XIX por los ingenieros señores Coello, Font y Barrau y las importantísimas aportaciones en el siglo XX del profesor Dantin Cerecedas, el ingeniero Francisco Graciani y otros, sabemos ciertamente que el suelo sevillano es de formación bastante reciente.

En el terciario al cuaternario, el Océano entraba por el valle del Guadalquivir formando un gran brazo cuya anchura iba desde Sanlúcar de Barrameda a Rota.

El desmoronamiento de parte de la Sierra Morena, en sucesivos reajustes sísmicos, y el aporte de sus materiales desmoronados, por los ríos que fueron formándose, determinó una gran sedimentación que fue elevando poco a poco el nivel de este brazo de mar. El choque de las corrientes producidas por los ríos con las mareas procedentes del Océano hizo que la sedimentación fuera más abundante en una línea entre Rota y Sanlúcar, formándose una «barra» y más tarde llegó a constituirse un lago interior, que llegaba hasta Sevilla, ocupando todo el antiguo brazo de mar. Este lago interior existió hasta tiempos históricos, recibiendo de los primeros viajeros el nombre de Lacus Ligustinus. Posteriormente se ha seguido aterrando de sedimentos, formándose las marismas, y el suelo donde se asienta nuestra propia ciudad de Sevilla.

Primeros pobladores

La relativa modernidad del suelo sevillano, hace que aquí no hubiera habitantes en la época paleolítica, puesto que en ese tiempo el suelo de nuestra ciudad estaba cubierto por las aguas, formando parte del Lacus Ligustinus, según explica Pomponio Mela en su *Chorographia.*

Disminuido el nivel de las aguas, poco antes del año 1000 a. J.C. se formó una isla, que fue aprovechada por un primer pueblo de cazadores y pescadores, que formarían un poblado palafítico. El lugar exacto corresponde a lo que hoy es la Cuesta del Rosario, Abades, San Isidoro, y parte de la calle Sierpes (cotas 12 y 14), donde según Luis Alarcón de Lastra, y el profesor Blanco Freijeiro, han aparecido los más antiguos hallazgos arqueológicos, puntas de flechas, hojas de jabalina, y cerámica.

Los tartesios

El pueblo tartésico no es suficientemente conocido, aunque se cree que llegó 1500 años a. J.C. procedente de ¿África? Algunos historiadores consideran a los tartesios como últimos supervivientes del continente hundido de la Atlántida.

Sea como fuere, en la Biblia se cita a los tartesios como el pueblo que explotaba las minas de cobre de Tharsis, que hicieron donación de una hermosa mesa de bronce, para el templo de Jerusalén, construido por Salomón.

En Sevilla los tartesios erigieron sepulcros de grandes piedras, del tipo llamado «de corredor» uno de los cuales está enterrado en el subsuelo de la Puerta de Jerez, de donde no fue posible sacarlo por su descomunal tamaño y peso.

También son tartesias las joyas del «Tesoro de El Carambolo», encontrado el 30 de setiembre de 1958 en el campo de tiro de Pichón del Carambolo, quizá escondido por los tartesios al comienzo de una batalla, o para evitar su pérdida en un saqueo. Se compone de brazaletes, pectorales, placas de cinturón, y un collar con campanillas, presumiblemente el adorno indumentario de un rey o sumo sacerdote.

Celtas e iberos

Hacia la misma época debieron venir los iberos, y algo más tarde los celtas. De éstos, puede afirmarse que son la vanguardia de las grandes migraciones de los pueblos arios, y entrarían en España, según Gonzalo Reparaz, por el portillo vasconavarro.

Los celtas ejercieron una gran influencia en la comarca sevillana, en la que dejaron muchísimos nombres geográficos, tales como los que empiezan por las sílabas «ari», «ar» y «as», como Aroche, Arba y Arunci (este último es el actual Morón de la Frontera). También Astigi (Écija), Astapa (Estepa), y los terminados en «uba» como Gelduba (Gelves).

Hércules, fundador de Sevilla

¿Quién fundó este primer núcleo urbano de Sevilla? Según todos los historiadores, aunque hubiera alguna casa o choza lacustre prehistórica, no hubo aglomeración urbana que pudiera llamarse ciudad hasta los fenicios, y tuvo el carácter de una factoría comercial. El fundador fue un navegante fenicio llamado Melkart, que había cruzado el Mediterráneo y remontó el Guadalquivir. Este navegante introdujo la religión fenicia, y consiguió el monopolio del comercio de pieles de toro, y descubrió posiblemente minas de plata (Almadén de la Plata).

Por estos méritos religiosos, científicos y cívicos, a su muerte los fenicios le elevaron a los altares en su patria de origen, y sus aventuras de navegante fueron exageradas y deformadas hasta hacerse legendarias (el monopolio de cueros de toro pasaría en la leyenda a ser uno de los «trabajos» de Hércules, apoderarse de los toros del rey Gerión). Así Melkart fue héroe, santo y finalmente dios, para los fenicios. Su devoción pasó a Grecia, cambiando su nombre por el de Herakles, y más tarde a Roma, modificándose hasta convertirse en Hércules.

Fuentes históricas

Los testimonios principales de historiadores antiguos que así lo afirman son:

«Hércules el egipciano fundó Sevilla cuando vino a esta comarca» dice Beroso.

«Hércules recorrió el África y llegó al Estrecho de Gades por donde penetró en España y fundó Sevilla» dice Diodoro Sículo.

«Gerión fue muerto por Hércules» asegura Herodoto. (Gerión fue rey de los tartesios en las proximidades de Sevilla, y acaso fuese suyo el Tesoro de El Carambolo.)

«Yo he visto los libros de Hércules, y consta en ellos que fundó a Sevilla» escribe Hamed Ar Razi, llamado *el Moro Razis,* gran historiador musulmán.

La *Crónica* de Alfonso X *el Sabio;* la *Crónica General de España* del maestro Florián de Ocampo; La *Historia de Sevilla* del presbítero Alonso de Morgado, y otras muchas obras de diversos autores, ratifican esta atribución. Rodrigo Caro, pulcro y erudito historiador, dice estas serenas palabras: «La tradición de que Hércules fundó a Sevilla es tan admitida en ella y en los autores referidos que no parece digna de reprobar».

Esta atribución de haber fundado Sevilla el navegante Hércules, es aceptada oficialmente incluso por el propio Ayuntamiento de la Ciudad, y por la Real Audiencia, y así, en el edificio de las Casas Consistoriales en la Plaza de San Francisco, en el arquillo, vemos que la primera estatua de las que exornan el edificio en el exterior es precisamente la estatua de Hércules como fundador de la ciudad. También se le reconoce como fundador de la Ciudad, al ponerse su estatua en lo alto de una de las columnas que adornan la Alameda, al construirse ésta en el siglo XVI.

El nombre de Sevilla

¿De dónde procede el nombre de Sevilla? Antes, en época árabe, fue Ixbilia, que es a su vez una modificación del primitivo nombre, Hispalis. ¿Pero, de dónde procede el nombre de Hispalis?

Algunos historiadores, entre ellos san Isidoro, afirman que por haber estado Sevilla edificada en zona pantanosa, al borde de un lago que se retiraba, y abarcaba entre brazos de río, debió ser primitivamente una ciudad en forma de poblado lacustre, o sea en «palafito» o aldea «palustre». San Isidoro lo remacha aún más diciendo que se hincaron palos en el terreno pantanoso y sobre estos palos se levantaron las casas. Así, pues, el nombre de Hispalis vendría de palo.

El profesor Blanco Freijeiro, en una de sus conferencias en el Museo Provincial de Bellas Artes, ha afirmado que al construirse el «Cine Imperial» en la calle Sierpes, han aparecido en el subsuelo algunos palos del tipo empleado en las construcciones lacustres, que podrían abonar esta teoría.

Otros autores, en cambio, hacen derivar la palabra Hispalis de la raíz *pal*, que significa «llano» en idioma fenicio, por lo que Hispalis significaría «ciudad llana» y comparan este nombre con el de otras ciudades de características similares, y origen fenicio como Palos, Palamós y Palafrugell.

La religión fenicia en Sevilla

Apenas fundada la factoría mercantil, ribereña del Guadalquivir, que se llamaría Hispalis, los fenicios implantaron en ella su religión, derivada de la egipcia, y más o menos modificada, convirtiendo a ella a los tartesios habitantes de la comarca.

De la religión egipcia nos quedan numerosos testimonios, entre ellos una estatua del Buey Apis, con inscripción que se encuentra hoy en el Palacio de los Duques de Medinaceli.

También se conserva en la misma Casa de Pilatos un pedestal que tiene labrados en relieve los dioses egipcios Anubis, Osiris y Apis, y una inscripción alusiva a la diosa Isis.

Parece que esta diosa Isis tendría una especial veneración, pues también hay noticia de haberse hallado una imagen suya en el norte de la provincia de Sevilla, o sur de la de Badajoz, cerca de Guadalcanal.

Por mi parte puedo añadir el hallazgo, realizado por un obrero, en los terrenos de El Carambolo, de una figura de bronce que representa a la diosa Isis, sentada, y con la articulación o bisagra de haber tenido un brazo móvil. Esta imagen tiene en su pedestal una inscripción fenicia tardía, o púnica de primera época, según los especialistas que la han estudiado. La figura fue encontrada la víspera del hallazgo del «Tesoro de El Carambolo» y entregada por el obrero a don José Hidalgo Medina, quien me la hizo llegar, y que a mi vez puse en manos del entonces Comisario de Bellas Artes don Joaquín Romero Murube, y actualmente está expuesta en una vitrina del Museo Arqueológico Provincial. Otras dos estatuillas fenicio-egipcias han sido descubiertas por el académico don Ramón Torres Martín.

Bibliografía antigua sobre Sevilla

Las seis fuentes primeras en que se puede estudiar el origen de Sevilla y los primeros tiempos de su historia son:

1) La *Ora Marítima* de Rufo Festo Avieno, romano del siglo IV, pero quien había utilizado para su confección un antiguo periplo griego, el *Periplo Massaliota* del siglo VI a. J. C., estudiado por el capitán mercante (amigo nuestro) don Manuel Salamanca Celis, de la compañía Transmediterránea.

2) La *Geographika* de Estrabón (28 a. de J. C.).

3) La *Chorographica* de Pomponio Mela.

4) La descripción de Andalucía, en los Libros III y IV de su *Naturalis Historia*, de Plinio el Viejo. Este autor vivió en Sevilla y ocupó el cargo de «procurator» de la España Citerior en tiempos del emperador Vespasiano.

5) La *Geografía* de Ptolomeo.

6) Los *Itinerarios de Antonio*, de la última época romana.

Expulsión de los fenicios

Desde la factoría sevillana y desde la factoría de Cádiz, los fenicios fomentaron la explotación minera andaluza, la industria, la ganadería y la agricultura. Pero más tarde, cuando la población se concentró en pueblos, y la mano de obra se especializó, creándose un proletariado que ya no vivía de la caza y de la pesca, sino de su trabajo, los fenicios, con una hábil maniobra económica, disminuyeron la demanda, lo que repercutió inmediatamente en una desvalorización de los productos, desvalorización del trabajo, malestar y hambre. Ante esta situación, que por igual perjudicaba a los trabajadores, y a los industriales andaluces, el rey que gobernaba la región tartesa, hijo del rey Argantonio, movilizó sus tropas y expulsó a los fenicios.

Algunos autores sostienen que esto ocurrió en el año 900 antes de Jesucristo y que desde dicha fecha hasta la llegada de los cartagineses en el siglo v vivió Sevilla gobernándose a sí misma.

Otros autores en cambio sostienen que la expulsión de los fenicios se realizó el año 499 antes de Jesucristo, y que los fenicios expulsados pidieron ayuda a los cartagineses, de su misma raza e idioma, los cuales invadieron España el año 498 penetrando por Cádiz y Sevilla, y adueñándose de la región bética.

Producción sevillana en la época fenicia

Puede decirse que los fenicios fueron los agentes comerciales que difundieron por el mundo los productos sevillanos, entre ellos vinos, cobre y cerámica del magnífico barro sevillano.

Estrabón testimonia la calidad de las exportaciones agrícolas de Hispalis diciendo: «De Turdetania se exporta trigo, mucho aceite y vino, este último no sólo en cantidad, sino de calidad insuperable.»

En Salónica y en Atenas se han encontrado trozos de ánforas de vino, que llevan la marca de los alfareros sevillanos de aquella época.

Navegación e industria

La navegación andaluza en este tiempo anterior a los griegos y los romanos, ha alcanzado gran perfección. El griego Eudoxio de Cízico afirma haber visto unas embarcaciones andaluzas en el Golfo Pérsico, lo que demuestra que habían dado la vuelta por el sur de África, viaje mucho más largo y atrevido que el Periplo de Amnón, de los fenicios, puesto que éstos solamente llegaron hasta la Guinea.

Respecto a perfección industrial, aparte las ánforas encontradas en Grecia, de procedencia sevillana, sabemos que los tartesios trabajaban el oro con una perfección comparable a la de hoy en día. Los «thymateria» de Lebrija tienen soldaduras, e incluso lañas. Las piezas del «Tesoro de El Carambolo» han sido estudiadas por el ilustre orfebre don Fernando

Marmolejo, quien las encuentra de una perfección técnica superior a la de la Edad Media.

Todavía bajo la dominación fenicia y cartaginesa seguirá habiendo gente tartesia en nuestra comarca, que desarrollan su vida y su trabajo tal como lo habían hecho antes, durante siglos.

Invasión cartaginesa

Los cartagineses entran en Sevilla. La batalla fue dura y los tartesios habían construido murallas de piedras y barro, trabado con palos, de gran resistencia. En esta batalla apareció por primera vez en España el terrible «ariete», máquina militar que permitía derribar las murallas golpeándolas en sus esquinas.

Los cartagineses una vez conquistada Sevilla la volvieron a fortificar, y establecieron en todo el territorio andaluz diversos sistemas defensivos.

Declarada más tarde la guerra entre Roma y Cartago, Amílcar Barca, que mandaba las tropas cartaginesas de guarnición en Sevilla, ordena el reclutamiento e instrucción de los jóvenes andaluces, y los envía a Zaragoza. Es el modo de quitarse posibles problemas en retaguardia. Seguidamente impone una fuerte contribución de guerra y declara que no han venido a defender los intereses de los fenicios, sino a conquistar la Península Ibérica.

Para fortalecer su partido dentro del senado de Cartago, y hacerle respaldar sus empresas militares, Amílcar Barca desde Sevilla marcha a Zaragoza, llevando consigo a su hija Himilce, la que da en matrimonio al también general cartaginés Asdrúbal, encontrándose así las dos familias más poderosas de Cartago.

Pero a las bodas llega una noticia funesta, Sevilla se ha sublevado y ha pasado a cuchillo la guarnición cartaginesa que Amílcar había dejado aquí. Amílcar abandona las bodas y regresa rápidamente a Sevilla, donde ha de combatir para recuperar la ciudad; hace prisionero al caudillo andaluz Istolacio y le manda crucificar. Esto ocurría en el año 218 antes de Jesucristo.

Amílcar, creyendo pacificado el territorio, parte hacia el norte donde fundará Barcelona (Barce, Barcino, nombre tomado del apellido Barca del caudillo cartaginés).

Dos años después, en la primavera del 216, vuelve a sublevarse Sevilla contra los cartagineses, ahora al mando de un joven turdetano llamado Galvo. Las guerrillas sevillanas cortan las comunicaciones entre el ejército púnico y sus bases, y cuesta dos años más el dominarlos. Pero poco después, vencido Aníbal en Italia, los cartagineses ven desmoronarse su poderío en España, y ceden tras cruenta guerra a la superioridad romana.

Mejoras de los cartagineses

De la dominación cartaginesa quedaron en Sevilla importantes mejoras, principalmente en orden a la navegación por el Guadalquivir, la construcción de las primeras carreteras que sustituyen a las antiguas veredas campestres de los celtíberos.

Introdujeron el elefante como animal de trabajo, que hubiera podido transformar totalmente la economía andaluza. Sin embargo, los romanos posteriormente exterminaron estos animales, con lo que se malogró un evidente progreso. La remonta de elefantes había sido instalada aquí por Asdrúbal.

Fin de la dominación cartaginesa

Aun cuando hemos dicho que hubo dos sublevaciones contra los cartagineses, no quiere esto decir que los sevillanos estuvieran dispuestos a recibir a los romanos con los brazos abiertos. Por el contrario, Sevilla se resistió vigorosamente contra la invasión romana, y según Collantes de Terán en su discurso de ingreso en la Real Academia de Bellas Artes, «la ocupación romana de Sevilla sólo se consiguió a sangre y fuego, y esto no es metáfora sino que existen niveles arqueológicos correspondientes al cambio de dominio cartaginés a romano, con huellas de haber sido incendiada la ciudad».

Por el hallazgo de una vasija con monedas, se puede datar la fecha del estrato cartaginés en Sevilla. Estas monedas son didracmas acuñados por Amílcar Barca, en 237 antes de Jesucristo, y por Asdrúbal en 227 a 220. No han aparecido monedas de Aníbal.

Toponimia sevillana prerromana

Aparte del nombre de Hispalis, que como hemos dicho antes parece proceder de *pal*, llanura, encontramos en la comarca muchos nombres pre-romanos como Tucca (Tocina); Tucci (Aznalcóllar), y Aria (Peñaflor), de origen celtíbero.

Ugia, llamada luego por los romanos Turris Hannibalis, es una fundación cartaginesa, de Aníbal, sobre la que se ha edificado el actual pueblo de Las Cabezas de San Juan.

Del celtíbero *ana*, que significa río, procede el nombre de Triana, que es una fórmula de compromiso entre lo celtíbero y lo romano, pues se unen el numeral romano *tri*, tres, y el sustantivo *ana* celtíbero, para formar Triana, significando lugar donde había tres brazos de río. Este nombre es, por tanto, de la época de comienzos de la latinización.

Diversiones

Las diversiones primitivas de Sevilla, cientos de años antes de Jesucristo, eran muy semejantes a las de ahora. Los jóvenes amaban el juego peligroso de torear esquivando al toro marismeño con ágiles quiebros de cintura, lo que causó admiración y estupor a los romanos.

Las muchachas bailaban haciéndose el son con las castañuelas o crótalos. Estos bailes y estas castañuelas conservarán no sólo su estilo sino incluso su nombre, durante largo tiempo después de la dominación romana, y así el poeta latino Marcial aludirá en elegantes versos a las castañuelas andaluzas diciendo:

Et tartesiaca concrepat aera manu.

Bajo la luna celtibérica, los pies desnudos adornados con aretes de plata, las muchachas tartesias bailan a la orilla del Guadalquivir.

CAPÍTULO II

LLEGADA DE LOS ROMANOS. DOMINACIÓN ROMANA EN SEVILLA

En el año 206 antes de Jesucristo, las tropas romanas, que manda el gran Escipión, destrozan el ejército cartaginés, y se apoderan del sur de España.

Escipión no quiso fiarse demasiado de una Sevilla a la que había tenido que sojuzgar por la violencia, así que establece, a poca distancia de Hispalis, pero suficientemente alejada, una segunda ciudad denominada Vicus Italicensis, o sea Itálica. Lo hace en un paraje llamado Saucius (probablemente por los sauces que en aquel lugar habría junto al río Guadalquivir). Itálica empieza siendo simple campamento y lazareto para el reposo y curación de soldados veteranos, pero en seguida se transforma en ciudad residencial.

Así, al poco tiempo, Sevilla e Itálica tienen dos personalidades completamente distintas: Sevilla es la ciudad comercial e industrial hispanoromana. En cambio Itálica es puramente ciudad residencial, y puramente romana. Los romanos cultivan el «apartheid» para asegurar su hegemonía sobre el vecindario celtíbero.

Guerra civil entre los romanos

Los romanos muy pronto caen en una guerra civil, iniciada en Italia, pero que se extiende por España. Es ésta la guerra entre César y Pompeyo. Sevilla toma el partido de César, y éste, después de pacificar el territorio, deja como gobernador de la Bética a Quinto Casio Longinus, con cuatro legiones de tropas.

Parece ser que este Longinus se dedicó a imponer contribuciones por su cuenta, para su lucro personal, y cometió diversas tropelías y crueldades, por lo que un grupo de romanos de Itálica, llamados Minuco Silo, Munacio Planco, Tito Vacio, Lucio Mergilio y Licnio Esquilo, se juramentaron para matarle. Habiéndole seguido hasta Córdoba, le apuñalaron ante el palacio del gobernador Claudio Marcelo. Pero a pesar de las numerosas heridas, Longinus sobrevivió. Entonces como venganza hizo crucificar a cientos de romanos de Itálica, y a cuantos sevillanos tenían relación con ellos, y castigó injusta y ferozmente a toda la comarca. Longinus no pudo disfrutar sin embargo el producto de sus rapiñas, pues el barco en que se dirigía a Roma poco después, naufragó, ahogándose frente a Tarragona y perdiéndose su botín.

A consecuencia de estos sucesos, en el año 69 César es enviado a Hispalis por el senado de Roma con el cargo de cuestor. César prosigue la guerra contra Pompeyo, con tan buena fortuna, que en la provincia de Sevilla (al parecer en Lora de Estepa, según el estudio de Esteban Collantes Vidal), César derrota al bando de Pompeyo en la famosísima batalla de Munda, el 17 de marzo del año 43. La cabeza de Gneo, hijo de Pompeyo, traída a Sevilla por César, fue expuesta al público en el Foro, hoy plaza de la Alfalfa.

Construcción de las murallas de Sevilla

Ya hemos dicho que la primitiva ciudad fundada por los fenicios solamente ocupaba las cotas 12 y 14, es decir, lo que hoy son la calle Abadesa, San Isidoro, la Cuesta del Rosario, y muy poco más.

Tanto para festejar el triunfo de Munda, como para asegurarse un punto bien fortificado en la región bética, Julio César decide convertir Sevilla en una plaza fortificada, ensanchando su perímetro, y sustituyendo por murallas recias la antigua empalizada de troncos trabados con barro, que había existido en época cartaginesa.

Podemos establecer como fecha válida la del año 45 antes de Jesucristo para la construcción de la muralla (en abril de dicho año había estado César en Sevilla).

La muralla se construye con el material llamado «opus caementicium» compuesto de argamasa rica en cal y trabada con guijarros de río: este material, famoso con el nombre vulgar de «mortero romano», tiene la propiedad de que su riqueza en cal y la manera de amasarla, le da una dureza extraordinaria y una duración demostrada por el excelente estado en que se encuentran estos muros al cabo de dos mil años.

Parece ser que la muralla describió primeramente el contorno de un recinto pequeño, y gracias a los hallazgos de cimientos y restos de esta muralla puede fijarse con bastante exactitud cuál sería su trazado.

Según las autorizadas opiniones de los profesores don Antonio Blanco Freijeiro, don José Guerrero Lobillo y don Francisco Collantes de Terán, el perímetro de la muralla sería el siguiente:

Catedral — calle Mateos Gago (donde hay vestigios de un lienzo de muralla) — Puerta de la Carne — Puerta Osario — calle Alhóndiga (donde se ha encontrado el cimiento de una puerta) — Plaza de Villasis (donde se ha encontrado otra puerta) — calle Cuna — Plaza del Salvador — Catedral.

Queda una ligera reserva respecto al trazado del muro sur, si iría exactamente por calle Mateos Gago, o más hacia el Alcázar, reserva que manifiesta explícitamente el profesor Blanco Freijeiro; pero en todo caso no cambia sustancialmente la cuestión, sino en unos metros más o menos.

Calles principales de la Sevilla romana

En esta primera época, en que Sevilla era como la acabamos de describir, tuvo, según Guerrero Lobillo, como calle principal o «Cardo máximo» la actual calle Abades, con la particularidad de que era doble de ancho que ahora, puesto que abarcaba en una sola anchura las dos calles actuales de Abades y don Remondo.

Blanco Freijeiro piensa que Sevilla debió parecerse mucho en su trazado a Tréveris, y que el Foro estaría en la plaza de la Alfalfa, y el principal templo sería el que nos ha dejado el soberbio testimonio de sus columnas en la calle Mármoles.

Ampliación de la muralla

Aumentado el número de habitantes de Sevilla, tanto por crecimiento vegetativo, como por inmigración, atraída ésta por la importancia creciente de la industria y el comercio de la floreciente capital de la Bética, se hizo necesario ensanchar la ciudad. Esto debió ocurrir después de Augusto.

Para el ensanche, se derribó la muralla en su tramo comprendido entre la actual Plaza de Villasis — Alhóndiga — Puerta Osario, y se hizo una nueva muralla que iba desde San Martín — calle Doctor Letamendi — Feria — Resolana — Macarena — Puerta de Córdoba — Osario.

Es a partir de este momento cuando Sevilla cuenta ya con su muralla romana definitiva, cuyas puertas serían:

Puerta de la Carne, Puerta de Carmona, Puerta Osario, Puerta del Sol, Puerta de Córdoba, Puerta de la Macarena, posible Puerta en Relator, esquina a Feria, posible Puerta en San Martín, Puerta en Villasis, posible Puerta en el Salvador, posible Puerta en Mateos Gago.

(Todas las que damos como posibles desaparecieron en la época árabe al hacerse el ensanche hacia el Oeste.)

Aumentado tan considerablemente el perímetro de Sevilla, con esta nueva alineación de la muralla, cambió la topografía urbana. Ya el «Cardo máximo» no va a ser la calle Abades, sino una larga vía que irá desde la muralla de calle Mateos Gago hasta la Puerta de la Macarena, o sea la calle Abades, la de Cabeza del rey don Pedro, la de Alhóndiga, la de Bustos Tavera, y la calle San Luis.

Este «Cardo máximo» o calle principal tendría sus «decumanos» o calles transversales, perpendiculares a ella, siendo el «decumano máximo» la actual Cuesta del Rosario, prolongada por calle Águilas y San Esteban, o sea desde la puerta de muralla que habría en el Salvador hasta la Puerta de Carmona.

Otro «decumano» sería la calle del Sol, prolongada por las de Imagen y Laraña hasta Villasis, o sea que uniría la Puerta de Muralla en Villasis, con la Puerta del Sol.

Finalmente habría un «decumano inferior» que sería la actual calle Relator, y su prolongación Fray Diego de Cádiz, uniendo de este modo la Puerta de Córdoba con la Puerta de Muralla que daba al río, que entonces pasaba por lo que hoy es la Alameda de Hércules.

Añadiremos que el nombre de Macarena debió aparecer precisamente en la época de construcción de esta segunda muralla posterior a Augusto. Macarena significa Macarius-ena o sea «propiedad o posesión de Macarius», por haber en sus proximidades terrenos, y una torre, propiedad de un romano llamado Macario.

En la época definitiva del amurallamiento romano, contaba éste con 166 torres y otros tantos lienzos de muralla.

Florecimiento de Hispalis

A pesar de la sombra que le hacía Itálica, y del «apartheid» inicial implantado por los romanos, poco a poco se va mezclando la población celtíbera con la población romana, y poco a poco Sevilla va subiendo en importancia hasta competir con Itálica. Sucesivamente consigue del gobierno de Roma los títulos de Colonia Rómula, Convento Jurídico, y posteriormente Metrópoli, hasta llegar en tiempo de Ausonio a ser reconocida como la primera ciudad de España.

Estos títulos no eran honoríficos, sino que llevaban aparejados ciertos beneficios legales. Así, la categoría de «Colonia» le daba derecho a batir moneda. El ser «Convento Jurídico» y «Metrópoli» le otorgaban la capitalidad en ciertos aspectos de la organización política y administrativa regional.

Economía sevillana en la época romana

El río Guadalquivir en la época romana es el gran causante del florecimiento de Sevilla, donde hay construidos numerosos muelles de embarque. Es navegable a lo largo de 1.200 estadios, equivalente a 44 leguas, o sea unos doscientos kilómetros.

En Sevilla se embarcaban con dirección a Roma y otros puntos del Imperio, ánforas de aceite y de vino y tinajas de aceitunas aliñadas que representaban ya entonces, como ahora, nuestro primer renglón de comercio exterior.

De estas ánforas, en Roma, existe un inmenso vertedero, llamado el «Monte Testaccio» o monte de los Tiestos, en donde se encuentran restos de miles de vasijas que llevan el sello o marca de los alfareros sevillanos.

En Sevilla había un Prefecto para la exportación de aceite, cargo que equivaldría al actual de Presidente del Sindicato del Olivo. En Roma se conserva una inscripción en mármol, aludiendo a Quinto Petronio que ocupó este cargo de Prefecto en Sevilla.

También en nuestra ciudad, los exportadores de aceite agasajaron a un Prefecto de la exportación de aceites, a quien erigieron un monumento. La estatua se perdió en la época árabe y probablemente esté mezclada con la piedra de los cimientos de la Giralda. Pero el pedestal con su incripción está colocado como piedra de cantería en la parte baja de la Giralda, frente a la esquina de calle Placentines, y puede leerse su último renglón, que está puesto boca abajo. El texto completo de esta inscripción fue leído con ocasión de hacerse unas obras en la acera de las gradas de la catedral, que dejó al descubierto íntegramente dicho pedestal, siendo copiado por el historiador don José Gestoso.

Acueducto, minas, esclavos

Para sustituir al agua del Guadalquivir en el abastecimiento urbano, se construyó el acueducto llamado los Caños de Carmona, de ladrillo y piedra, obra insigne de ingeniería, que si no rivaliza en belleza con el de Segovia, le aventajaba en el cálculo topográfico por la dificultad de la conservación del necesario desnivel en zonas prácticamente llanas, acueducto que ha sobrevivido a lo largo de casi veinte siglos en perfecto funcionamiento, hasta fecha reciente. El dolor de la independencia perdida pudo consolarse con las ventajas que la civilización romana nos trajo y con la prosperidad, grandeza y hermosura alcanzadas por la ciudad hispalense, donde hubo en esta época templos suntuosos consagrados a la tríada capitalina (Júpiter, Juno y Minerva) de la religión oficial romana, y a dioses particulares como Baco, cuya protección impetraban los agricultores y comerciantes del ramo vinícola, o a dioses en quienes la superstición popular suponía virtud para la curación de enfermedades. En el Museo Arqueológico de Sevilla se conservan numerosísimos exvotos de uno de estos santuarios paganos.

Además de la vía fluvial, contaba Sevilla con calzadas que la unían a Mérida, Córdoba y otras ciudades, a lo largo de las cuales vías existían «mutaciones» o estaciones de relevo de caballos, y «mansiones» o fondas. Los alrededores de Sevilla estaban llenos de quintas de recreo, en cuyos jardincillos existían a veces tumbas familiares.

La región de Sierra Morena recibió el nombre de «Argentarius Mons» (lo que nos hace pensar que los romanos en los primeros momentos se deslumbraron ante los filones de plata de Almadén, como nuestros conquistadores de América, hasta el punto de bautizar éstos a toda una nación sudamericana con el nombre de Argentina y a su principal río con el Río de la Plata). La exportación de minerales nobles fue importante, cifrándose en 1.500 libras de oro anuales y más del doble de plata.

Triste renglón en cambio, el de la esclavitud, tanto en el trabajo minero como en la agricultura y sobre todo en las galeras y barcazas que remolcaban desde la orilla con cuerdas, por hileras de hombres, procedimiento de sirga que indudablemente era de tanta eficacia, que aún hoy los trabajadores que transportan arena por el río suelen aplicarlo.

Cristianización de Sevilla

Difundido por el Imperio romano el cristianismo, al esparcirse los apóstoles por los países mediterráneos, Sevilla, como gran ciudad, fue objetivo importante para los primeros pasos de la nueva religión. Así, muy poco después de la llegada del Apóstol Santiago a España, aparece la primera comunidad cristiana en Sevilla, cuya importancia es muy pronto considerable hasta el extremo de crearse la Sede Episcopal Bética y en seguida la primera Sede Metropolitana de España, según figura en las actas del martirio de san Laureano, siendo el primer arzobispo san Pío, discípulo del Apóstol Santiago, escultor de oficio, quien modeló en barro la imagen de la Virgen del Pilar y la entronizó como primera patrona de Sevilla. Todavía el cristianismo vivió en la clandestinidad y sometido al rigor de las persecuciones, cuando el obispo Sabino de Sevilla asiste al Concilio de Iliberis entre el año 300 y el 305 de nuestra era. Concilio que es anterior al de Nicea y fundamental para la organización de la Iglesia española y reglamentación de la disciplina de los fieles y eclesiásticos.

En el tiempo del gobernador Diogesiano, año 287, hubo en Sevilla una cruel persecución. Víctimas gloriosas en ella fueron las jóvenes vírgenes Justa y Rufina. En el rezo ordinario que les dedica la Iglesia y que comienza: «Justa et Rufina sorores hispalenses», se cuenta cómo fue su martirio. Las dos hermanas trabajaban en la industria cerámica del barrio de Triana y cierto día de fiesta en que pasaba por una de sus calles la procesión de la diosa Salambó o Venus púnica con un cortejo de mujerzuelas y borrachos, las dos hermanas se negaron a reverenciar la estatua de la diosa, ocasionándose un tumulto en el que ellas derribaron el ídolo que fue a romperse contra el suelo. Conducidas a la prisión, Rufina murió en el calabozo a consecuencia del hambre y los malos tratos, y Justa fue ejecutada por el verdugo.

Emperadores sevillanos

La ciudad a la que Escipión había llamado Vicus Italicensis, de donde Itálica, fue como hemos dicho, primero, campamento de reposo militar, pero más tarde magnífica ciudad residencial en la que los patricios tenían sus palacios aunque tuvieran sus oficios en Hispalis. Es decir, Itálica era el *ocio* y Sevilla el *neg-ocio*. Itálica con sus calles perpendiculares como tablero de ajedrez, sus edificios labrados en mármoles de Italia, de Grecia e incluso de Oriente, sus pavimentos de mosaico representando paisajes, retratos y escenas mitológicas como ricas alfombras de trocitos de jaspe, sus patios exornados con estatuas de emperadores, reproducciones de esculturas griegas de Fidias y Praxiteles, y en fin, sus comodidades y sus caballerizas de magníficos caballos andaluces, rebosaba riqueza, distinción y elegancia. Hasta los aldabones de las puertas de las casas eran en Itálica joyas y obras de arte, y su circo, de hormigón revestido de mármol y losas de piedra (hoy desaparecidas), era uno de los lugares de recreación más importantes de España.

Nota interesante es que la dificultad de obtener fieras exóticas pudo compensarse en Itálica utilizando toros bravos, de donde probablemente nació la fiesta nacional española.

Sevilla, con sus calles estrechas, sus murallas, su puerto, la ajetreada y fecunda colmena de su barrio de Triana, era la urbe grande mercantil heterogénea y activa que permitió mantener aquella otra ciudad de placer.

Vestigios de lo que fue Itálica los tenemos a centenares en piezas riquísimas en nuestro Museo Arqueológico. Vestigios de la Sevilla romana, en las murallas de la Macarena, en los Caños de Carmona, en las columnas gigantescas del templo de la calle Mármoles y en las dos airosas columnas llevadas más tarde a la Alameda de Hércules y que presiden en la actualidad ese importante paseo sevillano.

En Itálica nació, según algunos historiadores, o acaso en Hispalis, pero desde luego de familia sevillana de una u otra ciudad, Marco Lipio Trajano, hijo de un militar de la clase media. Como su padre, sigue la carrera de las armas de la que no se olvida aún cuando alcance la púrpura imperial. Es un emperador de infantería con la coraza pegada al cuerpo bajo el rigor de climas extremados sin rendirse al temor ni a la fatiga, vencedor de los bárbaros en el Danubio y en los Balcanes. Político, cuando se sienta en el Senado, llega en su grandeza a dejarles a los jueces albedrío para aplicar la ley incluso en contra de su opinión personal. A su alrededor florece una corte de letrados y artistas como Diom Crisóstomo, Plutarco, Tácito, Suetonio y Plinio. La figura de Trajano es, en su tiempo, la del español más ilustre y la del romano más noble, más alto y más digno, tanto, que Trajano alcanzó con su personalidad a redimir al Imperio de todos los estigmas que padecía. Solamente por haber existido Trajano podemos reconciliarnos con el espíritu de aquel descomunal Imperio tan fuera de la medida humana, que más bien que una creación política parece un hecho de la Naturaleza, una excrecencia geológica.

Sin Trajano, Roma significaría el triunfo del ave de rapiña, la fuerza bruta; el saqueo de Grecia y de Egipto para llevarse como botín de guerra los bronces cairotas y los mármoles de Fidias y de Scopas, expoliando a la hermosa Atenas y al delta del Nilo para adornar con galas ajenas la urbe italiana. La fuerza bruta que irrumpe en España amputando a golpe de segur la mano derecha de los jóvenes ibéricos para que no pudiera empuñar la espada contra el invasor. La injusticia, en fin, que coloca junto a Cartago contra todo derecho, apoyándole con tratados y con garantías, al bárbaro Masinisa, especie de vampiro puesto por Roma para desangrar la prosperidad de la nación cartaginesa antes de lanzarse a su exterminación. Pero Trajano con su sola presencia en la Historia, hace el milagro de que al acercarnos a Roma veamos, por encima de los abusos y de las violencias, lo que hay de noble y justo y bello en el Imperio romano. Su virilidad, su genio y su amor a la cultura y a la justicia son, en conjunto, productos netamente hispánicos. Por ser sevillano encontramos en Trajano resumidas las características raciales de nuestra región andaluza, porque, como ha dicho acertadamente un escritor: «quien pretendiera explicar la esencia de España a lo largo de la península, lo mismo en el Cantábrico que en Aragón, en Castilla o en la banda oriental, sólo hallaría partes expresivas, pero nunca "todo" el SER español. En cambio, en el valle del Guadalquivir, se encuentran reunidas las partes más numerosas de lo que podemos llamar españolismo». (Salaverría.)

Otro emperador que si no fue sevillano, al menos consta que era de familia hispalense y pariente de Trajano, fue el gran Elio Adriano. Fue éste, hombre de letras, filósofo, retórico, artista, escritor, y sobre todo jurista. Sus relaciones con Itálica fueron delicadas; habiendo realizado un viaje de once años de duración para recorrer todo el Imperio, fue la única ciudad importante que no quiso visitar, según unos historiadores como castigo por no haber asistido delegados de Itálica a una reunión de representantes de ciudades convocada por él. Según opiniones más razonables, evitaría visitar Itálica para no verse obligado a conceder a sus paisanos alguna merced o distinción que pudiera ser interpretada por las otras ciudades, como favoritismo.

Se debe a Adriano el «Edicto Perpetuo» y algo más importante todavía, la ley en que se prohíben los sacrificios humanos, se limitaba la autoridad del padre sobre los hijos (hasta entonces tenía derecho de vida o muerte sobre ellos) y reglamentaba severamente el comercio de esclavos.

En el año 161 fue elevado al Imperio otro español de familia sevillana también y pariente de Adriano, llamado Marco Aurelio. Era tan generoso y caritativo con los humildes que habiéndole reprendido su esposa Faustina que gastase demasiado dinero en limosnas y subsidios, le respondió: «¿Pues piensas tú que soy emperador para enriquecerme o para servir a mi pueblo? La riqueza de un príncipe es la felicidad pública.» Marco Aurelio no era cristiano, pero se inclinaba en favor de la nueva religión, y así, al conocer la noticia de que en un campamento del Danubio, cuando las legiones romanas acosadas por los bárbaros estaban a punto de perecer de sed, cayó una abundante lluvia atribuida a que en dicho ejército había cierto número de soldados cristianos, el emperador no desmintió el prodigio, sino que investigó seriamente el suceso prodigioso, y convencido de su veracidad lo comunicó por escrito al Senado ordenando que en lo sucesivo nadie molestase a los cristianos. Un importante episodio bélico se produce en Andalucía en tiempos de Adriano. Tribus de África compuestas por berberiscos y mauritanos, invaden Andalucía llegando hasta Antequera la Vieja. Marco Aurelio que se encontraba en León emprende marchas forzadas con su ejército para reforzar a las legiones de Hispalis e Itálica que mandaba Vallio y Severo, encontrando a los africanos a los que aniquiló. Para evitar nuevos peligros de invasión, el emperador pasa el estrecho y arrasa Tánger y parte de la Mauritania. Ésta, que podemos considerar como la primera invasión de los moros en Andalucía, ocurrió el año 172 según García y Bellido.

Aspectos de Sevilla romana

Las calles de Sevilla es posible que estuvieran mejor pavimentadas en la época romana, que lo están hoy, a juzgar por las grandes losas que aparecen cuando se hacen calicatas en algunas de ellas. El nivel del suelo en época romana era mucho más bajo que ahora, puesto que para evitar las inundaciones, se ha ido echando escombro, tierra y nuevas capas de pavimento en toda nuestra ciudad. Por la diferencia de nivel que hay entre la parte baja de las murallas de la Macarena, y las calles inmediatas, comprendemos este fenómeno municipal del rellenado y resaltado de las calles. En todo caso, el nivel romano en la Campana era de tres a cuatro metros por debajo del actual.

Del trazado se deduce que la calle principal de la ciudad era la que iba desde la Puerta de la Macarena hacia la calle Abades, casi en línea recta, o sea la calle San Luis actual y su prolongación en esa dirección. Muy importante serán las transversales procedentes de la Puerta de Córdoba, a enlazar con la calle Relator, y la calle del Sol.

El foro o plaza pública principal sería la actual Plaza de la Alfalfa. Era una plaza porticada, con arcos y columnas, y en ella habría edificios oficiales importantes. Durante una revolución, las tropas del cónsul Varrón entraron en Sevilla, y «acamparon en la plaza del Foro».

El pretorio o palacio del pretor estaba en la actual Trinidad, y en sus subterráneos se encontraban las cárceles. En el actual colegio salesiano de la Trinidad, se conservan esas cárceles subterráneas, donde estuvieron presas santa Justa y santa Rufina en la época de la persecución dictada por el gobernador Diogeniano.

En la parte más alta de la ciudad, en la actual calle Mármoles, y sus aledañas estuvo el Capitolio, que no era solamente el templo dedicado a Júpiter Capitolino, sino también la residencia del Pontifex Maximus o jefe religioso de la ciudad. El conjunto de la edificación del Capitolio llegaba desde la calle Mármoles hasta la Plaza de la Virgen de los Reyes, donde hubo hasta no hace mucho tiempo unos arcos romanos de entrada al Capitolio. En la calle Mármoles quedan soberbias columnas del templo (inicialmente dedicado a Hércules en la época fenicia y cartaginesa). También se conservan unas espaciosas galerías de ladrillo, subterráneas, que formarían seguramente el alcantarillado romano de ese sector, y que se extiende por debajo de la calle Abades, Levíes, el Salvador y calle Cuna.

El Circo estuvo en Sevilla en la actual Avenida de la Cruz Roja y calle Fray Isidoro.

Cultura sevillana

Existieron en Sevilla en la época romana academias y escuelas de Retórica y Artes, escuelas que se llamaban «ludos» siendo las primeras fundadas en España. Se cree que el gran emperador Teodosio se educó en Sevilla en una de ellas. También las hubo en Itálica, en una de las cuales el texto de la Eneida estaba grabado en los ladrillos de uno de los salones, para que los alumnos pudieran estudiar sin el trabajo de hacer copias. Uno de estos ladrillos está guardado en el Museo Arqueológico Nacional.

Fueron pedagogos sevillanos Sedulio, Juvencio y Próspero, y se cree que el famoso poeta romano Silvio Itálico era natural u oriundo de Itálica, o sea de Santiponce. Añadiremos que también la medicina tuvo importancia capital así como el aprovechamiento de productos de aplicación médica como las cantáridas, que se exportaban a Roma y el agua medicinal de Marchena, muy estimada en todo el imperio para las afecciones hepáticas.

De que existía el teatro y tuvo gran importancia, hay pruebas fehacientes no sólo por el magnífico edificio teatral recientemente descubierto en Itálica, sino también en el testimonio de Filistrato que alude a haber visitado Sevilla un famoso actor romano.

«El teatro mantuvo su importancia en la Sevilla romana hasta después del año 311 en que la Iglesia prohibió a los cristianos asistir a estos espectáculos.»

Según García de Diego, entre las veintisiete ciudades de derecho latino están: del «Conventus Hispalensis»: Ilipa Magna (Alcalá del Río); Lucurgentum (Gandul); Nebrisa (Lebrija); Nertobriga (Fregenal de la Sierra); Osset (San Juan de Aznalfarache); Onoba (Huelva); Segida (Zafra ?); Seria Fama (Jerez de los Caballeros); Ugultunia (Fuente de Cantos).

Parece ser que ya entonces tenían los andaluces dificultad para diferenciar la «b» de la «v» y la «s» de la «c», por lo que los retóricos hispalenses cuando iban a Roma habían de hacer desesperados esfuerzos para mejorar en poco tiempo su pronunciación. Quizá de entonces data aquel chiste, según el cual, Sevilla era la tierra más feliz de este mundo, porque en ella, vivir (vivere) equivalía a beber (bibere).

Últimos tiempos de la dominación romana

El último gran emperador romano, Teodosio, es también de familia hispalense y aunque se ha creído que fuera natural de Sevilla, parece sin embargo demostrado que nació en Cauca, pueblo de Segovia. En todo caso, es oriundo de nuestra ciudad y una gloria sevillana. Planteado el conflicto entre los cristianos y paganos que ya se encontraban en igualdad de número, Teodosio preguntó al Senado cuál debía ser religión oficial. Sinmaco, gran orador pagano, defiende la religión antigua, san Ambrosio la nueva doctrina y el Senado por votación declara oficial el cristianismo. Al conocerse en Sevilla la gozosa noticia comunicada desde Roma, las estatuas de los dioses olímpicos fueron sacadas de sus templos, en los que se colocaron la Cruz de Cristo, las imágenes de los santos y las reliquias de los mártires que habían estado escondidas en capillas y en criptas clandestinas de los cementerios cristianos de la época de las persecuciones. El prado de Santa Justa y el campo de los Mártires se convierten en nuestra ciudad en lugares de peregrinación. Las primeras parroquias que se crearon en Sevilla en edificios que habían sido templos romanos fueron las de San Vicente, San Román y San Nicolás. Junto a la Puerta de Córdoba se construyó la primera catedral dedicándose a la Virgen. Es posible, pero no seguro, que la primitiva Catedral estuviera donde la actual parroquia de San Julián. Sevilla animó sus amaneceres con el piadoso son de las campanas, santificó los cementerios y cubrió de velos de honestidad la desnudez de su anterior paganismo. Una nueva vida empezaba para la ciudad sin sangrientas fiestas en el circo de Itálica, sin persecuciones ni suplicios de vírgenes cristianas. Sin embargo, esta paz había de durar poco tiempo porque tocando a rebato en sus trompas de guerra se acercaban ya los bárbaros del norte a las puertas del paraíso.

CAPÍTULO III

LLEGADA DE LOS BÁRBAROS DEL NORTE. ANDALUCÍA TOMA SU NOMBRE ACTUAL

En el año 409, después de 34 años de infiltración y coexistencia más o menos pacífica de los pueblos germánicos con los habitantes del imperio romano, se produce la invasión armada violenta y arrolladora. Después de pasar los Pirineos mandados por el rey Ataúlfo, los bárbaros avanzan en grupos tribales por toda la geografía de la península. Suevos, vándalos, alanos, godos del oeste «West Gottum», de donde visigodos, y otros de diversa denominación. A la región bética le cupo la peor suerte en la terrible rifa histórica, ya que vinieron a ella los más feroces e incultos de los invasores, el pueblo de los vándalos, los mismos que habían saqueado Roma y destruido todas las obras de arte que encontraron, por puro placer de destruir. Existe una teoría filológica bastante razonable, según la cual fueron estos vándalos quienes dieron su nombre a la región bética, pues no siendo aficionados a vivir en ciudades, prefirieron construir campamentos o poblados de tiendas de campaña a los que llamaban «Vandalen-haus» o casas de vándalos. Este nombre de Vandalen-haus se cambió más tarde en Vandalaus y luego en Andalaus, Andalus, del que deriva el actual, Andalucía.

Junto con los vándalos vienen los silingos, menos numerosos, en calidad de tropas auxiliares; todos ellos sometieron Sevilla y su ciudad satélite residencial de Itálica, a una completa depredación, barriendo las manifestaciones suntuarias de la cultura romana: esculturas, mosaicos, bibliotecas y palacios, que fueron incendiados. Se salvaron por algún tiempo las iglesias, ya que los bárbaros eran cristianos aunque de la secta de Arrio. En los instantes de pillaje y matanzas, muchas familias hispanorromanas se libraron de la muerte, gracias a haberse refugiado entre los muros sagrados de la catedral y de los templos.

Estas primeras hordas no se detuvieron mucho tiempo en Sevilla, sino que prosiguieron su marcha hacia el sur, cruzaron el estrecho para invadir la Hispania Tingitana y se dirigieron luego a la colonia romana que ocupaba el lugar de la antigua Cartago. Se establecieron entonces en la Bética los suevos que más tarde son expulsados por los godos. En medio del caos de tribus y razas de la avalancha bárbara, ya empezaban a perfilarse las nacientes hegemonías y las futuras organizaciones sociales. Los godos, más fuertes y más disciplinados, acaban por convertirse en los superiores y se reparten el mundo en dos reinos: el uno comprende España y parte de Francia (Imperio visigodo); el otro comprende el resto de Francia y la península italiana (Imperio ostrogodo).

Quedan para otros pueblos algunos retazos del inmenso solar de la romanidad. La situación en Sevilla al llegar los bárbaros era de rotunda e injusta división de clases. Los romanos habían mantenido cierto apartamiento de la población celtíbera. La riqueza estaba en manos de patricios romanos, y las estirpes propiamente españolas, y las criollas o de mestizaje permanecían en una situación de inferioridad. En la población predominaba en número la esclavitud. La explotación de las riquezas agrícolas y mineras exigía mano de obra abundante y barata. Ciertamente que había españoles libres e hispano romanos, pero se hallaban oprimidos por los impuestos, y los cargos importantes los ejercían individuos llegados de Roma dispuestos a enriquecerse a costa del país. Contrastaba el lujo de que se rodeaban los patricios con la vida precaria de las clases populares indígenas. Ya hemos dicho que Itálica era una suntuosa ciudad residencial, mientras que Sevilla era la abigarrada urbe trabajadora. Ni siquiera el cristianismo con sus predicaciones de igualdad ante Dios, y con sus parábolas de que el mendigo Lázaro puede alcanzar mejor destino eterno que el rico avariento Epulón, habían conseguido nivelar las castas ni mejorar la condición social de los humildes. Por esto, los sevillanos, en su mayor número, vieron la llegada de los bárbaros como una posible liberación y no vacilaron en ayudarles a destruir el sistema imperante. Tras una etapa sangrienta, o sea, la invasión propiamente dicha, Sevilla vuelve a vivir una vida más sosegada, recobrándose en cierto modo la organización municipal pues los bárbaros no quisieron borrarla. Se organiza la gobernación de los territorios mandando un «duque» cada provincia y un «comes» cada ciudad. La distribución de las tierras entre los bárbaros, al convertirlos en propietarios, los vuelve amantes del orden, respetuosos con la propiedad e interesados en la conservación de la paz. Desaparece la esclavitud sustituyéndose por la condición más suave de los siervos y, por primera vez, el hombre del campo puede ser trabajador libre a sueldo, bajo el nombre de bucelario, cambiando de patrón cuando le conviene.

La vida en las ciudades populosas pierde importancia, mientras la ganan las aldeas y pueblos. Aunque haya perecido la luminosa cultura clásica y el complicadísimo tecnicismo del derecho romano, la vida es más humana para todos y se rige por leyes más benévolas iniciadas por el «Breviario de Alarico o de Aniano» y donde en lugar de penas crueles se admite el diálogo y el arreglo. Una época de mayor bienestar comienza para el pueblo, poderosamente se perfila una vida agraria de cortijos y huertas. El bárbaro ha colgado la espada detrás de la puerta y se dedica ahora pacíficamente a podar la higuera y la viña.

Sevilla capital de España

A la muerte del gran rey godo Teodorico, la Europa occidental había de dividirse entre sus dos hijos, correspondiendo a uno Italia y al otro España con una parte de Francia cada uno. El heredero a quien tocaba España era Amalarico, tutelado en su menor edad por el regente Teudis. Sin embargo, los nobles, recelosos de que intentase éste usurpar el trono, apresuraron la mayoría de edad legal del joven Amalarico y le coronaron.

Amalarico eligió de toda la España goda la ciudad que le pareció más grande y hermosa para convertirla en capital del reino. Fue Sevilla designada y en un palacio romano que se conservaba junto a la Puerta de Córdoba, frente al actual convento de Capuchinos, estableció su residencia. Al principio fue tolerante con los católicos y contrajo matrimonio con la princesa Clotilde de Francia que profesaba nuestra religión. Pero más tarde, instigado por los obispos arrianos intentó convencerla al arrianismo empleando la violencia. Un pañuelo manchado con su sangre envió ella desde Sevilla a sus hermanos como mensaje en petición de socorro. Con un poderoso ejército vinieron ellos desde Francia. Amalarico intentó detenerlos en Navarra, pero fue muerto en la batalla. Clotilde y sus hermanos regresaron a Francia donde ella se retiró a la vida religiosa.

El antiguo regente Teudis que siempre había ambicionado el trono, fue sucesor de Amalarico. Mejor rey que su pupilo, Teudis comenzó la gobernación del reino con acierto y prudencia. Por su mala fortuna, paseando cierta mañana solo por los jardines de su palacio sevillalo, un loco le atacó acuchillándole. Trasladado el rey a su alcoba, sus últimas palabras fueron para ordenar que no se hiciera ningún daño al agresor que era un pobre demente irresponsable. Singular muestra de moderación y justicia en un rey bárbaro, más civilizado que otros monarcas de siglos muy posteriores en circunstancias semejantes.

Sevilla hubo de llorar la muerte de Teudis con verdadero dolor y más aún al ver quién era el nuevo rey, Teudiselo, maestro de depravación que llevó la ruina, la muerte y el deshonor a las más ilustres familias sevillanas. Llegada al extremo su inicua persecución contra los bienes de los principales de Sevilla y contra el pudor de sus mujeres, se urdió contra él una conjuración y durante un banquete nocturno los nobles apagaron las velas de la mesa y le apuñalaron en tinieblas, para que no siendo ninguno conocido autor de la muerte, ninguno quedase incapacitado legalmente para ocupar por elección el trono. (Mata Carriazo se inclina más a creer la versión de que fue asesinado en forma vulgar, a garrotazos).

Recayó la corona en Agila o Achila, el cual, en la precipitación de los acontecimientos se olvidó de captarse los votos de algunos nobles que se encontraban ausentes de Sevilla, los cuales, dolidos por esta desconsideración, se reunieron en Toledo proclamando rey a Atanagildo.

Viendo esta división entre los godos, el pueblo sevillano que no había mezclado su sangre con la de los invasores y les seguía considerando como tales, sintió renacer su espíritu de independencia. En la comarca de Sevilla y en la de Córdoba estallaron brotes de rebelión y la ciudad cordobesa cerró las puertas de sus murallas negándose a obedecer a ninguno de los dos reyes. Agila salió de Sevilla para someter a los cordobeses, pero en la expedición le mataron a su hijo primogénito y transido de dolor levantó el campo y regresó a Sevilla para darle aquí sepultura. Por su parte, Atanagildo movió un poderoso ejército desde Toledo para apoderarse de Sevilla y dio alcance a Agila antes de que éste lograse entrar en la ciudad. Derrotado Agila, huyó con los restos de su hueste hacia Mérida donde sus perseguidores le alcanzaron y le dieron muerte.

Atanagildo, al verse único rey de España, tanto por castigar a Sevilla que había sido parcial en favor de su enemigo, como por tener la capital en el centro de España y en lugar más estratégico, trasladó la corte a Toledo. Termina aquí la feliz época de la capitalidad de Sevilla sobre la España goda. Sin embargo, nuestra ciudad no perderá su importancia en la política nacional y jugará un papel decisivo en la conversión de los godos al catolicismo.

Después de trece años de pacífico reinado, murió Atanagildo sucediéndole Liuva, hombre débil y enfermizo que reconociendo su propia incapacidad para gobernar tan vasto y levantisco país, solicitó del Consejo de Nobles que le permitiera asociar al trono a su hermano Leovigildo quien más tarde recibió la abdicación plena de Liuva que se retiró a la vida particular en un pequeño estado de las Galias donde murió pasado algún tiempo.

Leovigildo y san Hermenegildo

Leovigildo se había casado en Cartagena con Teodosia, hija del gobernador Severiano, el cual era tenido por hijo bastardo del rey Teudis. Teodosia profesaba el catolicismo y dio a Leovigildo dos hijos que se llamaron Hermenegildo y Recaredo. Mientras vivió Teodosia, educó a Hermenegildo secretamente en su religión, no así al pequeño que no alcanzó edad razonable para recibir las enseñanzas de su madre. De aquí la diferencia de creencias religiosas entre ambos hermanos.

En la costa mediterránea española tenían, desde tiempos de Atanagildo, algunas bases los griegos imperiales o bizantinos, los cuales, llamados por aquel rey en su auxilio contra Agila, no quisieron marcharse como suele acontecer frecuentemente con los aliados extranjeros, y se habían quedado como dueños absolutos de Cartagena y otras ciudades. Muerta Teodosia, Leovigildo emprende la guerra contra los imperiales a los que arrancó Málaga firmando después con ellos una paz precaria. A continuación, para consolidar la unidad política nacional, lleva Leovigildo sus tropas a Andalucía para someter a algunas ciudades de la comarca cordobesa y la propia Córdoba que se habían declarado independientes y que no habían vuelto a obedecer a la corona visigoda. En realidad puede decirse que Andalucía entera estaba sin control efectivo. El ejército de Leovigildo castiga con mano dura a los insurrectos y entre los odios que esto desatara y la diferencia de religión, se produjo una situación de enfriamiento entre los godos y la población andaluza de raza hispanorromana. El rey, viendo que los dos enemigos que tenía, bizantinos y andaluces, eran católicos, se apoyó fuertemente en los obispos y sacerdotes arrianos para consolidar su poder, con lo que acentuó su arrianismo.

Hermenegildo había tomado por esposa a la princesa Ingunda de Francia, católica, y al llevarla a Toledo fue mal recibida por la segunda esposa de Leovigildo, Goswinda, arriana. Entre la madrastra y la entenada se planteó una profunda enemistad que dividió a la familia enfrentando al hijo con el padre.

Poco prudente o confiado en exceso, Leovigildo cometió el error de dar a su hijo el cargo de gobernador o virrey de los estados de Andalucía, lo cual ponía a Hermenegildo en la posibilidad de contar con tropas numerosas y con una retaguardia abastecida e industriosa que podía inspirarle la idea de una guerra civil. Empujado quizá por su esposa, y ayudado desde luego por su tío el arzobispo Leandro, metropolitano hispalense, Hermenegildo, que profesaba las creencias católicas, se bautizó pública y solemnemente en la iglesia mayor de Sevilla, o sea en la catedral primera dedicada a Santa María Nuestra Señora que estaba situada cerca de donde hoy está la iglesia de la Trinidad.

La conversión del príncipe virrey significaba tanto como oponerse oficialmente a la religión del rey y del Estado que era la arriana.

Mandó llamar Leovigildo a su hijo para que se presentase en Toledo para dar cuentas de sus actos. Hermenegildo, recelando un castigo, que acaso por la presión de los obispos arrianos fuera el de la pena de muerte, se niega a comparecer en la corte. Entonces Leovigildo lo destituye de sus cargos. Hermenegildo recusa el mandato de destitución y por último se proclama rey de España. Esto ocurrió en el año 583. Existe de ello un dato fidedigno en la inscripción visigótica encontrada en una lápida que traducida por el académico don Francisco Lasso de la Vega en 1752 dice así: «*In nomine Domini, anno feliciter secundo regni domini nostri Hermenegildi, regio...*» (En el nombre del Señor, en el año segundo del feliz reinado del rey nuestro señor Hermenegildo...) La data de esta lápida es del año 585, por lo que la proclamación de Hermenegildo se remonta al 583, y la duración mínima de su mandato como rey en la parte de España que gobernaba, de dos años.

Leovigildo vino con sus tropas para tomar Sevilla y prender a su hijo. Tanto los godos fieles a éste como el pueblo hispanorromano de Sevilla en masa se ponen al lado de su príncipe católico y Hermenegildo sintiéndose fuerte y confiado en las defensas que le prestaban las murallas de la ciudad no tomó mayores medidas defensivas. Fácilmente Leovigildo toma por asalto la capital andaluza, aprisiona a Hermenegildo y le manda desterrado a Alicante.

Queda una laguna de oscuridad en la historia que podemos rellenar suponiendo que Hermenegildo volvió a nuestra ciudad donde contaría con partidarios y nuevamente, al instante, ya Leovigildo en Toledo, se hace con el dominio de Andalucía. Segunda vez viene Leovigildo contra su hijo, ahora con más funestos propósitos de inexorable castigo, y pone cerco a la ciudad. Noticioso Leovigildo de que Ingunda, su nuera, que con un hijo recién nacido había quedado en Levante, ha gestionado la ayuda de los griegos imperiales y que éstos preparan una gran flota para remontar el Guadalquivir y socorrer a la Sevilla sitiada, emprende una gigantesca obra de ingeniería militar: desmantela la ciudad de Itálica y con sus sillares construye un dique de contención para desviar el Guadalquivir e impedir que la flota bizantina socorra a Hermenegildo. A partir de este momento el río que pasaba por donde hoy está la Alameda de Hércules y se dirigía hacia la actual calle García de Vinuesa y el Arenal, discurrirá por el nuevo cauce que le brinda la hondonada que separa el casco urbano del arrabal trianero. (Esta desviación del río la cita Ambrosio de Morales.)

Hermenegildo también había requerido ayuda de los francos, ya que Gontrán era padre de su esposa Ingunda. Pero Leovigildo frena al ejército francés en Cataluña, soborna a los imperiales para que desistan de toda intervención en el conflicto y regresa rápidamente a las puertas de Sevilla cortando los caños de Carmona para dejarla sin agua.

Un año de hambre, de sed y de epidemias aniquila a los sevillanos. Hermenegildo, para evitar los horrores de un asalto a sangre y fuego en la ciudad, sale de noche con 600 leales, ocupa la fortaleza de Osset (San Juan de Aznalfarache) y allí resiste sin víveres ni agua varios días más en increíble alarde de heroísmo caballeresco y de alecciondora consecuencia con su fe religiosa. Finalmente sus hombres se rinden y él se queda solo en la capilla o ermita de San Juan de Aznalfarache, ermita de gran veneración de toda la España meridional.

Leovigildo, por no atraer la ira de Dios, no se atrevió a penetrar en el santo recinto y envió a su otro hijo, Recaredo, para convencer a Hermenegildo de que se entregase.

Salió Hermenegildo del santuario firme en su ánimo el mantener la religión pero movido a ternura por encontrarse con su padre después de tan agria y larga separación. Se acercó a Leovigildo e iba a abrazarle; pero el monarca de Toledo miró a su hijo y vio que llevaba puestas las insignias reales. Esto bastó para que Leovigildo desoyera las peticiones de clemencia que brotaban de su corazón de padre y mandó cargar de cadenas a Hermenegildo y encerrarle en los calabozos de la ciudadela de Sevilla, donde hoy está la Puerta de Córdoba. Allí permaneció el príncipe algún tiempo. De vez en cuando el rey le enviaba obispos y sacerdotes arrianos para que lo convirtiesen a su doctrina, a lo que se negaba el católico príncipe. Más tarde le mandó conducir a Tarragona en cuyo castillo, el día de Pascua del mismo año, Hermenegildo por última vez se negó a abjurar y fue decapitado por Sisberto, alcaide de la prisión tarraconense.

La figura y la conducta de san Hermenegildo han sido muy discutidas, y severos autores, entre ellos su propio tío, el arzobispo de Sevilla, san Isidoro, no han vacilado en juzgarle con dureza, sobre todo por haberse coronado rey ilegalmente, y por haber traído tropas extranjeras para luchar contra su padre y el rey legítimo.

Nuevas guerras con los bizantinos

Tercera vez y ahora sin motivos religiosos, con la única ambición de ensanchar los dominios que poseían en España, hicieron los griegos imperiales, desde sus bases de Cartagena y Alicante, guerra contra los godos. Una flota que pasó el estrecho y remontó el Guadalquivir, desembarcó sus tropas a vista de Sevilla y consiguió ocupar nuestra ciudad.

Inmediatamente Gundemaro trajo un poderoso ejército para reconquistarla empeñándose terrible batalla en la que los godos, rememorando su pasado vigor militar, derrotaron a los bizantinos como siglos antes habían vencido a los romanos. La toma de Sevilla por los godos fue ahora empresa ardua, teniendo que asaltar las murallas y avanzar calle por calle incendiando los lugares donde los bizantinos se habían atrincherado. Quedó destruida por el fuego la catedral metropolitana (barrio de San Julián). Poco después, ya pacificado el ambiente, el anciano arzobispo san Leandro trasladó la Iglesia Mayor hispalense a donde ahora está la parroquia de San Vicente.

Se inician tiempos de esplendor para nuestra ciudad merced a la protección que Recaredo dispensó a los prelados de Sevilla, Leandro e Isidoro. De esta época data el ensanchar el casco urbano edificándose templos, palacios y viviendas en los actuales barrios de San Lorenzo, San Vicente, la Magdalena y el Baratillo. No hay que olvidar que estos lugares antes de Leovigildo quedaban al otro lado del río, mientras que después de la guerra civil religiosa, al desviarse el Guadalquivir, quedaron unidos por tierra firme a la antigua acrópolis, lo que permitió su urbanización. Entre las construcciones de esta época pueden contarse los templos de San Julián, San Vicente y San Isidoro, aun cuando en ellos no quede vestigio de su construcción visigótica, alterada por los siglos. Quedan como únicos vestigios del esplendor del tiempo isidoriano algunos capiteles, uno de ellos en el antiguo Hogar de san Fernando, otro en la esquina de la calle Corral del Rey, dos en el vestíbulo del Alcázar, varios en el exterior de la Giralda, uno en los pórticos de la calle Alemanes y varios en los jardines de Murillo. Las piezas de mayor importancia por su tamaño son la pila de piedra del Patio de los Naranjos de la Catedral y una lápida sepulcral del pontífice Honorato, así como una inscripción conmemorativa de la construcción de un templo el año 622, ambas existentes en el vestíbulo de la Biblioteca Colombina.

El legado cultural de san Isidoro

Los viajes de san Leandro a Bizancio, dieron lugar a un incremento de la curiosidad literaria y científica. Al sucederle en la sede arzobispal su hermano san Isidoro, emprende por consejo del obispo de Zaragoza, san Braulio, la redacción de una obra monumental titulada: «Originum sive etymologiarum libri XX». Obra gigantesca, verdadera enciclopedia del saber humano de su tiempo y de cuanto había podido salvarse en el naufragio de la civilización grecolatina. Las partes de esta obra fueron repartidas en los veinte libros por Braulio, quien acuciaba con cartas y mensajes a san Isidoro incitándole a que no desmayase en su grandiosa labor. Las *Etimologías* tratan de: gramática, retórica y dialéctica, matemáticas, música, astronomía, medicina, leyes, oficios eclesiásticos, teología, historia de la Iglesia, lenguas, gentes, reinos, milicia, ciudadanos y afinidades, de algunos vocablos; de fisiología, de los animales, del mundo y sus partes, de la geografía, de los edificios y de los campos, de las piedras y metales, de la agricultura, de la guerra y los juegos, de las naves, edificios y vestidos y de las provisiones y los utensilios domésticos y rústicos.

La obra de san Isidoro alcanzó inmensa trascendencia, sirviendo de texto en todas las escuelas y monasterios medievales. En ellos estudiaron más tarde tanto los sabios cristianos como Gerberto, que más tarde fue elevado a la dignidad papal con el nombre de Silvestre II, como las escuelas filosóficas arabigoandaluzas. Desde Sevilla por san Isidoro, se mantienen el rescoldo del saber clásico que después prenderá en el mundo occidental la gran hoguera del Renacimiento. Dante en la *Divina Comedia* recoge en sus versos que Europa entera vive iluminada «con el ardente *spiro* de Isidoro».

El teatro en la época de los visigodos

Tuvo Sevilla en este tiempo de los visigodos gran actividad teatral. Todavía continuaban quizás, aunque sin matanza de hombres, los espectáculos del circo, limitados por motivos religiosos, a juegos deportivos, carreras de carro o de caballos, y probablemente luchas de hombres contra toros. Al mismo tiempo que estos espectáculos circenses se desarrollaban en el mismo circo bailes escandalosos. Alude a ellos san Isidoro cuando dice: «Después de terminados los juegos se postran allí las meretrices.»

El teatro tuvo gran perfección entre los visigodos en cuanto al maquillaje de los actores, «úntase del todo el cuello y las manos con greda para igualar el color de la careta y engañar a la multitud mientras se ejecutan las farsas. Y ya aparecen con figura de varón ya de mujer, ora trasquilados ora con larga cabellera; cuando de viejo cuando de doncella». (San Isidoro, *Etimologías*, Libro X.)

Primera invasión árabe. Descomposición del imperio visigodo.

Habiéndose publicado hacia el año 670 un decreto de expulsión de los judíos que no se hubieran convertido al cristianismo, estalló en Andalucía una serie de brotes de descontento ya que los sefarditas eran muy numerosos, pero había otra causa añeja y de más importancia en el descontento general. Los godos, aunque llevaban casi tres siglos ocupando España, no se habían mezclado con la población romana sino que permanecían como invasores. Los matrimonios se celebraban entre godos y godas con rigurosa exclusión de la raza española. Esto planteaba un irreprimible odio de razas.

Asustado Recesvinto por la situación que podía desembocar en alteraciones de orden público con desventaja para los godos que eran minoría, promulgó una ley «que ha de valer para siempre, que la mugier romana puede casar con omme godo, e la mugier goda con omme romano». Esta ley incluida en el Fuero Juzgo lleva fecha del año 672, y si tenemos en cuenta que los godos llegaron a España en el 409, queda bien claro su retraso y el odio acumulado en 260 años.

Por esta razón y pese a dicha ley que ya no convencía a nadie, los andaluces y los judíos, quizá con ansia de sacudirse el yugo visigodo, procuraron atraer a España a los árabes que ya entonces empezaban a contar en la política mediterránea. En el año 675 el noble Ervigio, quizá con dinero judío, hace venir una flota mahometana para derrotar y deponer a Wamba. Sin embargo, la flota visigoda consigue destruir en aguas de Málaga los barcos sarracenos. Quedaba planteado ya el conflicto que años más tarde había de desembocar en la invasión de los árabes a nuestra patria.

Egiva, el año 695, agravó el descontento declarando esclavos a los judíos.

Visita pintoresca de un magnate

Para distraer de tanto suceso desagradable el ánimo del lector, contaremos un episodio pintoresco de esta misma época.

Cierta mañana del año 696 se sorprendió Sevilla ante la llegada de un extraño cortejo de gentes vestidas con riquísimos trajes recamados de oro, túnicas verdes y anaranjadas y varios negros desnudos con anillos de oro en las orejas, que llevaban en hombros un palanquín de rica madera recubierta con sedas multicolores, en el que iba sentado un hombre viejo y gordo ataviado con un ropaje azul y alto gorro bordado de pedrería.

Otros palanquines transportaban bellas mujeres fastuosamente ataviadas. Se trataba de la familia y el séquito de un alto personaje del imperio bizantino. Al llegar a nuestra capital, desde la Puerta de Córdoba pidió ser conducido al palacio del duque de la Bética, gobernador general de Andalucía a quien enseñó un salvoconducto firmado por el rey visigodo de Toledo, quien concedía libre paso por sus estados a aquel magnate oriental.

El motivo de su viaje era tomar las aguas de un balneario medicinal situado en el pueblo de Marchena, cuyas aguas gozaban de maravillosa virtud para curar la enfermedad llamada «fuego de San Antonio» o lamparones, plaga que asolaba por entonces a gran parte de los países de Oriente.

Después de permanecer en Marchena una temporada, regresó el bizantino completamente curado y visitó al duque de la Bética para despedirse. Al darle las gracias le manifestó que el antiguo balneario del tiempo de los romanos estaba en muy mal estado de conservación y medio arruinado el estanque o piscina donde brotaba el manantial, recomendándole que lo mandase reparar ya que era sitio donde podían venir muchas gentes a curarse.

El magnate bizantino con su cortejo familiar, sus dalmáticas bordadas en oro, sus negros etíopes y sus soldados griegos, abandonaron Sevilla para regresar a su país dejando tema para mucho hablar y comentar, pues sucesos de éstos ocurrían pocas veces y no había oportunidad de distraerse con novedades.

La guerra de Witizia

El duque de la Bética, llamado don Rodrigo (primer personaje español que ostentó el título de don a imitación de los magnates de Bizancio), abrigaba la ambición de coronarse rey, a cuyo efecto, con la ayuda de los principales hombres de Sevilla, llevando un ejército pasó a Toledo, destronó a Witizia a quien mandó sacar los ojos y se coronó rey. Sin embargo cometió la torpeza de enviar a Sevilla como arzobispo a don Oppas, hermano del monarca destronado, quien ocupaba el cargo de arzobispo coadjutor de Toledo y que ya había sido antes prelado hispalense. Don Oppas comenzó en Sevilla a fomentar el descontento contra don Rodrigo formando un poderoso bando político.

Don Rodrigo casó con Egilona, princesa «del noble linaje de los godos», matrimonio sin amor, por pura razón de Estado, y probablemente la trató con despego uniendo al bando de los descontentos a los familiares de su esposa. Finalmente, si hemos de creer la leyenda de Florinda la Cava, serían una o varias las familias de mujeres deshonradas por él también sumadas a los enemigos del rey.

Quizás estos elementos rebeldes llamaron por segunda vez a los árabes, o quizás los árabes ambiciosos de ocupar Europa vinieron a España por su propia iniciativa. En todo caso el tiempo del reinado de don Rodrigo, debilitado el ejército por las banderías, quebrantada la política por las parcialidades y relajada la moral por la conducta depravada del monarca, proporcionó el clima para la invasión musulmana.

Invasión de los árabes

Un día del mes de abril del año 771 llegó a Sevilla un oficial de las tropas que guarnecían Calpe para informar urgentemente al duque de la Bética, Teodomiro, de que una flota de varios centenares de buques de gran porte acababa de cruzar el estrecho y estaba desembarcando hombres y caballos en la costa española. Ya en julio del año anterior unas barcazas africanas habían hecho una descubierta apresando a varios hortelanos y mujeres de la costa de Cádiz a quienes llevaron cautivos a Tánger, seguramente para interrogarles e informarles sobre la organización de la España visigoda.

Teodomiro escribió una angustiosa carta al rey de Toledo dándole cuenta de cómo él había salido al encuentro de los árabes y le habían derrotado. La historia nos ha conservado este documento dramático que dice así: «A don Rodrigo rey de los godos en Toledo, Teodomiro duque de la Bética: Señor: Aquí han llegado gentes enemigas de la parte de África que por sus rostros y trajes no sé si parecen venidos del cielo o de la tierra. Yo he resistido con todas mis fuerzas para impedir su entrada, pero me fue forzoso ceder a las muchedumbres y a la impetuosidad suya. Ahora a mi pesar acampan en nuestra tierra. Ruégoos señor, pues tanto os cumple, que vengáis a socorrernos con la mayor diligencia y con cuanta gente se pueda allegar. Venid vos en persona, señor, que será lo mejor. En Sevilla, abril de este año».

Aquella noche no durmió nadie en Sevilla. Teodomiro, que había perdido sus escasas tropas en la batalla del estrecho, con sus escasos guardias y con los vecinos sevillanos armados en somatén, cubrió las murallas para intentar la defensa de nuestra ciudad. Sin embargo los árabes no se presentaron porque estaban ensanchando su cabeza de desembarco y trayendo nuevos contingentes de tropas cubriendo con ello todo el campo de Gibraltar. Pasada una semana llegó a Sevilla el ejército godo mandado por don Rodrigo. La reina Egilona se hospedó en la misma Casa de los Leones de la calle Zaragoza, donde años atrás había vivido san Hermenegildo, pero al día siguiente por consejo de Teodomiro y ante el riesgo de una inminente batalla, se dispuso el traslado de la reina y sus damas a Mérida, ciudad más interior y que parecía más segura. Cuando la reina emprendió su marcha al amanecer, llevaba sus mejores joyas encima para ponerlas a salvo, entre ellas dos collares de cuentas de ámbar alternando con perlas y diamantes que habían de valerle en la historia el sobrenombre de Egilona la de los lindos collares.

En el campo de Tablada, don Rodrigo reunió su gente y emprendió la marcha hacia Barbate. Tal vez reconoció ahora su falta de tacto y sus flaquezas humanas, pero ya no era tiempo de arrepentirse sino de pelear. Junto al estrecho los caballos de espadas agarenos eran los naipes con los que iba a jugarse el porvenir de España sobre el tapete verde de la campiña sevillana.

Reivindicación del conde don Julián

Durante muchos siglos el trágico episodio de la invasión árabe ha venido siendo descrita por los historiadores como consecuencia de la traición del conde don Julián, que por vengarse contra su rey don Rodrigo facilitó el paso del estrecho a los mahometanos. Sin embargo, desde hace no mucho tiempo comienza a verse a este personaje de una manera totalmente distinta. Entre los autores que más empeño han puesto en la reivindicación de don Julián, figura el erudito arabista don Fermín Requena, máxima autoridad en la investigación sobre la Andalucía musulmana, que fue cronista de la ciudad de Antequera. También han investigado la personalidad y la actuación de don Julián algunos historiadores israelíes y franceses de los últimos años. A la luz de estos estudios podemos hoy afirmar que don Julián no fue traidor a su rey y a su patria por dos razones: primera, porque no era español; segunda, porque no dependía en modo alguno de la autoridad de don Rodrigo.

Don Julián era un gobernador o «comes» griego, destinado por el emperador de Bizancio para mandar la colonia llamada Tingis (o provincia de Tánger) y que denominaba el norte de África. En el año 681 don Julián contaba con un ejército compuesto de guerreros de la cábila de Gomara, quienes eran de religión cristiana y de cultura bizantina.

Cuando en dicho año los árabes procedentes del Oriente llegaron en irrefrenable cabalgata hasta la comarca Tingitana, don Julián les opuso resistencia, primero con las armas de sus «gomaris» y después con oro y persuasión. El emir Ocha que mandaba los ejércitos mahometanos se avino a pactar con don Julián reconociéndole la soberanía de Abyla y de su pequeña comarca. En los años siguientes fue islamizándose todo Marruecos e incluso los gomaris se convirtieron a la religión de Mahoma. Ante el temor de que su comarca se le sublevase, don Julián, a quien ya solamente quedaban su guardia personal y muy pocos griegos más de confianza, entabló relaciones con el único rey cristiano que tenía en sus proximidades que era Witizia de España. Entre el comes bizantino y el monarca de Toledo se suscribe un acuerdo de mutua ayuda, en virtud del cual, el toledano protegería al bizantino contra cualquier intento de sus vecinos norteafricanos, mientras don Julián podría ayudar a Witizia con barcos en caso de producirse, como lo temía el toledano, alguna sublevación interna de los nobles godos.

Usurpado el poder por don Rodrigo, el comes bizantino don Julián se vio en la necesidad de atender las peticiones de los hijos de Witizia y de su tío el prelado don Oppas de Sevilla, quienes el año 710 se habían presentado en Abyla para recordarle su promesa de ayudar al mantenimiento de la dinastía legítima española. Así, pues, don Julián lo que hizo no fue traicionar, sino por el contrario, cumplir como buen caballero sus compromisos. El alejamiento en que se encontraba Bizancio, y el abandono en que el imperio griego tenía a sus colonias, ocupado con sus problemas domésticos, fue causa de que don Julián tuviera que proceder en todo por sí mismo como un auténtico rey, más que como un gobernador, interviniendo por pura necesidad en el juego de la política del Occidente mediterráneo y adoptando la postura a que le obligaba la difícil situación en que se encontraba.

Gestionada por los hijos de Witizia, Achila, Olmundo y Ardabasto y por su tío don Oppas, la contratación de tropas árabes mercenarias para reponer a la familia de Witizia en el trono de Toledo, según convenio establecido por estos visigodos con el generalísimo Tarik, no se atrevió éste a obrar por sí mismo sin contar con Muza Ben Nusair quien compartía con él el mando en calidad de jefe político y religioso. Tampoco Muza se atrevió a poner tropas musulmanas a disposición de cuatro visigodos, por lo que remitió a éstos a que expusieran sus pretensiones al califa de Damasco. El califa les sonsacó hábilmente y se enteró con detalle de la extensión y riquezas de la península española y concibió el propósito de apoderarse del imperio visigótico, no para devolverle la corona a Witizia, sino para incorporar España a los dominios de su califato. Regresados a Marruecos con la autorización del califa para disponer de tropas, don Julián facilitó los barcos para transportarlas al otro lado del estrecho. Eran enormes veleros construidos según planos de Bizancio. En ellos, el día 28 de abril del año 711 las tribus berberiscas, los soldados de caballería de Arabia y numerosos judíos que habían sido expulsados de España pasan el estrecho y recalan en la bahía de Calpe, lugar que desde entonces se llama Gibraltar, o Gibbr-al-Tarik en memoria del generalísimo árabe.

Tras la derrota inicial del duque Teodomiro que ya hemos relatado continuaron pasando tropas musulmanas durante varios días hasta formar en Algeciras (Al-ya-cirat o isla verde) un ejército de 12.000 jinetes árabes y unos 60.000 hombres de a pie entre ellos varios miles de judíos expulsados de España varios años atrás, ansiosos de venganza.

Derrota de don Rodrigo

Don Rodrigo salió a su encuentro con un ejército de 100.000 hombres divididos en tres alas, la de la izquierda mandada por Teodomiro, la del centro por el rey y la derecha por el general Sisberto a quien acompañaban el obispo don Oppas y los hijos de Witizia cuyo secreto viaje a Oriente desconocía por completo el monarca.

El ejército invasor lo mandaban, el ala izquierda Tarik, el ala derecha Mughit El Rumi y el centro don Julián. La batalla se dio sobre el lecho seco del río Barbate donde los caballos godos consiguieron ventaja inicial, pero los árabes cambiaron de táctica usando su caballería en pequeñas guerrillas en lugar de como núcleo de combate. A mitad de la batalla el general Sisberto, don Oppas y los hijos de Witizia fingieron un avance profundo y se pasaron al enemigo, uniéndose a don Julián. Entretanto Tarik consiguió aislar el ala izquierda que mandaba Teodomiro empujándole hacia el Este. Entonces el grueso del ejército invasor, reforzado por las tropas de Sisberto, acorraló al núcleo central visigodo, único que quedaba ya en el campo. Cundió el pánico entre los godos, algunos arrojaron las armas entregándose a la clemencia de los gomaris, otros huyeron en la noche; se ignora la suerte que corrió don Rodrigo. Su caballo blanco, su manto manchado de sangre y uno de sus borceguíes aprisionado entre el barro fue lo último que vieron de su rey los godos fugitivos. Hay quien cree que huyó hacia Lusitania y terminó sus días oculto en Salmántica o en Micróbiga. Algunos historiadores árabes aseguran que su cabeza fue enviada al califa de Damasco.

Al conquistar Sevilla, los árabes le cambiaron el nombre Hispalis por el de Hims-Al-Andalus, por rendir homenaje a la ciudad de Hims de Siria (lo mismo que nuestros españoles del XVI cambian los nombres de las ciudades mejicanas y les ponen Guadalajara, o Valencia, en homenaje a sus pueblos de origen).

Sin embargo, el nombre de Hims-Al-Andalus no cuajó y al poco tiempo volvió a llamarse Hispalis, que pronunciado Hispilia-Ixbilia, dará más adelante Sivilia y Sevilla.

CAPÍTULO IV

SEVILLA BAJO LA DOMINACIÓN ÁRABE

En el momento de terminar la batalla se plantea una cuestión política trascendental. Los hijos de Witizia quieren pagar a los árabes el precio de su ayuda y despedirles, puesto que ya han terminado su misión.

Don Julián se dispone a volver a su pequeño estado. Don Oppas quiere coronar rey de España a su sobrino mayor Achila.

Pero entonces Tarik se niega a retirar sus hombres del campo de batalla; crudamente plantea la cuestión de que él no ha venido a sustituir un rey godo por otro godo, sino a incorporar la península Ibérica a los territorios del califa oriental. Obrando ya en su papel de emir, divide el ejército árabe en tres columnas mandadas la una por Mughit, que dirige a conquistar Córdoba; otra mandada por Zaide, que envía a conquistar Málaga, y la tercera bajo su mando personal que se pone en marcha hacia Toledo.

Muza se había quedado en Marruecos; al recibir noticias de la decisión de Tarik, recelando que éste obre por sí solo para acaparar toda la gloria de la conquista, se presenta en España, organiza otra columna de berberiscos y judíos y se dirige hacia Mérida y Lusitania. Sevilla, que había quedado al margen de la ruta de los tres primeros ejércitos, se convirtió durante algún tiempo en refugio, a donde acudieron a encerrarse los restos dispersos del ejército de don Rodrigo y gran número de gentes de toda Andalucía.

Toma de Sevilla

Cuando Muza consigue arreglar y ordenar su ejército, desde Niebla se dirige a nuestra capital. No le fue fácil conquistarla de primera intención, pues los sevillanos resistieron con toda energía. Solamente la inmensa cantidad de refugiados, hizo escasear los víveres, obligándoles a capitular. Muza, con gran visión política, no quiso crearse dificultades tratando mal a los sevillanos, por lo que se limitó a tomar algunos rehenes de las familias principales para asegurar que no habría levantamientos. Dejó como gobernador a Isa Ben Abdila, dejándole como auxiliares algunos judíos repatriados y algunos godos adictos y continuó con su ejército hacia Mérida, ciudad que tomó por asalto después de dos años de increíble defensa, pero donde ejerció gran clemencia. Encontró allí Muza a la reina doña Egilona y sus damas, tratándolas con el mayor respeto.

Teniendo en cuenta que los árabes venían solos, sin mujeres, y llevaban varios años de guerras desde el Oriente Medio hasta España, a través de todo el norte de África, no es de extrañar que poco a poco de ocupar nuestra patria comenzasen los matrimonios entre los invasores y las mujeres del país. Quizás el más señalado fue el del joven Abdelaziz, de 27 años, hijo y lugarteniente de Muza, quien con toda solemnidad se casó con doña Egilona, viuda de don Rodrigo, viniendo a aposentarse en Sevilla.

Asombra comprobar la moderación con que obraron los árabes en los primeros tiempos de la ocupación de España. Los bienes privados de las personas que habían permanecido en su residencia fueron respetados. Únicamente se repartieron entre los invasores, las propiedades de la corona, del clero, y aquellos españoles que habían huido a refugiarse en Francia o en las montañas cantábricas y que no habían regresado. Los impuestos exhaustivos que percibía la corona visigoda, se suprimieron. El emir árabe impuso solamente una capitación de 48 dirhemes para los ricos, 24 para la clase media y 12 para los pobres, quedando exceptuados los mendigos, los inválidos, las mujeres y los niños.

La clase social más baja encontró notable mejoría en su condición ya que los siervos en la época visigoda estaban vinculados a la tierra y no tenían libertad de viajar o cambiar de residencia con facilidad. Los árabes suprimen la servidumbre, otorgando completos derechos de ciudadanía a todos los que profesan su creencia. Esto explica la rápida islamización de España. Sin embargo, no sólo con quienes se convirtieron al mahometismo tuvieron este comportamiento. A los que permanecieron cristianos les permitían ejercer públicamente su religión, los sacerdotes y los prelados podían vestir sus hábitos, y los entierros se efectuaban con cruz alzada por las calles e incluso desde las torres de las iglesias cristianas continuaban tocando las campanas para convocar a las ceremonias piadosas.

Se abre para la vida sevillana una nueva etapa en la que nuestra ciudad alcanzará un esplendor cultural que la convertirá en algún momento en la capital intelectual de la Edad Media europea.

Muerte de Abdelaziz

Los personajes que participan en el episodio de la invasión árabe tuvieron todos ellos desastroso final. El conde don Julián, *Malek Julain* según los hebreos, no quedó satisfecho con la ocupación de España por los musulmanes y tres años más tarde, unido a varios nobles visigodos, organiza una vasta conspiración sublevando las ciudades de Niebla, Vejer y Sevilla. El gobernador árabe de nuestra ciudad fue muerto por los rebeldes y Muza temeroso de que por la importancia de la capital, que era la mayor de España y por estar situada estratégicamente en el camino de Marruecos a Castilla, pudiera poner en peligro el dominio de la península, envió a su hijo Abdelaziz con orden de recobrarla, dándole plenos poderes, incluso para firmar pactos como anteriormente se los había dado cuando hubo de pacificar el Levante donde negoció con Teodomiro respetándole el dominio «quasi soberano» de Orihuela.

Abdelaziz ocupó Sevilla, perdonó a don Julián y le envió a los Pirineos con un mando subalterno. Seguidamente tomó a su cargo el joven príncipe musulmán la gobernación de la ciudad hispalense.

La gobernación de Abdelaziz era benévola. Mantuvo la organización municipal nombrando un alcalde o «defensor de la ciudad» (saiz-almedina o zalmedina), y un juez cristiano llamado «gadí-n-nasara» (juez de los nazarenos) para los pleitos entre gentes de religión cristiana. En sustitución de don Oppas que había recibido el cargo de gobernador de Toledo como premio a su ayuda a los invasores, fue nombrado un nuevo arzobispo metropolitano de Sevilla, a quien sin embargo no devolvió Abdelaziz los bienes y las rentas que había disfrutado la sede en tiempos visigodos, por lo que el arzobispo hubo de vivir precariamente de las limosnas de los fieles.

La vida de Abdelaziz fue muy feliz en aquellos días ya que el matrimonio con Egilona había sido por amor de ambos. Eligió para su residencia una alquería situada extramuros de la ciudad en el lugar más alto y sano, probablemente cerca de la Cruz del Campo, desde donde podía acudir en pocos minutos a la capital si algo demandaba su presencia.

Entablada una querella entre Muza y Tarik, que se envidiaban y disputaban ambos ante el califa de Damasco el honor de haber sido cada uno el principal autor de la conquista de España, pretendiendo los favores del soberano oriental, éste no agradeció a ninguno lo que habían hecho en favor de la corona califal, sino que astutamente se desembarazó de los dos. Con diversas acusaciones de no haber rendido cuentas satisfactorias del botín de España, el califa destituyó a Muza, se apoderó de sus bienes particulares y persiguió a toda la familia Banu-Nusair. En el año 715 y cuando aún no había llegado a España noticia de que Muza estaba destituido, vinieron a Sevilla dos primos de Abdelaziz llamados Habib-Ben-Obeida Fehri y Zayaz-Ben-Nabaa. El gobernador sevillano recibió a sus parientes con gran alegría, sin imaginarse la horrible traición que preparaban. Éstos venían enviados por el califa con orden de deshacerse del hijo de Muza.

Por aquel entonces, había llegado a Sevilla procedente de Cantabria un antiguo «spatario» del rey visigodo don Rodrigo, que se llamaba Pelayo. Venía para gestionar con Abdelaziz un tratado de paz prometiéndole que en las montañas del norte terminarían los incidentes y ataques contra los árabes a cambio de que se reconociera la existencia de un pequeño estado «quasi soberano» semejante al que el duque Teodomiro gobernaba en Levante.

Los primos de Abdelaziz utilizaron las entrevistas de Pelayo con el príncipe gobernador de Sevilla para fomentar entre los capitanes árabes el recelo que Abdelaziz intentaba reponer a los godos en el trono de Toledo. Por otra parte, los dos primos reunieron secretamente una asamblea de príncipes y santones árabes donde acusaron a Abdelaziz de haber apostatado la religión musulmana. Por último divulgaron entre la gente baja que Egilona, cuando estaba a solas con su marido, le ceñía en la frente la diadema real del rey don Rodrigo, incitándole a erigirse rey de los godos y recobrar para la corona aquellos bienes públicos que ahora estaban repartidos en parcelas entre los pequeños propietarios. Creado ya el clima contra Abdelaziz, los dos primos dieron a conocer a los más altos jefes militares de Sevilla una orden escrita que les había entregado el califa de Damasco para dar muerte a Abdelaziz. Una madrugada del año 716, cuando Abdelaziz rezaba las oraciones del alba en la mezquita, penetraron sus dos primos y tres caudillos sevillanos hiriendo al príncipe con sus lanzas. Varios guardias y amigos de Abdelaziz intentaron defenderle entablándose una feroz pelea en la que intervinieron las tropas que los atacantes habían dejado apostadas a la puerta de la mezquita. El Fehri remató a Abdelaziz y le cortó la cabeza que embalsamada con alcanfor fue llevada por el propio Habib a Damasco, donde el califa Suleimán tuvo la crueldad de enseñársela al infeliz Muza que murió de dolor al ver extinguida su familia.

La muerte de Abdelaziz cambió por completo el curso de los acontecimientos, pues Sevilla dejó de ser la capital del emirato árabe de España, trasladándose a Córdoba donde asentó su sede el emir Ayub-Ben-Abib-El Gami. Se ignora la suerte de Egilona aunque se cree que huyó con el séquito de Pelayo a Cantabria donde al año siguiente el antiguo spatario visigodo se alzó en armas en Covadonga para hacerse rey de Asturias.

Don Julián, que mandaba la guarnición de Huesca, se declaró independiente y resistió hasta el año 720 en que apresado por los árabes fue empalado vivo. Con la muerte de don Julián desaparece el último de los personajes que influyeron en la historia de Sevilla en aquellos años decisivos de la invasión musulmana.

Sevilla bajo el emirato dependiente de Damasco

Establecida en Córdoba la corte del Amir (emir), perdió Sevilla su rango de metrópoli andaluza. La despoblación motivada por la huida de los nobles visigodos a Italia, Francia y a los montes cantábricos, el asentamiento de gran parte de los ciudadanos de clase inferior en parcelas de tierra con motivo de la reforma agraria emprendida por los árabes, y el traslado de la capitalidad a la ciudad cordobesa disminuyeron el número de habitantes de Sevilla abandonándose muchos edificios públicos y entrando nuestra ciudad en una época de decadencia. Muy pronto el amir de Córdoba elevó los impuestos hasta una cuantía onerosa. El descontento de la plebe y las conspiraciones de los nobles árabes señalan una etapa de inestabilidad política en la que se suceden las denuncias contra los amires a través de mensajes enviados al califa de Damasco, el cual envía una tras otra, destituciones, órdenes de encarcelamiento y condenas de muerte. En veinticinco años ocupan el amirato cordobés catorce virreyes.

Hubiera llegado a sublevarse en pleno El Andalús, de no anticiparse los berberiscos y norteafricanos a hacerlo. El año 741 se produce un levantamiento desde Túnez hasta Marruecos contra la minoría árabe dirigente y contra el ejército de árabes, egipcios, sirios y libaneses que guarnecían el Africa. Dicho ejército tiene que huir del Mogreb y venir a refugiarse en España. Siete mil hombres sin mujeres ni familia, no «moros» sino gente del Oriente Medio han de asentarse en la región andaluza. Tiene cierto valor sentimental y emotivo la forma de la distribución de tierras hecha por el amir cordobés Abú-L-Jatar Al-Kabi, pues procuró que cada grupo ocupase una comarca que se pareciera a la nación de origen. Así se asentaron los sirios del «Chund» de Damasco en Granada; los del Jordán, en Archidona y Málaga; los de Palestina en Medina Sidonia; los de Quinastin en Jaén; los egipcios en el Algarve y en Murcia.

Los del chund de Emesa vinieron a Sevilla y se casaron pronto con mujeres sevillanas. Hasta entonces habían permanecido separadas las dos razas, visigoda e hispanorromana, pero esta separación fundada en diferencias económicas y sociales había desaparecido con la ruina del imperio visigodo, y así tanto las godas como las hispanorromanas fueron incluidas por los árabes en la común denominación de «nasraníes» (nazarenas o cristianas). El matrimonio entre árabes y españoles dio lugar a la raza definitiva que hoy tenemos en Sevilla. Algunos de los caracteres propios de la fonética árabe, grupo racial de Emesa, fueron asimilados por el pueblo sevillano. La diferencia de pronunciación entre los de Emea, los de Jordania y los de Damasco, es lo que explica las actuales diferencias fonéticas entre Sevilla, Málaga y Granada.

Origen del flamenco

Junto con estos árabes y orientales vinieron fugitivos en aquella emigración del norte de África gran número de campesinos, muchos egipcios y otros del Mogreb, los cuales, como tales campesinos, reciben el nombre de «fellahs» y que por venir exilados se llamaban en idioma musulmán «mencus». Las canciones que ellos importaron, principalmente dedicadas a recordar con nostalgia su tierra perdida, recibieron el nombre de cantos de «fellah-mencus» de donde se deriva la palabra flamenco. Es pues en este momento cuando tiene entrada en Andalucía esa modalidad musical de origen norteafricano, egipcio y de antecedente oriental, que conocemos hoy como cante flamenco o cante jondo y que se superpone a los ritmos primitivos españoles, puramente tartesios y turdetanos que todavía se conservan a través del dominio romano y visigodo. Lo primitivo español se conserva todavía hoy en ritmos como las sevillanas y el fandango de Huelva, en tanto que lo flamenco da lugar al conjunto del cante jondo.

El año del Barbat

Sin embargo los berberiscos, mauritanos y en general los mogrebíes no quedaron en España porque el año 751 se produjo una terrible sequía que ocasionó espantosa hambre. Los africanos regresan a su tierra prefiriendo pasar allí las calamidades y no morir en suelo extraño. Se reunieron en la desembocadura del río Barbate donde embarcaron y por esto a dicho año 134 de la Hégira, se le llama en las crónicas árabes «año del Barbat». Quedaron pues, solamente en España los orientales, sirios, árabes, jordanos y libaneses, verdadera aristocracia de la invasión.

Sevilla bajo el emirato de Córdoba

En el año 755 desembarcó en España llamado por los nobles descontentos el joven Abderrahmán Ben Umaiya (Omeya), único superviviente de la mantaza de la familia Umaiya ordenada por el califa de Damasco. Este joven que había estado oculto en el Mogreb llevando una vida miserable, fue elevado por los andaluces al trono de amir sin contar con Damasco. Ello significó la independencia política de España. Sin embargo, este Abderrahmán I no se atrevió a nombrarse califa, denominación que entrañaba una jefatura religiosa. Así, pues, para los efectos puramente de religión siguió reconociendo la supremacía de Damasco, hasta que dos siglos más tarde, en 961, Abderrahmán III se nombrará califa de Córdoba o jefe de los creyentes. En tiempos del emirato y del califato, los sucesos más importantes que podemos recoger en la vida sevillana son: la demolición de gran número de edificios romanos y visigodos carentes de utilidad a la nueva organización musulmana, los cuales fueron desmantelados piedra a piedra y trasladados los sillares en barcazas por el Guadalquivir hacia Córdoba para servir como materiales en la edificación de la gran mezquita cordobesa. Gran parte del bosque de columnas de dicha mezquita procede de templos romanos y palacios godos hispalenses e incluso se llevaron los hitos miliarios de las calzadas romanas, algunos de los cuales vemos en la puerta de la mezquita cordobesa y cuyo letrero latino aún podemos leer.

Los árabes reformaron las murallas de Sevilla, fortificaron sus puertas y torreones que estaban en lamentable estado de abandono e hicieron nuevas puertas como la de Vib-Arragel, y la de Vib-Alfar, en la Resolana y Puerta Osario actuales.

La evolución del idioma es muy interesante advirtiéndose la corrección de palabras latinas. Así la palabra Hércules se arabizó dando lugar a «árgoles» de donde el actual nombre de la calle Goles, tras haber pasado por Ar Goles. En esta época, siglo IX, se construye la Mezquita Mayor, hoy iglesia del Salvador, según el profesor Morales Padrón.

Los cristianos bajo el dominio musulmán

Hasta el año 1000 puede decirse que solamente hubo una persecución religiosa en la Andalucía musulmana. Los cristianos llamados almostárabes o mozárabes, disfrutaban de amplia tolerancia, e incluso los emires de Córdoba como Alhaquen-Ben-Hicsen prefirieron tener mozárabes en su guardia personal mejor que árabes que podían inclinarse a partidos o banderías adversas. Tres mil mozárabes figuraban entre los cinco mil soldados del ejército profesional permanente. En la sublevación de los berberiscos llamada Sublevación del Arrabal en Córdoba, fueron los mozárabes quienes consiguieron restablecer la autoridad. Los mozárabes contaban con sus propios jueces y pagaban una contribución especial para costear esta administración propia de justicia. Existían prelados y metropolitanos, uno de ellos, el más glorioso, fue Juan Hispalense, a quien los árabes nombran «Cayed Almatran» que significa sacerdote metropolitano, el cual tradujo las Sagradas Escrituras a la lengua arábiga. Esta situación de tolerancia (semejante a la que hoy disfrutan los cristianos en Turquía, o la que tienen los católicos en Inglaterra) enfrió bastante la fe religiosa de los mozárabes, muchos de los cuales, por la convivencia pacífica con los mahometanos, llegaron a apostatar. Ello movió a algunos sacerdotes y prelados a excitarles a profesar su fe públicamente, siendo el obispo de Córdoba, san Eulogio, el que más se distinguió en esta renovación de la fe. San Eulogio publicó un libro titulado *Documento Martirial o Instrucciones para Sufrir el Martirio.*

Comenzaron entonces los llamados «espontaneamientos» que consistían en acudir los cristianos al juez musulmán a declarar que eran defensores de Cristo y que menospreciaban a Mahoma.

Un autor tan profundamente católico como Menéndez y Pelayo, relata este episodio de la Iglesia andaluza diciendo: «Rogelio y servo Deo, llevaron más adelante su audacia, prorrumpiendo en sediciosos gritos dentro de la mezquita» y más adelante: «El califa le obligó a nuestro obispo a reunir un Concilio que atajase el desmedido fervor de su grey.» Este Concilio, celebrado en el 852, fue presidido por el metropolitano de la Bética, Recafredo. (*Historia de los heterodoxos españoles.* Cap. mozárabes, páginas 392 y 393.)

Abderrahmán II dictó leyes ordenando que no se persiguiera por ser cristiano, pero que no se consintiera a los cristianos menospreciar el Corán y la religión mahometana.

Estos espontaneamientos fueron castigados, y como la sangre de los mártires es semilla de cristianos, mientras más se encarcelaban y martirizaban, mayor era el número de los mozárabes que acudían a espontaneizarse. En Sevilla, la joven Áurea, hija de un noble musulmán y de una dama cristiana llamada Artemia, fue condenada a muerte (santa Áurea) y asimismo otra joven sevillana llamada Flora que vivía en Córdoba se ofreció al martirio, siendo también elevada a los altares. Sin embargo los espontaneamientos y por tanto los castigos duraron solamente un año, pues el Concilio de prelados mozárabes prohibió en el año 852 esta práctica en atención a que el irritar a las autoridades árabes había acarreado daños a la comunidad cristiana.

En todo caso hasta el año 1085 los mozárabes sevillanos tuvieron iglesias, conventos, monasterios de uno y otro sexo, clérigos que usaban públicamente el hábito talar y entierros con acompañamientos eclesiásticos y cánticos rituales. Incluso en el siglo XIII, poco antes de la conquista de Sevilla, se construyó muy próximo a nuestra ciudad un templo cristiano (según Tubino). Conviene, sin embargo, tener en cuenta que muchos mozárabes no estuvieron de acuerdo con la prohibición de los espontaneamientos y emigraron en gran número hacia el norte de España donde reinaban los monarcas de León, construyendo allí los famosísimos conventos e iglesias de San Miguel de Escalada, Santa María de Lebeña (Liébana), Santiago de Peñalba (El Bierzo), e incluso en Galicia, San Miguel de Celanova (Orense) entre los años 913 y 931. Los que se quedaron en Sevilla siguieron teniendo algunas capillas cristianas y un hospital cristiano en la actual calle San Eloy.

Los judíos

Por su participación en la invasión árabe alcanzaron ciertas ventajas como la de disponer de un barrio para ellos solos que se llamó la Aljama Mayor. Se ignora dónde estaba emplazada esta Aljama, aunque quizá fuera en el barrio actual de la Alhóndiga.

Los árabes

La religión mahometana en España fue sumamente relajada. Se burlaban de la prohibición del vino ya desde los tiempos de Abdelaziz quien en su capitulación con Teodomiro le exige pagar cuatro medidas de mosto cada año. Los gobernantes sevillanos permitieron que se siguieran cultivando las viñas y cuando algunas veces venían a inspeccionar los enviados del califa de Damasco, les tranquilizaban diciendo que el cultivo de las viñas era destinado a la producción de pasas. Consta, sin embargo, que bebían vino y en abundancia. Existe una simpática relación de anécdotas de borrachos de Córdoba, y los poetas arábigo-andaluces aludían frecuentemente al vino en sus versos: *El copero reaviva las copas llenándolas; El vaso de vino nos mira con los ojos de sus burbujas; Salió el sol del vino y el occidente era la boca de mi amada.*

Los árabes construyeron en esta época mezquitas de nueva planta y otras aprovechando edificios visigodos. Aunque no existe documentación exacta, como muy bien señala Alejandro Guichot en su obra *El Cicerone de Sevilla,* no es verosímil que hasta la época almohade estuvieran las mezquitas sevillanas sin alminares (torres). Pero tampoco es verosímil que hayan sido destruidas en su totalidad sin quedar ninguna de ellas; hemos de suponer lógicamente que algunos de los alminares árabes que hoy conserva nuestra ciudad, sean de la época comprendida entre el 713 y el 1091. Se inclina Guichot por considerar como de este primer período árabe las torres de Santa Catalina, San Marcos, Santa Marina y Omnium Sanctorum a los que podría atribuírseles la antigüedad de la época de la mezquita cordobesa.

Aunque destruidos y reconstruidos posteriormente, también fueron alminares de la época emiral o califal las torres de San Gil, San Andrés, San Isidoro, San Juan de la Palma, San Martín y el Salvador, aun cuando conservan muy pocos vestigios de su construcción primitiva. Parece ser que la primera gran mezquita sevillana estaba en la actual iglesia del Salvador y que la de San Juan de la Palma fue rica y de gran concurrencia.

Mejoras agrícolas, industriales y ganaderas

Los árabes, no sólo cambiaron por completo la técnica agrícola con los regadíos mediante norias que habían sido inventadas por Arquímedes y que los persas aprendieron de los griegos, trayéndolas aquí los sirios que las habían, a su vez, aprendido de los persas y mediante canalizaciones, sino que incluso cambiaron la producción agrícola y por consiguiente la alimentación de las gentes de España. Trajeron semillas de Oriente y las aclimataron en el suelo andaluz. A ello debemos las granadas, de Bagdad; la cidra, del Yemen; el melocotón, de Egipto; el albaricoque, de Damasco (todavía hoy en Sevilla a los albaricoques se les llama damascos); las habas y los altramuces, de Babilonia; la acelga, del Líbano. Por primera vez se cosecha el algodón en Sevilla, única comarca donde pudo aclimatarse. La palmera dio nueva fisonomía a los jardines y campos. Trajeron una raza de caballos que pronto se hizo andaluza y una raza de borriquillos de Palestina que en la baja Andalucía alcanzan su máxima aclimatación y que todavía hoy persisten. Junto con los objetos y los frutos vinieron las palabras como noria, alambique, alacena, alhucema, alfajor, albóndiga. Las mujeres se pintaban los ojos con alcohol (el kool) o antimonio en polvo, y se maquillaban las palmas de las manos y los talones con alheña o heñé: Otro signo de la relajación religiosa de los musulmanes españoles fue el que las mujeres raramente se cubrían la cara con velos, y en vez de estar recluidas en el harén, salían a la calle y muchas de ellas intervienen en la política, en los negocios, y en la vida literaria.

Invasión de los normandos

Por dos veces los vikingos o normandos (nord-mann, hombre del norte) vinieron en atrevidas incursiones a saquear las costas andaluzas después de haber atemorizado Francia o Portugal. Una de estas incursiones fue la del año 844, la primera. Habiendo sido rechazados por Ramiro de Asturias, costearon la península y subieron el Guadalquivir con ochenta naves llegando hasta las murallas de Sevilla el 1 de octubre de 844. Tomaron por asalto la ciudad destruyendo la mezquita mayor, y las murallas. El ejército normando con 16.000 hombres se dirigió hacia Morón donde fueron atacados por las tropas musulmanas que habían recibido orden de replegarse desde distintos lugares donde estaban de guarnición. El único edificio sevillano que no pudieron ocupar fue el castillo donde el gobernador resistió mientras llegaron los refuerzos. Después de varias batallas en las proximidades de Sevilla y en el camino de Córdoba, los pocos normandos supervivientes embarcaron nuevamente en sus naves y descendieron por el Guadalquivir deteniéndose en la Punta del Verde donde parlamentaron para canjear los prisioneros que se llevaban por víveres y vestidos. Sevilla sufrió extraordinarios destrozos en aquella incursión de los normandos, quedando en ruina por los incendios muchas mezquitas, palacios y edificios públicos.

Sucesos políticos

Dividida la España musulmana en dos banderías, la de los Omeyas u Omniadas y la de los Abasides, gran número de abasides lucharon contra los partidarios de Abderrahmán I recibiendo tropas y barcos del califato de Damasco que no se resignaba a que España se independizara de su mandato. El jefe de los abasides, Ali-Ben-Mogeitz fue muerto y descuartizado en Ronda, refugiándose sus partidarios en aquella serranía. Cierta noche, las tropas abasides abandonaron Ronda y se presentaron en Sevilla sometiéndola al saqueo y al fuego, retirándose al saber que el ejército califal venía desde Córdoba contra ellos.

Más tarde y bajo el mando del Wali de Mequinez, llamado Abd el Gafir, el ejército abaside que se había refugiado en Medina Sidonia, con el refuerzo de berberiscos y orientales atacó a Estepa, Archidona, Antequera y Sevilla, apoderándose de San Juan de Aznalfarache, pero también hubo de retirarse sin conquistar la ciudad ante la llegada del ejército emiral mandado por Ben Omar a quien las crónicas y romances cristianos llaman *Marsilio.*

Por aquellos días el gobernador de Sevilla, Ayub-Ben-Salem, negoció con los abasides el entregarles la ciudad, consumando su traición al abrirles las puertas a los que merodeaban por el Aljarafe; pero no contaba con que el ejército abaside tenía más africanos que andaluces y al entrar en Sevilla la saquearon y mancillaron sin respetar la propia vivienda y familia del gobernador que les había dejado entrar. Al amanecer, Marsilio, a pesar de las heridas recibidas la víspera, atacó Sevilla y aniquiló a los saqueadores. El resto de los abasides huyeron a Écija, donde el propio Abderrahmán los aniquiló. Terminaron estas guerras con una simple amnistía para los que habían colaborado en las revueltas y el perdón de su cabecilla Casim.

El rebelde cristiano Omar Ben Hafsum

Sin nada notable en los reinados de Hixem y Alhaquen, llegamos al tiempo de Abderrahmán II en que ocurre la persecución formal de cristianos e incluso de muladíes o españoles de religión musulmana que hablaban el latino visigótico. Esta persecución instigada por «el faqui» Yah-Ya, determinó el que en Sevilla se produjera la más importante sublevación que había ocurrido desde los tiempos de la invasión árabe. Todos los descendientes de visigodos, tanto cristianos mozárabes como muladíes o mahometanizados, se levantaron en armas contra la minoría árabe que los tenía sojuzgados. En 851, Umar-ibn-Hafsum, nieto de la familia Witizana, se apoderó de Elvira, Écija, Jaén, Archidona y Antequera y finalmente Sevilla, que se le unió con entusiasmo. Durante bastantes años los Beni Hafsum tuvieron la capital de la rebeldía en el pueblo inexpugnable de Bobastro, nombrándose emires. Esta familia cristiana que dio a los altares una santa, hija de Uma, santa Argentea de Bobastro, pudo adelantar en cinco siglos la reconquista si hubiera contado con la comprensión y ayuda de los cristianos del norte de España. Resulta aún más doloroso el hecho de que Italia y Francia que veían sus costas amenazadas por la Media Luna, no pensasen en la necesidad de alejar a los musulmanes del continente, lo que se hubiera podido lograr en los años 880 a 928, tiempo que duró aquella magnífica guerra de la independencia española. Porque la rebelión de los Beni Hafsum fue simplemente la resurrección del mundo visigótico en una coyuntura en que ya España estaba desconectada de Damasco y en que hubiera sido posible con poco esfuerzo expulsar o someter a los relativamente poco numerosos árabes y africanos que dominaban nuestra patria. Muy interesante a este respecto es el libro de Fermín Requena titulado *El Amirato Malagueño de los Beni Hafsur*, cuyo conocimiento es fundamental para comprender la historia de la Andalucía musulmana.

Después de la derrota y destrucción del amirato de Bobastro, suceden a Abderrahmán II los monarcas cordobeses Mohamed I, Almondhir y Abdallah, sin ningún relieve en su mando. En 929, el 16 de enero, Abderrahmán III se proclama califa de Córdoba. Ya en esta época los cristianos del norte avanzan hasta ocupar Zamora, Burgos y Lisboa, con lo que prácticamente los califas cordobeses solamente dominaban dos terceras partes de la península.

Sevilla bajo el califato cordobés

Como en todos los momentos en que el poder se concreta en unas solas manos, organizóse la villa política y administrativa en forma centralista. A costa de impuestos onerosos que empobrecían a toda la España musulmana, pudo crearse en Córdoba una ciudad magnífica y unos palacios tan suntuosos como los de Medina Zahara, comparables a los de Damasco. Construirlos y mantenerlos requería incalculables cantidades de dinero. Numerosos motines y pequeñas rebeldías en diversas comarcas, amargan e inquietan la vida del poderoso Abderrahman quien había de pagar este precio por mantener tan fastuosa corte que rivalizaba con la del emperador de Bizancio. En esta época sabemos que existía en Sevilla gran número de mozárabes dependiendo del metropolitano hispalense, un obispo con residencia en Carmona. Las ideas filosóficas de los árabes contagiaron a dichos cristianos produciéndose diversas herejías, entre ellas la de Migecio que se apartaba del dogma en el misterio de la Trinidad y la del adopcionismo. La gran herejía andaluza fue el hostigesismo, creada por el obispo Hostigesis y que desde Málaga y Almería pasó a Sevilla. Finalmente la secta de los acéfalos que databa de la época romana y la del antropomorfismo se mezclan con supersticiones orientales entenebreciendo la pureza del dogma católico. Por su parte, los árabes también tienen gran relajación, siendo el principal motivo de discordia el consumo de vino. Alhaquen II quiso prohibirlo y reunió un grupo de doctores de la ley musulmana quienes serían bastante aficionados al mismo, ya que en lugar de formular una prohibición, justificaron su consumo con el pretexto de que, para guerrear contra Castilla y León, pueden beber vino los buenos mahometanos, ya que esta bebida proporciona fuerzas y mejora los ánimos guerreros.

Sevilla hacia la independencia

Alhaquen quería contentar, sin embargo, a los alfaquíes más intransigentes, y mandó arrancar dos terceras partes de las viñas, lo que arruinó a muchos agricultores y ofendió a los bebedores que estimaban que, en todo caso, si hacían pecado o no era cuenta suya pero no del califa. Fue este «dahir» sobre el cultivo de la vid el mayor incentivo para que la comarca sevillana, primera productora de vinos de España, decidiera independizarse del dominio de los califas cordobeses. Como de costumbre, los intereses creados son los que mueven a la Historia y en toda gran decisión política hay siempre razones de tipo económico.

Escritores sevillanos bajo el califato

Desde los primeros tiempos de la conquista, Sevilla atrae a los hombres de letras. En la primera etapa emiral y califal, aun siendo la corte en Córdoba, no faltaron poetas y de talla internacional en la ciudad hispalense, tanto mozárabes como judíos y sobre todo árabes puros. Entre los mozárabes el más importante sin duda fue el prelado Juan Hispalense, traductor insigne de la Biblia. Entre los árabes el poeta sevillano Aben-Hani se destacó tanto por sus versos como por su vida licenciosa, teniendo que huir a Egipto para evitarse un proceso el año 950. Regresó en 971 y al parecer murió en una riña después de una orgía. Encontramos en Aben-Hani, por sus aventuras y desastrosa muerte, un auténtico precedente del tipo de Don Juan Tenorio, comentado por escritores de su tiempo, y que hasta ahora ha pasado inadvertido para los críticos literarios españoles.

Otro escritor importante fue Aben Jair, literato y bibliógrafo, a quien se debe un *Índice de Libros de Diversas Materias*, que es el catálogo más importante de libros conocidos en el siglo x. Finalmente, Otman Ben Rebía, nacido en 922, publicó un importante libro titulado *Clases de Poetas de España* que es quizá la primera obra de crítica e historia literaria publicada en nuestra patria.

El poeta Ben Zeidun

En esta época vivió en Sevilla el poeta Ben Zeidun, considerado como el más excelso de los líricos musulmanes. Había nacido en Córdoba en 1003 y en su mocedad parece que fue amante de la princesa Ualada hija de un califa cordobés. Después de alcanzar el cargo de primer ministro en Córdoba, fue depuesto por sus enemigos políticos, encarcelado y expropiados sus bienes. Es entonces cuando consigue huir y se refugia en Sevilla, donde escribe sus más bellas casidas.

Según el profesor Vernet, catedrático de árabe de la Universidad de Barcelona, todavía hoy se recitan diariamente las poesías de Ben Zeidun en las emisoras de radio de los países árabes.

Ben Zeidun murió en Sevilla en 1071.

CAPÍTULO V

SEVILLA, REINO INDEPENDIENTE

Habiendo ocupado el trono califal de Córdoba el noble Abu-Al-Quasim Muhamed, que ocupaba el cargo de wali de Sevilla, es destronado por su sobrino Yahaya, quien aprovechó la ausencia del monarca que había ido a Ceuta a los funerales de su hermano. Vuelto de Ceuta, Al-Quasim recobró el trono, pero fue destituido por segunda vez, teniendo que refugiarse en Sevilla el año 1023. El antiguo gobernador y ahora califa fugitivo, a su llegada a nuestra ciudad consiguió numerosos apoyos de sus amigos y sorprendió a la guarnición berberisca que obedecía al usurpador cordobés, aniquilándola. Sin embargo, no se atrevió a apoderarse de Córdoba, sino que formuló una solemne declaración dirigida a los gobernadores de las distintas comarcas de la España musulmana, diciéndoles que él era, como perteneciente a la familia de los Abbadíes, el legítimo califa de España, y Sevilla la capital del califato. Esta declaración ocasionó en toda España una gran conmoción y muchos gobernadores lo reconocieron como califa. Poco más tarde le surge a Quasim un nuevo enemigo, Muhamed-Ben-Ismail, quien se apodera del trono sevillano, pero que para no crearse mayores conflictos con el califato de Córdoba, formuló otra declaración en la que renunció a la idea expresada por su antecesor de ser califa de toda España, conformándose con proclamar reino independiente a Sevilla.

Renunciamos a describir en detalle los numerosos episodios sangrientos, luchas intestinas, asesinatos de príncipes, saqueos por tropas mercenarias de las principales ciudades españolas en los tiempos inmediatos a la muerte de Almanzor, limitándose a dar la visión esquemática de los hechos.

En esta misma época se produce la descomposición del califato y nacen los reinos de Taifas, entre ellos los de Murcia, Badajoz, Denia, etc., al independizarse y convertirse en monarcas los respectivos gobernadores.

Muhamed Ben Ismail primer rey de Sevilla, viéndose débil con sólo nuestra ciudad y comarca, forma alianza con el reyezuelo de Carmona y juntos atacan Badajoz y lo conquistan, así como Beja de Portugal y luego regresan hacia el Este y se presentan a las puertas de Córdoba. En 1035 muere el reyezuelo de Carmona y entonces Ismail incorpora los dominios de Carmona al reino de Sevilla. Receloso del poderío que va teniendo el sevillano, forman una alianza los reyes de Málaga, Almería y Granada y se dirigen hacia Sevilla. Ismail salió a su encuentro siendo derrotado en Osuna y murió en Sevilla a consecuencia de las heridas del combate. Le sucede su hijo Almotadih en el año 1042. Un cronista contemporáneo dice: «Almotadih, rey a los 26 años de su edad era valiente y hermoso, tenía la gracia del gran señor y la robustez del campesino.» Almotadih cuidó de engrandecer el reino de Sevilla siguiendo las normas políticas de su padre con tres propósitos contenidos en sus consejos: Primero, evitar que Córdoba pudiera anexionarse a Sevilla. Segundo, tener más súbditos de quienes recaudar impuestos. Tercero, constituir una potencia capaz de frenar el avance de los cristianos de León que ya constituían una seria amenaza para todo El Andalus.

Animado por estos propósitos, Almotadih inicia una serie de campañas contra los taifas vecinos apoderándose de Niebla y Huelva en 1051, del Algarve en 1052 y de Jerez, Morón, Ronda y Arcos en 1053. Tras cinco años de descanso y reajuste económico de los nuevos dominios, vuelve la campaña en 1058 para conquistar Algeciras y Málaga, consiguiendo ser dueño de la llave del estrecho de Gibraltar. En este instante Almotadih es ya el rey más poderoso de Andalucía. En el gran monarca sevillano se dan conjuntamente virtudes y defectos que hacen de él un personaje verdaderamente extraordinario. Unas veces trataba a los débiles con verdadero amor casi franciscano, y otras, en cambio, se complacía en humillarles para mejor demostrar su autoridad. En su palacio guardaba en grandes cofres las cabezas embalsamadas de todos los príncipes a quienes había vencido y se deleitaba en sacarlas de vez en cuando para contemplarlas. Era, al mismo tiempo, inspirado poeta que unas veces cantaba con justificado orgullo las glorias de sus conquistas:

> *Oh Ronda, eres la más hermosa de las joyas de mi reino. Las lanzas y tajantes espadas de mis valerosos guerreros me han permitido poseerte y ahora tus habitantes me llaman su señor y su rey. Como mi vida sea bastante larga acortaré la de mis enemigos. No cesaré jamás de combatirlos para no acostumbrarme a*

la paz. He pasado a cuchillo a ejércitos y más ejércitos. Las cabezas ensartadas como perlas forman un soberbio collar que ciñe las fronteras de mi reino.

Cuando no tenía que guerrear, Almotadih pasaba la vida en fiestas, ceremonias y orgías. Su palacio emulaba en ostentación, en lujo, en placeres y hasta en vicios a los del famoso califa de Bagdad que llevaba su mismo nombre. Despreciaba a los fanáticos alfaquíes y su rígida moral religiosa. Solamente profesaba una fe elemental, confiando en que por haber luchado contra sus enemigos tenía asegurado un puesto en el paraíso de Alá. Cuando los alfaquíes recordaron al vecindario de Sevilla en las mezquitas que la religión mahometana prohibía beber vino, Almotadih orgullosamente hizo circular unos versos con su propia firma en los que decía: «Hay que beber al despuntar la aurora. Éste sí que es un dogma religioso y el que no lo crea sí que es un pagano.» Los alfaquíes por su parte se cuidaron mucho de señalar ante los ojos de los devotos musulmanes que mientras el rey había construido 25 castillos y ciudadelas no había edificado en toda su vida más que una sola mezquita y un solo púlpito.

Sin embargo, la verdad es que devotos musulmanes, había muy pocos en Sevilla. Gran parte de los habitantes seguían siendo mozárabes y no les preocupaba por tanto la religión del Corán, sino la cristiana. Otro gran número eran judíos sefarditas practicantes de los preceptos de la Torá. En cuanto a los árabes, estaban demasiado enfrascados en las luchas de banderías entre familias nobles, y su ejército, compuesto fundamentalmente de berberiscos y negros, era supersticioso, pero desconocían la teología y la moral coránica. El panorama racial de Sevilla en aquella época, era muy abigarrado y pintoresco. Existían los españoles de origen, o sea de raza hispanorromana con algunos caracteres godos.

A continuación una minoría, pero bastante numerosa, de muladíes. La palabra muladí o mulado se deriva de mula y se empleaba para significar que de la misma manera que es mixta de yegua y de asno, el hombre muladí era mixto de española y de árabe. No puede decirse que existiera el muladí de español y musulmana, ya que no habían venido mujeres con los árabes. Una segunda minoría numerosa eran los judíos de los grupos sefardíes o sefarditas, llegados antes de Cristo; talmudistas llegados después de la destrucción del templo de Jerusalén, y por último algunos askenacis venidos del Oriente de Europa unidos al grupo de los eslavos.

Figuraba después el grupo berberisco formado por beréberes y mogrebinos de raza blanca más o menos atezada.

Siguen a éstos un número de eslavones o esclavones traídos por los árabes como esclavos procedentes de la Europa oriental y que ocuparon más tarde, ya como hombres libres, un puesto relevante en el ejército o bien en la administración pública y a veces, convertidos en eunucos, participaban en la vida palatina jugando papel decisivo en intrigas y destronamientos.

La minoría siguiente era la de los verdaderos árabes, aristocracia gobernante y militar procedente de los países del Oriente Medio y que eran los que verdaderamente mandaban en el país ocupando todos los tronos de taifas y los mandos de ejércitos y gobiernos de ciudades.

Para su diferencia de religión, raza y costumbres, cada uno de estos grupos tenía distintos trajes e incluso sus productos agrícolas y manufacturados eran distintos. Los mozárabes preparaban un vino que se llamaba «cristanego», los judíos otro que se llamaba «judego» y los árabes dos tipos de vino de uva blanco «ghamar» y tinto «shaiba» y licores fuertes o aguardientes de caña, dátiles, higos y frutas fermentadas. Fueron los árabes quienes trajeron el alambique (al ambik) para destilar tanto las bebidas fuertes como los perfumes. En el momento que estamos reseñando, Sevilla seguía siendo una ciudad cuyo casco amurallado se encerraba en las murallas que, partiendo de la Macarena, seguían por calle Feria, San Martín, a la Encarnación, Puerta de la Carne, Osario y Macarena. Fuera de estas murallas existían los barrios de Puerta de Triana, San Vicente y San Lorenzo, pero que no estaban rigurosamente unidos al casco urbano aunque sí muy poblados. Entre las murallas de la calle Feria y el barrio de San Lorenzo quedaban huertas y el ramal de río medio desecado o Laguna, hoy Alameda de Hércules. Todavía no se había construido el alminar, ni la gran mezquita, ni la Giralda. Los reyes tienen varios palacios, uno de ellos en los llamados Alcázares Viejos y otro de verano donde hoy está el convento de San Clemente, cuyas puertas ocupaban la actual zona de las Lumbreras y calle Santa Clara.

Embajada cristiana en la corte de Almotadih

En los últimos años del reinado de Almotadih se presentó en la frontera un ejército mandado por el rey Fernando I de León.

El monarca sevillano prefirió negociar una paz mejor que empeñarse en una guerra y salió a su encuentro en la comarca de Badajoz ofreciendo al leonés abundante rescate en oro y plata para que se retirase. Fernando le respondió que su expedición no era con ánimo de botín sino para reclamar las venerables reliquias de santa Justa y santa Rufina que deseaba trasladar a la basílica que estaba construyendo en Santiago de Compostela. Si el monarca sevillano se las entregaba se retiraría gustosamente firmando con él un tratado de paz. Almotadih dijo a Fernando que por su parte no sólo no ponía inconveniente, sino que le brindaba el regalo de cuantas reliquias cristianas desease, pero que ni él ni sus sabios sevillanos tenían noticias de dónde estarían enterradas las dos santas mártires ya que desde siglos atrás con las continuas guerras se había perdido memoria de su sepulcro. Ello no obstante, para manifestar su buena voluntad, Almotadih recibiría en Sevilla a cuantos sabios y prelados cristianos quisieran ocuparse personalmente de buscarlas. Contando con esta disposición del sevillano, regresó a León Fernando y se vinieron con Almotadih un lucido séquito de caballeros y eclesiásticos leoneses presididos por el obispo Alvito de León, y los condes Ordoño de Astorga, Nunno o Nuño, los caballeros Fernando y Gonzalo y numerosos religiosos e intérpretes entendidos en lectura de inscripciones antiguas. Almotadih les alojó en un hermoso palacio y puso a su servicio obreros albañiles para cuantas excavaciones quisieran hacer. Después de remover el solar de varias iglesias antiguas cristianas, no encontraron los restos de las dos mártires.

Cuando ya estaban desalentados, Alvito tuvo una aparición o sueño en que un anciano revestido con ornamentos episcopales le decía: «Yo soy Isidoro, arzobispo de Sevilla, y mi cuerpo habrás de llevarle en vez de los que buscas y muy pronto te reunirás conmigo en el cielo.» A la mañana siguiente, Alvito, siguiendo las indicaciones que había recibido en su milagroso sueño, excavó el suelo de la iglesia de San Vicente que era entonces mezquita, donde encontró una cripta subterránea en la que estaba en un ataúd intacto el cuerpo incorrupto de san Isidoro. Maravilló mucho a los caballeros que el ataúd de madera de enebro pareciera tan nuevo como si lo acabasen de poner y que el color del semblante del santo era tan natural como si estuviera recién muerto. Almotadih visitó la cripta y exclamó: «Verdaderamente que este hombre fue un gran sabio y ahora nos muestra que fue un santo varón.»

Otra versión, la del Maestro Pedro de Medina en la *Crónica de los duques de Medina Sidonia* capítulo XXXIII dice que fue en una ermita donde luego se ha edificado el monasterio de San Isidoro del Campo, en Santiponce.

Mientras se hacían los preparativos para trasladar tan santo hallazgo a León, murió Alvito, cumpliéndose en esto su sueño. La comitiva leonesa salió de Sevilla trasladando en ricos ataúdes los cuerpos de Isidoro y de Alvito. Desde San Vicente a la Puerta de la Macarena el rey sevillano y toda su corte acompañaron a la comitiva y al despedirla en el mismo arco de la muralla, Almotadih se arrodilló, besó el paño que cubría las andas del féretro de san Isidoro y dijo a sus nobles. «Ah, cuánto pierde Sevilla al marcharse de nosotros este venerable cuerpo; porque Isidoro fue tan grande hombre que honra a la ciudad que lo guarde.»

Almotamid rey de Sevilla

Llegamos al momento en que Sevilla tiene por rey al ilustre Almotamid, el más glorioso de todos los monarcas arábigos andaluces y con quien solamente se puede igualar en el esplendor cultural de la corte, Alfonso *el Sabio* de Castilla y Alfonso *el Magnánimo* de Aragón. Almotamid, siendo todavía príncipe, hizo, por encargo de su padre, una campaña contra Málaga con adverso resultado, pero que le sirvió de gran lección para lo sucesivo. No era Almotamid el primogénito, sino el segundón. Sin embargo Almotamid subió al trono porque su hermano mayor Ismail sublevó parte del ejército, saqueó el tesoro del Estado y se proclamó rey en Algeciras, donde las tropas leales lo detuvieron siendo condenado a muerte.

Almotamid tuvo en su juventud gran afición a las letras cultivando con acierto la poesía. Carecía de la crueldad sanguinaria de los príncipes de su tiempo mostrando siempre predilección por la paz y ejerciendo la clemencia y la templanza en sus actos políticos y militares. Formaron parte de su corte el poeta sevillano Abd-El-Chalil quien en cierta ocasión publicó unos versos diciendo que no creía en el amor, y que la fidelidad era tan falsa como el cuento de que un rey obsequió a un poeta con mil monedas de plata. Entonces Almotamid, para demostrarle que la fidelidad en el amor era posible, le entregó mil monedas de plata del tesoro real, ya que la fábula del regalo al poeta demostraba que podía ser realidad. Otro poeta de la corte de Almotamid fue Aben Amar, a quien el rey otorgó el cargo de gobernador de Silves.

Caminando cierto día por la orilla del Guadalquivir, cerca del puente de barcas que unía Sevilla con Triana, el rey Almotamid, acompañado por el poeta Aben Amar, se distrajo contemplando el agua que rizada por el soplo del viento fingía las escamas de una cota de guerra. Le habría gustado que el aspecto rizado del agua permaneciese así inmóvil en lugar de desvanecerse cuando amainaba el soplo del aire, y se entretuvo en imaginar que si el río se convirtiese en una lámina de hielo presentaría este aspecto ondulado con una belleza permanente. Así divirtiéndose en dialogar en verso con su amigo y poeta, le sugirió el comienzo de una estrofa con estas palabras:

La brisa convierte el río en una cota de malla.

No acertó Ben Amar a completar con dos versos improvisados la estrofa, pero ambos escucharon a su espalda una voz femenina que dijo:

La brisa convierte el río en una cota de malla
mejor cota no se halla
como la congele el frío.

Quedó sorprendido el rey de la prontitud de ingenio con que la desconocida muchacha que pasaba por aquel lugar había sido capaz de encontrar los consonantes adecuados. Mandó seguirla Almotamid y supo que era una esclava del industrial Romaik y que se llamaba Itimad. Enamorado de ella el monarca, pocos días después la convirtió en su esposa, y no a la manera mahometana de mujer de harén sino otorgándole el rango de reina. El matrimonio fue para ambos de inextinguible felicidad, teniendo una hija que se llamó Zaida.

Itimad, por su afición a la poesía, fue gran protectora de las letras cooperando a que la corte sevillana tuviera carácter de centro literario del mundo musulmán.

Alfonso VI de Castilla para conseguir la paz que había firmado con Almotamid le pidió por esposa a Zaida, que en su conversión al cristianismo pasó a llamarse Isabel.

Las relaciones entre el suegro árabe y el yerno cristiano permanecieron durante algún tiempo amistosas. Se cuenta que en cierta ocasión Alfonso VI había amenazado con su ejército a Sevilla y Almotamid envió a su poeta y ministro Aben Amar a parlamentar con él. Almorzaron juntos en la tienda de campaña del castellano y Aben Amar consiguió despertar la simpatía de Alfonso y le propuso jugar de sobremesa una partida de ajedrez. La apuesta era que si Alfonso perdía tendría que pagarle un grano de trigo por el primer cuadro del tablero, dos por el segundo, cuatro por el tercero y así duplicando hasta el último. Perdió Alfonso y cuando hicieron la cuenta, por esta progresión matemática, resultaba que Castilla no tendrá trigo bastante para pagar. En tal apuro Alfonso se contristó de no poder cumplir con su deuda de honor y Aben Amar entonces le dijo que se daba por satisfecho de la deuda si retiraba sus tropas del territorio sevillano.

Almotamid premió generosamente a su poeta, pero éste más tarde, ensoberbecido por el poder que como ministro había llegado a alcanzar, se permitió algunos actos de gobierno que entrañaban auténtica rebelión. Así Aben Amar por su propia cuenta, envió un ejército contra el rey de Valencia que era amigo de Almotamid.

Se organizó entonces una serie de conflictos en los que participaron el rey de Valencia, el de Zaragoza y Almotamid. Aben Amar en rebeldía, fue apresado en Segura (Murcia), y Almotamid lo mató por su propia mano con su lanza, no sin amargura porque le había querido como a hermano.

Lo que más había dolido sin embargo al rey de Sevilla, no era la rebelión armada de Aben Amar, sino unos versos difamatorios que éste había escrito contra la reina Itimad.

En el año 1080, Alfonso VI envió a Sevilla a su capitán Rodrigo Díaz de Vivar para que recogiera el tributo que Almotamid pagaba a Castilla. Encontrábase Rodrigo bien alojado en el palacio de Almotamid con sus doscientas lanzas castellanas que le acompañaban como escolta, cuando llegó la noticia de que un ejército compuesto por el rey Almudáfar de Granada y los condes Fortún Sánchez, yerno del rey de Navarra, García Ordóñez, conde disidente de Castilla y López Sánchez, también castellano, habían entrado en el reino de Almotamid incendiando los campos y apoderándose de la plaza fuerte de Cabra. Entendió Rodrigo el castellano, que era obligación suya defender en nombre de su rey Alfonso VI el territorio del rey tributario Almotamid, por lo cual con sus doscientos caballeros salió al encuentro de los invasores y enviándoles un heraldo castellano les pidió que se retiraran de la frontera del reino de Sevilla. No hicieron caso, sino que se burlaron de la petición, por lo que Rodrigo, con sus castellanos y tropas de Sevilla, atacó bizarramente en las proximidades del pueblo de Doña Mencía consiguiendo dividir el ejército enemigo al que causó gran mortandad. Los granadinos se dieron a la fuga y quedaron prisioneros los tres condes cristianos. Al que más impertinente se había mostrado cuando Rodrigo les recomendó retirarse, que era García Ordóñez, lo sometió ahora a la humillación de cogerle por las barbas y llevarlo así fuera del campo de batalla hasta el campamento, quedándose con un mechón de pelos de sus barbas que guardó cuidadosamente como recuerdo de tal victoria. Al regresar a Sevilla Rodrigo, fue aclamado por el vecindario que le llamaba *Cide Almansuar* (señor victorioso) y sus castellanos le llamaron «campidoctor» por su sabiduría en el campo de batalla. Con ambos apelativos se formó el de *Cid Campeador*. En recuerdo de este suceso que recoge el poema de *Mio Cid*, existe en Sevilla en la actualidad un magnífico monumento a la entrada del Parque de María Luisa con la estatua ecuestre del *Cid*, obra de la escultora norteamericana Mrs. Hungtinton que lo regaló a la ciudad en 1929.

Respecto a la vida de Zaida-Isabel con el rey de Castilla, algunos autores dicen que se efectuó un matrimonio no canónico porque Alfonso estaba casado entonces con doña Constanza de Borgoña. Sin embargo, la tesis más digna de crédito es que para esa fecha ya había enviudado el rey de Castilla. Existen documentos de la época en que parece mencionado el nombre de Isabel como reina junto al de Alfonso en forma perfectamente normal. (Publicados por la academia «Fernán González», de Burgos, en su Boletín Trimestral. Primer trimestre 1961.) Almotamid le había dado como dote las ciudades de Huete, Ocaña, Mora de Toledo y Alarcos, con lo que Alfonso vino a convertise en dueño del reino de Toledo completo, parte por lo que él había conquistado en 1085 y parte por lo recibido como arras de su mujer.

Desastroso fin de Almotamid

No siempre continuaron bien las relaciones entre suegro y yerno. En 1086 comenzaron a enfriarse las relaciones entre ambos, en parte porque Almotamid sufría las influencias de algunos consejeros a quienes pareció molestar que hubiese dado su hija a un cristiano. En parte, también, por la soberbia con que Alfonso VI trataba a su suegro menospreciándolo en diversas ocasiones. Ocurrió que un año, Almotamid, que había tenido demasiados gastos con la boda de su hija y la guerra contra sus vecinos árabes, no pudo pagar el tributo acostumbrado, y Alfonso, en vez de aguardar envió a recaudadores judíos para que directamente obtuviesen impuestos de los vecinos del reino de Sevilla. Los sevillanos no pudiendo sufrir que un extranjero y además judío quisiera cobrarles impuestos, se amotinaron y lo mataron a puñaladas. Alfonso entonces escribió a Almotamid una carta insultante que comenzaba: «De parte del emperador y señor de las dos leyes y de las dos naciones, el excelente y poderoso rey don Alfonso, al rey Almotamid Villah ebn Ebeb (ilumine Dios su entendimiento para que se determine a seguir el buen camino): salud y buena voluntad. Bien sabéis lo que ha pasado en Toledo, cabeza de España, y lo que ha sucedido a sus moradores; y que si vos y los vuestros habéis escapado hasta ahora ya os llegó vuestro plazo que sólo he diferido por mi voluntad.» Este tratamiento, de señor de las dos leyes, cristiana y mahometana, y rey de las dos naciones que se arrogaba Alfonso, y la amenaza de apoderarse de Sevilla como antes había conquistado Toledo, pusieron a Almotamid en temor de que no tardaría en producirse la invasión y conquista del reino de Sevilla por los castellanos. En tal situación, mandó llamar a su hijo Raschid que estaba en Murcia, a los reyes de taifas más amenazados por Alfonso. Reunidos en asamblea indicó Almotamid que para defenderse contra los castellanos no había otro remedio que pedir ayuda militar al sultán de Marruecos Yusuf.

Raschid entonces dijo que los marroquíes, aunque hermanos en religión mahometana, eran bárbaros, incultos y fanáticos, y el sultán acabaría por destronarlos a Almotamid y a los otros reyes apoderándose de sus reinos. A lo que contestó Almotamid: «Antes prefiero acabar mis días siendo camellero en Marruecos, que continuar siendo rey si he de convertirme en vasallo de los cristianos.» Concluida la asamblea se pidió ayuda al Sultán y en 1090 desembarcó el grueso del ejército de los almorávides que como había temido Raschid, no venían a ayudar y proteger a los andaluces, sino a anexionar España como provincia al reino del Mogreb.

La primera demostración que hizo Yusuf de sus propósitos fue destronar al rey Addayah de Archidona y ocupar sus territorios. Al presentarse Yusuf ante los muros de Sevilla, Almotamid intentó resistir, pero después de varios combates el sultán entró con sus tropas en la ciudad al asalto y Almotamid, hecho prisionero, fue conducido a un barco anclado en el Guadalquivir con su esposa Itimad y con sus hijas que no quisieron separarse de él. Cargado de cadenas el más ilustre de los reyes que había tenido la España musulmana, vio por última vez desde la curva del río de Aznalfarache, su ciudad de Sevilla tan amada por él y le pareció «como una rosa abierta en medio de una florida llanura», arrancándole amargo llanto.

Yusuf justificó la usurpación del reino de Sevilla mediante un escrito firmado por los principales alfaquíes, quienes acusaban a Almotamid de quebrantar los mandamientos de la ley coránica. Cuando el barco llegó a Tánger, un famoso poeta bufón llamado El Hosri, a quien Almotamid algunas veces había hecho dádivas, tuvo la insolencia de pedir al prisionero alguna limosna o regalo. Almotamid llevaba por todo caudal una moneda de oro escondida en uno de sus zapatos, que valía treinta y seis cequíes. Trabajosamente se descalzó, sacó la moneda y se la entregó a El Hosri diciéndole: «Toma y remédiate, y di que Almotamid no despidió nunca a un poeta sin darle alguna dádiva.»

En la mazmorra de la cárcel de Ahmat permaneció todavía cinco años Almotamid cargado de cadenas que con su roce llegaron a ulcerar sus pulsos y a gangrenar sus huesos. Algunas veces sus amigos poetas Abu Mohamed El Hichari y Abel Nabana (el historiador) y el político Abd El Chabar, sobornando a los carceleros conseguían visitarlo y Almotamid le dictaba versos que de memoria componía en la prisión en los que relataba su pasada grandeza y su presente dolor.

Itimad y sus hijas vivían en la mayor miseria y tenían que ganarse el sustento hilando y tejiendo. El hijo de Almotamid intentó recobrar Sevilla con un pequeño ejército que levantó en Arcos de la Frontera, pero fue derrotado y muerto. El mismo año 1095 murió Itamid, y Almotamid, que había podido soportar tantas amarguras y tan estrechas prisiones, no pudo soportar la tristeza de saber muerta a su amada compañera y murió pocos días más tarde.

En los tiempos del reinado de Almotamid había tenido Sevilla como queda dicho, altísima prestancia literaria. Junto a la mezquita, hoy iglesia del Salvador, existió una importante escuela universitaria o estudio que atendía el sabio maestro Marvan, según una lápida situada en la torre de dicha iglesia en su fachada norte dando cara al patio del edificio.

El palacio de Almotamid estuvo en la Barqueta y es el actual Convento de San Clemente (tradición recogida por L. Alarcón de la Lastra).

Dio Almotamid medios económicos abundantes a su madre para que edificase una mezquita, que es la actual iglesia de San Juan de la Palma, inaugurada en 1086. La influencia de la reina madre y de Itimad la esposa, hicieron desaparecer la condición inferior en que las mujeres se habían encontrado entre los árabes en los reinados anteriores.

Los estudios de Menéndez Pidal han demostrado que la Sevilla de Almotamid era bilingüe y que lo mismo se escribía el árabe que el romance, admitiéndose en los tribunales de justicia las declaraciones en idioma castellano.

También de la época de Almotamid data el principal auge de las confituras vegetales que tenían el nombre árabe de al-mibar (el dulce) y de al-fajor (el bocadito).

Se incorpora al repertorio de la farmacopea el alcanfor y comienza a tener importancia la manufactura del al-godón que se exporta a Oriente.

La música, junto con la poesía, tuvo gran desarrollo y se utilizaban la guzla, la guitarra moruna y otros instrumentos de cuerda. El Guadalquivir, a más de puerto comercial, brindaba a los sevillanos hermoso lugar de esparcimiento para recorrerlo en barca, existiendo en sus riberas hermosos jardines de los señores principales y huertos muy bien cultivados de la gente vulgar que convertían toda la comarca ribereña en un vergel.

Se restauraron los castillos que ya habían existido en tiempos romanos y que habían jugado decisivo papel en las guerras civiles de los godos. El de Alcalá de Guadaira y el de Ans-al-Hara (altura del huerto, que hoy llamamos San Juan de Aznalfarache).

Existieron dos principales escuelas de jurisprudencia, representadas por Salama-Ibn-Said, Abu Walid-Al-Bachi y sobre todo por Ibn Harrach.

En cuanto a las ciencias naturales, hubo químicos insignes como Ibn Motrif; geógrafos como el príncipe Abu Obaid-El-Bakri, autor del famoso libro *Los caminos, las provincias y los reinos*; historiadores como Muhamed Ben Yasuf que escribió la *Historia de los Abbadíes*, y matemáticos como Abu Abd-Al-Lahavifat y astrónomos como Muhamed Safila a quien se deben *El perfecto cuadrante* y *De la elevación de la Luna*, obras fundamentales para la navegación.

En la poesía se produjo bajo el reinado de Almotamid un movimiento comparable al romanticismo del siglo XIX rompiéndose con la rigidez de la escuela anterior y aceptando la mayor libertad para la creación de variantes siempre dentro del espíritu poético basado en el empleo de cuatro modos principales: la comparación, el tropo, la metáfora mediata o sustituida y la metonomia (según Menéndez Pelayo en la *Historia de las ideas estéticas*).

Mientras Europa entera en música mantenía todavía unidos la voz y el acompañamiento instrumental, en la época de los trovadores y juglares provenzales y castellanos, y los escandinavos todavía se encontraban en el período rudimentario de las sagas cantadas, ya en Sevilla se habían separado la poesía y la música. Empleaban los árabes la notación musical griega mejorándola, y utilizaban los llamados «modos» dividiendo la melodía en tres partes: consonancia, modulación y oración modulatoria.

Rechazaron las ideas de los pitagóricos principalmente las de «la música de los planetas»; llevaron la física a la construcción de los instrumentos musicales y partiendo de las leyes de la acústica confeccionaron tablas de longitudes y calibres de los tubos sonoros.

Cuando todavía la mayor parte de las naciones europeas incluyendo Castilla, no tenían siquiera un idioma, viviendo de los despojos de un latín barbarizado y descompuesto, cuando no existían más manifestaciones literarias que las chocarrerías de los juglares ambulantes, tenía ya Sevilla una cultura literaria, científica y jurídica que causa asombro el enumerarla.

Bajo el reinado de Almotamid vivió la Andalucía un tiempo de esplendor que muy bien puede compararse a los mejores momentos de Grecia y que sólo volverá a conocer el mundo cuatro siglos más tarde en las ciudades italianas del Renacimiento.

CAPÍTULO VI

DOMINACIÓN DE LOS ALMORÁVIDES

Después de ocupar Andalucía y el Levante apoderándose de la España musulmana excepto Zaragoza, abandonó Yusuf nuestra patria confiando el mando de este territorio a su hijo Alí quien meses más tarde heredó el trono por muerte de su padre. Marchó Alí a Marruecos y dejó a su hermano Temín la gobernación de España con cargo de lugarteniente. Temín movió sus tropas contra los cristianos e intentó apoderarse del castillo de Uclés. Estaba ya Alfonso VI viejo y resentido de una herida de la anterior batalla de Zalaca en la que había sido derrotado por Yusuf. No pudiendo por esta causa dirigir personalmente el ejército castellano, pero deseando que hubiese una persona real para estimular a las tropas, puso al frente del ejército a su hijo el príncipe Sancho (único varón heredero del trono e hijo de Zaida-Isabel), quien a la sazón tenía 11 años de edad. Encargó el rey a los condes castellanos que velasen mucho por su vida pero a mitad del combate el prícipe sintió su caballo herido y dirigiéndose a su ayo, el conde García de Cabra: «Padre, padre, mi caballo está herido.» Acudió el conde a tiempo de presenciar cómo el infante caía de su caballo al suelo. Entonces don García le cubrió con su escudo y los africanos dándose cuenta de que era el príncipe, arreciaron en aquel lugar sus acometidas. Don García murió defendiendo al príncipe y éste fue atravesado por una lanza. Sobre el cadáver del niño se entabló una feroz lucha y dos mil castellanos murieron en el combate intentando recoger el cuerpo del príncipe. Solamente un centenar consiguieron huir para poner a salvo al rey que estaba presenciando el combate desde un cerro inmediato. Al ver Alfonso que los fugitivos no llevaban consigo al príncipe, comprendió que había muerto y comenzó a sollozar diciéndoles: «Ay meu fillo, ay meu fillo, alegría de mi corazón e lume de meus ollos; solaz de miña vellez. Ay meu espelho en que me soía mirar e con que tomaba moi gran pracer. ¡Ay meu heredero! Caballeros ¿hum me lo dejastes? Dadme meu fillo, condes.»

La pena de la muerte de un heredero afligió de tal modo a don Alfonso que murió el año del 1099. Tanto él como su esposa Zaida-Isabel fueron enterrados en el monasterio de Sahagún.

Los almorávides, a diferencia de los árabes andaluces, eran fanáticamente religiosos y enemigos de todo libro que no fuese el Corán, por lo que destruyeron la célebre biblioteca de Merwuan que contaba con la colosal cifra de 600.000 libros entre ellos infinidad de manuscritos de filósofos griegos, ejemplares únicos que por ello se han perdido para siempre. Puede decirse que la mayor parte, la casi totalidad de las bibliotecas particulares de Andalucía fueron destruidas.

La guarnición almorávide que vino a Sevilla era en su mayor parte de raza negra, dispuesto así por Yusuf para evitar que la población civil pudiera simpatizar con los soldados y atraérselos a su bando. Según Isidoro de las Cajigas en su libro *Andalucía Musulmana*, el aporte negro almorávide al cruzarse con gente del país ha originado un interesante grupo negroide en Andalucía que aún hoy puede reconocerse en algunos lugares (sobre todo en Utrera).

Aunque la capital de España como provincia del imperio de Marruecos era naturalmente Marrakex, la verdad es que Sevilla le hacía la competencia a la capital del imperio. De hecho, nuestra ciudad fue por lo menos la capital del virreinado almorávide en España. Por razones estratégicas se instalaron en Sevilla los mayores acuartelamientos y se centralizó aquí la administración andaluza aunque al principio se quiso centralizar en Granada, que no pudo servir por sus malas comunicaciones y apartamiento geográfico. La gran concentración de soldados y funcionarios almorávides, y el acudir a Sevilla a refugiarse reyezuelos y notables depuestos de otras comarcas, hizo que resultase pequeña la ciudad para tantas gentes, por lo que hubo que agrandarla. En el año 1107 Alí Ben Yusuf emprendió una prolongación de las murallas de la ciudad para el ensanche urbano.

Ampliación de la muralla

El trazado antiguo venía siendo, como ya hemos dicho en capítulos anteriores, Macarena, San Martín, Encarnación, Salvador, Catedral, Puerta de la Carne, Osario, Macarena. La reforma de la muralla consistió en alargar el trazado Resolana, Puerta Real, Puerta del Arenal (parece probable que el tramo Postigo del Aceite, Puerta Jerez, a Puerta de la Carne no se construiría entonces, sino un siglo más tarde, cuando los almohades edificaron la mezquita grande.

Con la reforma de la muralla, Sevilla creció en superficie dos tantos de lo que era entonces (afirma don Francisco Collantes de Terán), siendo el mayor ensanche urbano que ha experimentado Sevilla hasta nuestros días. Sin embargo, no toda la superficie ganada se edificó en seguida, sino que quedaron muchos solares y huertas sin edificar dentro del recinto amurallado, tanto en la zona entre la calle Feria y calle Torneo como entre San Martín y el Arenal.

Fin del imperio almorávide

La rapiña, la intolerancia y la tiranía que ejercieron los almorávides sobre la región andaluza ocasionó tanto mayor malestar cuanto que ésta, de elevado nivel de cultura y de costumbres delicadamente civilizadas, podía soportar difícilmente al verse mandada por semisalvajes norteafricanos y ocupada por los ejércitos negros. Muy pronto y puestos de acuerdo los andaluces, tanto los partidarios de los antiguos Omeyas como de los recién destronados Abbadíes, organizaron una revuelta que consiguió sorprender a la guarnición militar de Córdoba y de algunas otras ciudades. Sin embargo, en Sevilla, donde las tropas negras eran mucho más numerosas, no fue posible imponerse a ellas. Al conocer la sublevación, el sultán de Marruecos Alí Ben Yusuf envió nuevos contingentes de soldados con el propósito de castigar la rebelión. Pero entretanto en Marrakex un filósofo andaluz llamado Abu-Abdayah, hijo del faquí de la mezquita de Córdoba, irritado porque el sultán había prohibido en todo Marruecos los libros de su maestro el filósofo egipcio Hamed Al Galazí, se atrevió un día del año 1120 a entrar en la mezquita y predicar cuando estaba dentro el emperador a quien desde el púlpito dijo: «Pon remedio a los abusos de tu gobierno, porque Dios te pedirá cuentas.» Seguidamente Abdayah salió de la mezquita sin que nadie se atreviese a detenerle en aquel lugar sagrado.

Abdayah se llamó desde aquel día «al mohad» que significa defensor de la fe y organizó un numeroso partido denominado los almohades, que muy pronto contó no sólo con estudiantes de teología y filosofía, sino con el apoyo del pueblo, incorporándosele 10.000 jinetes y 50.000 hombres de a pie en la ciudad de Timnal. Mientras el emperador Alí había marchado a España en 1121 para sofocar la rebelión andaluza, los almohades intentaron apoderarse de todo Marruecos. Regresó Alí quien lleno de terror ante el giro de los acontencimientos llamó a su hijo Tachfin, virrey de Andalucía, para que tomara el mando militar de Marruecos. Volvió entonces a levantarse en armas todo El Andalus y tras diversas vicisitudes llegamos al año 1125 en que la represión de los almorávides contra los sublevados andaluces se convierte en represión religiosa contra los cristianos mozárabes residentes en Andalucía.

Tal fue la persecución contra los mozárabes que pidieron éstos ayuda al rey de Aragón para que los sacase de Andalucía. Alfonso I *el Batallador* inició con su poderosísima hueste una atrevida expedición comparable a la de Alejandro Magno, si no en la dimensión, al menos en las dificultades, ya que cruzó por el territorio enemigo los reinos de Zaragoza, Valencia, Murcia, Almería, Jaén y Granada, llevando su caballo hasta la playa de Vélez-Málaga, donde lo metió dentro del agua para jactarse de haber pisado las riberas del estrecho de Gibraltar frente a la costa africana.

Mozárabes andaluces a León

A su regreso realizó *el Batallador* una maniobra digna de ser estudiada en todas las escuelas militares, pues consiguió replegarse sin apenas tener bajas, y llevándose consigo a 10.000 mozárabes andaluces después de derrotar a diez reyezuelos y aterrorizar de tal modo al virrey Tachfin que éste en la mezquita de Granada, dando vistas desde la ventana del mirab al campamento de los aragoneses, ordenó rezar por primera vez en España la «azala del miedo». Años más tarde, su yerno Alfonso VII de Castilla, con el mismo propósito de salvar a los mozárabes, hizo una expedición en que conquistó Almería, cruzó Andalucía hasta Jerez y la playa de Sanlúcar y regresó a León llevándose consigo otro gran número de cristianos mozárabes de Sevilla, Córdoba, Huelva y Badajoz.

Tanto estos mozárabes sevillanos y cordobeses huidos en el siglo XI como los que por diversos motivos se habían exiliado de Andalucía en el siglo anterior, dieron lugar a un florecimiento artístico de estilo arábigo andaluz en todo el norte de España, patentizado en gran parte del trabajo de cantería de muchos monasterios románicos, en manifestaciones de orfebrería y bordados que llenan los tesoros de basílicas y monasterios y, sobre todo, en la aportación del carácter cultural, de la cual es máximo exponente Juan Hispalense, judío converso sevillano, quien en Toledo, entre los años 1130 y 1150, colaborando con el arcediano Domingo Gundisalbo, realizó la traducción de las obras de ciencia y de pensamiento, constituyendo bajo el mandato y protección del arzobispo don Raimundo el famosísimo COLEGIO DE TRADUCTORES TOLEDANOS.

El ejército de los almohades mandado por el general Abu-Amarán, lugarteniente del jefe religioso y político Abdelmumen (que había sucedido a Abdayah fundador de la secta), pasó a España por fin en 1147 ocupando con facilidad toda la Andalucía ya que al ejército del estandarte blanco de los almohades se iban uniendo todos los andaluces descontentos de la tiranía almorávide. Los almohades, al ocupar Sevilla, aun cuando venían como conquistadores, designaron para los puestos de mando de España, no a los suyos marroquíes, sino a gobernadores españoles, dándose la singular circunstancia de que los mismos almohades se pusieron a las órdenes de los jefes andaluces. Se debió esto a que el fundador de la secta se había inclinado en favor de las teorías filosóficas de algunos pensadores como Aben Hazam *el Cordobés*, cuyas doctrinas, en realidad, eran las que encarnaban y conformaban el pensamiento político almohade. Fue nombrado cadí de Sevilla, el filósofo Ben Hautala, discípulo de Aben Hazam y posteriormente le sucedió Alí Ben Jatab *el Moifirí*. Finalmente, y esto es aún más importante, el famoso botánico sevillano Benarrumía (que por su nombre debió ser hijo de un musulmán y de una muzárabe) fue llamado a ocupar el cargo de visir en Marrakex junto al emperador almohade.

Entramos ya en el último período de la dominación árabe y durante él veremos alcanzar a Sevilla el máximo esplendor como ciudad construyendo los mejores edificios que la civilización musulmana ha legado a la posteridad: edificios como la Giralda y el Alcázar que significan la culminación de un arte que ya no es tan macizo y pesado como el estilo califal cordobés, pero que todavía no llega a ser almibarado y preciosista como el decadente estilo granadino. La arquitectura y con ella otras muchas manifestaciones del espíritu y del arte han llegado al momento de rotundo equilibrio entre el fondo y la forma; es decir, han aparecido las normas ideales y han sido realizadas. Estamos en pleno clasicismo. De esta época es la mezquita del Coral, descubierta por Joaquín González Moreno en 1972 en la calle Rodríguez Marín.

Sevilla bajo la dominación almohade

La característica almohade es la ruptura total con Oriente y el dejar para siempre de imitar y aun de admirar lo árabe. Los almohades reniegan por completo de la ascendencia oriental, de su política e incluso de su religión. Ya ningún caudillo almohade se considera descendiente de algún jeque yemenita. La antigua raza conquistadora es sustituida en el mundo por andaluces y marroquíes. Muy significativa la participación de gentes mestizas como Benarrumía en el mando antes reservado a las estirpes puras de los Omeyas y de los Abbadíes oriundos de Damasco. Fortalece todo esto la personalidad autóctona sevillana manifestando poderosa su iniciativa tanto en lo industrial y en lo comercial como en las tareas del pensamiento. Rejuvenece la institución municipal, y por emulación con el Oriente, surge un afán de demostrar que Andalucía no tiene nada que aprender ni que envidiar de Arabia. Éstas son las causas fundamentales del gran avance que experimentará Sevilla como ciudad y que se patentiza en «aquella raza gigante de edificios de los almohades», como ha dicho el crítico e historiador Tubino. La primera gran mejora acometida por los almohades fue sin duda la construcción de un puente de barcas ordenada personalmente por el emperador en 1171 durante su estancia en Sevilla. Con mejor visión estratégica que todos los anteriores, comprendió que el sistema de transportar gentes y mercancías mediante unas lanchas de remos de Sevilla a Triana era insuficiente para mantener la comunicación con la fortaleza Aljarate. El puente se hizo con sólidas barcazas ancladas al fondo y sujetas entre sí con garfios de hierro. Para obviar el inconveniente de las mareas, en los dos extremos del puente se pusieron muelles flotantes sobre pieles de cabra hinchadas de aire. La construcción del puente de Triana produjo el florecimiento del barrio, hasta entonces arrabal de chozas y que desde aquel momento comenzó a tener verdaderas casas y algunas quintas de recreo.

Al llegar los almohades a Sevilla se encontraron con que la mezquita de Adabás (hoy iglesia del Salvador) que era la mayor de la ciudad, resultaba insuficiente para el número de fieles musulmanes. Por este motivo el emperador Abd El Mumen ordenó que se construyese una nueva mezquita con la grandeza que requería la importancia de la ciudad.

Construcción de la Giralda

Fuera de las murallas de la antigua acrópolis, pero incluido dentro del perímetro del ensanche almorávide, sobre terrenos de huertas y encima de las ruinas de un antiguo templo visigodo, se comenzó a edificar la mezquita mayor, orientada en su longitud de Norte a Sur, formada por naves paralelas cuyos arcos descansaban sobre columnas de mármol, otros dicen que sobre pilares. Bóvedas subterráneas que se correspondían con las naves de la mezquita y el Patio de los Naranjos en el que se colocó una antigua fuente visigoda que todavía hoy permanece allí. Cualquier descripción resulta pobre si tenemos en cuenta que sus dimensiones eran colosales, a juzgar por el Patio de los Naranjos que es mayor que el de la mezquita de Córdoba. Al decir del historiador árabe Aben-Sahib Asala, «no fue superada esta mezquita por las construidas por ninguno de los anteriores monarcas». El arquitecto que la diseñó fue, según parece, el célebre matemático Gerver a quien se atribuye nada menos que la invención del álgebra. Pero si la mezquita fue obra de Gerver, la gloria de la construcción de la Giralda corresponde a dos arquitectos y un alarife. Fueron aquéllos Ahmed Aben Baso, quien diseñó la torre; Abu-Bequer Benzoar, que dirigió las obras, y Alí de Gomara, sobrino de Aben Baso, que diseñó los adornos de ladrillo alcanzando el más bello canon de exorno de la arquitectura musulmana.

La cimentación de la mezquita constituyó sin embargo una gran tragedia, no solamente para Sevilla sino acaso para el arte universal. Con el motivo de haberse encontrado en el subsuelo capas de arena que daban poca seguridad a lo que se construyese encima, Aben Baso tuvo la idea de hacer un firme de gigantescas dimensiones, como una auténtica isla de piedra bajo el suelo. Asegura una leyenda que esta plataforma o cimiento de 15 metros de profundidad, se extiende desde el Postigo del Aceite hasta más allá de la Parroquia de Santa Cruz. En todo caso, aun descontando algo por la tradicional exageración andaluza, puede creerse que una inmensa cantidad de piedra se enterró para cimentar la Giralda y que esta piedra fue precisamente la de gran número de edificios romanos y visigodos y cientos de estatuas de ambas civilizaciones anteriores. Hay que tener en cuenta, además, que los almohades por su sola religión eran enemigos declarados de toda manifestación escultural, por lo que parece muy creíble que las estatuas romanas supervivientes a las destrucciones godas, pero que hubiesen sido respetadas por la benévola tolerancia de los árabes y de la monarquía abbadíe, fueran ahora sacrificadas para darles el único destino utilitario de servir como bloques de cimentación. Posiblemente no dejó Aben Baso en pie, de los antiguos templos romanos y de las basílicas visigodas, nada más que las grandes columnas de la calle Mármoles y éstas porque por su tamaño no le parecían útiles o no contó con medios para trasladarlas. Haciendo excavaciones en diversos tiempos para obras de la Catedral o de sus gradas, han aparecido en el subsuelo pedestales de estatuas romanas y cuyas inscripciones copiaron Rodrigo Caro y Alejandro Guichot.

Sobre este inmenso y desconocido tesoro artístico se levantó la Giralda, la torre más hermosa de toda la arquitectura árabe, superior en gallardía y en finura incluso a la de Katubia de Marrakex y a la torre de la mezquita de Hassán en Rabat. La altura inicial fue de 82 metros de los cuales dos están soterrados por haberse elevado con relleno el nivel del piso a su alrededor en diferentes ocasiones y perdió cuatro al suprimirse la balaustrada y las almenas para colocar el actual campanario cristiano. En 1198 se concluyeron las obras, se puso un revestimiento de azulejos dorados al cupulino, colocándose como remate cuatro grandes bolas de cobre dorado que «se veía desde una jornada de distancia y relucían como las estrellas del Zodíaco». La terminación de las obras pudo realizarse gracias a que el emperador Yacub destinó un quinto del botín tomado a los cristianos en la batalla de Alarcos en 1195, a esta finalidad. Esta construcción nos pone de manifiesto no sólo el arte de los arquitectos, sino que junto a ellos existió una numerosa grey de obreros especializados y una industria relacionada con la construcción maravillosa en su originalidad y en la abundancia de la producción. Principalmente el ladrillo y el azulejo sevillanos superaban a todos los de España y recientemente (1960), en obras realizadas para el alcantarillado cerca de la Puerta de Jerez se han encontrado restos de cerámica que indican la supremacía sevillana sobre todas las ciudades andaluzas en esta rama industrial.

Otros edificios y construcciones árabes

Además de la Giralda, se construyen o se reconstruyen en esa época las torres de las mezquitas, hoy templos de Omnium Sanctorum, San Marcos, Santa Catalina, Santa Marina y el Salvador, esta última reconstruida no sólo la torre sino la mezquita que había sido incendiada durante la toma de Sevilla por los almohades.

En los edificios de la época encontramos la bóveda estalactítica y los adornos llamados lacerías geométricos, los azulejos esmaltados y la ornamentación, empleando inscripciones en caracteres cúficos. Según Menéndez Pelayo, la totalidad del exorno hasta en los más menudos detalles formaba parte del plan general del edificio en cuanto a proporciones. Además de los edificios religiosos se construyó el Alcázar para vivienda de los gobernadores, sobre los restos de un antiguo palacio real o quizá de un edificio fortificado de los reyes abbadíes para caso de extremo peligro y el cual había sido destruido en la conquista almohade, y quedan vestigios, aunque escasos, que permiten adivinar el esplendor que tuvo el edificio en la época que estamos refiriendo.

El erudito señor Tubino encuentra que la ornamentación de la parte llamada Palacio del Yeso corresponde exactamente a la de los edificios de la mezquita, la Giralda, San Marcos y Omnium Sanctorum, por lo que dicho arqueólogo afirma con autoridad, que la construcción del Alcázar en su parte más antigua que hoy conocemos corresponde al período almohade y no al mauritano.

Puede suponerse en esta época el palacio restaurado situado junto a la Barqueta, hoy convento de San Clemente, donde el pintor y arqueólogo don Manuel Villalobos encontró vestigios almohades. También una edificación con piscinas y probablemente baños de vapor a la usanza oriental que quizá fuese construida expresamente para mujeres principales de la corte almohade, y que recibió el nombre vulgar de Baños de la Reina Mora en el momento de la Reconquista, persistiendo todavía dicho nombre en la calle donde estaba.

Junto con estos edificios públicos contaba la ciudad más de cuarenta mil casas, muchas de ellas de comerciantes y artesanos ricos. Se cuidaban poco los árabes de la fachada que solía ser de ladrillo con pequeñas puertas muy recias y con ventanas estrechas cubiertas de celosías. No existían balcones de rejas de hierro, pero tras este aspecto pobre y poco urbano de las fachadas se ocultaban manifestaciones suntuarias que hacen de las casas sevillanas verdaderos palacios teniendo la mayor parte de ellas grandes patios con aljibes y surtidores y huertecillos o jardines con granados o limoneros.

Se abastecía la ciudad, además de por el acueducto de Carmona, con el agua de los pozos que había en muchas de las calles. Una rica vena de agua potable cruza la ciudad de Este a Oeste pasando bajo las calles que hoy son la Encarnación, Martín Villa y San Eloy, y otro ramal desde la Puerta de la Carne por el barrio de Abades hacia García de Vinuesa. Las calles de esas dos líneas contaban con inagotables pozos de los que se sacaba el agua para el consumo de sus viviendas.

Mientras los hombres hacían gran parte de su vida en la calle, en el zoco o en las tiendas, las mujeres se reunían en las casas de baños donde junto con las piscinas o pilas había auténticos institutos de belleza, donde se aplicaban cosméticos y afeites. Pero el verdadero reino de las mujeres eran las azoteas. Por las azoteas pasaban de una a otra casa y al atardecer tenían sus amistades reuniones cantando y bailando al son de la guzla y del pandero. Las azoteas sevillanas se poblaban a esa hora de agudos gritos femeniles llamándose de una a otra casa las jóvenes y las casadas.

Tenían nombres como los de Fátima, Leila, Abbiba, Mursa y otros llenos de gracia y eufonía. Las mujeres llevaban la cara cubierta con los velos (vuelto a implantar desde que llegaron los almohades) y se pintaban lunares en la frente o tatuajes azules con el emblema o signo de la familia a que pertenecían, una estrella, un círculo, una cruz, un rombo. Los hombres se llamaban Hamed, Alí, Hassán, etc., pero ya existían apellidos como Beneyas, Benegas y Benjumea que hoy todavía persisten.

Por las calles circulaban una abigarrada y pintoresca humanidad; vendedores con sus borriquillos pregonando en largos gritos musicales las frutas de Aljarafe, los búcaros de Triana, el carbón, las especias, el vinagre, el pescado. Por la tarde se oían otros pregones, de los que vendían perfumes, polvos para la cara, flores, telas, cintas y amuletos contra el mal de ojo. Visitaban las casas mujeres viejas que vendían filtros de amor a las muchachas para ayudarles a ganar el corazón de los hombres; procuradores de pleitos que ofrecían sus servicios y casamenteras que planeaban bodas.

Las calles estaban pavimentadas de piedra y algunas de ladrillo puestos de canto; transitaban por ellas carros y carretas de transporte, literas o camillas en las que paseaban los señores principales, o se transportaba a los ancianos e inválidos. Frecuentemente por los alrededores de los mercados se veían camellos cargados de leña o de sacos de mercaderías; las mujeres viajaban en grandes angarillas cerradas en forma de tiendas de campaña cargadas sobre dromedarios; y el medio de transporte urbano y rural más frecuente era el caballo o el burro.

Construidas con estrechez para defenderse de los rigores del calor estival, las calles resultaban insuficientes para todo este tráfago de vehículos y ganados, planteándose ya en aquel entonces problemas de circulación y de aparcamientos, agravados por el hecho de que los camellos y mulos no podían circular en direcciones opuestas porque se coceaban y mordían.

El manuscrito de Ibn Abdun

Existe un interesante manuscrito, auténtico proyecto de ordenanzas municipales de aquella época, titulado *Tratado de Ibn Abbdun*, descubierto hace pocos años por el profesor E. Levi Provençal en una biblioteca de Mequinez. De este tratado podemos entresacar datos tan curiosos como los siguientes:

«De las escuelas»:

«48. — No deberá castigarse a un niño con más de cinco azotes si es mayor y de tres si es pequeño (en la escuela), dados con un vigor proporcionado a su resistencia física.»

«49. — Hay que prohibir a los maestros de escuela que asistan a festines, entierros y declaraciones en el Juzgado, salvo en día de vacación, puesto que son asalariados y hacen perder su dinero a las gentes ignorantes que les pagan por enseñar.»

«50. — Los maestros no deberán tener demasiados niños. Se les prohibirá que los tengan.»

Como puede verse, los problemas de entonces difieren bien poco de los que hoy mismo tenemos en la enseñanza.

Un guerrero solo contra Sevilla

En estos años de 1158 ocurrió un suceso quizás único en la Historia. Un caballero de Ávila, freire de la Orden de Santiago, que aparece en documentos con el nombre de donus Jacobus, Adalidus de Abula (don Jacobo, Adalid de Ávila), realizó una maravillosa incursión individual desde Toledo a Sevilla cruzando toda Castilla la Nueva y Andalucía que estaban aún en poder musulmán. Este adalid llegó hasta los muros de Sevilla, habiendo realizado numerosos combates con moros armados en su recorrido. Desde Sevilla regresó a Toledo combatiendo igualmente solo, como un guerrillero, sin ser jamás vencido. Este suceso consta en los *Anales toledanos* de dicho año. Este mismo caballero firma como testigo en 1217 en una Escritura de trueque de Fincas entre el conde Alvar Núñez de Lara, tutor del rey Enrique I, y la Orden de Santiago.

Sevilla y el río

Hasta la época de los almohades, y desde los visigodos, el río pasaba lamiendo el declive y falda de la pequeña colina donde está asentado el barrio de San Vicente, y cuyo punto más elevado era dicha calle. El puerto, tanto pesquero como comercial, se encontraba donde hoy el economato y oficinas de la «Renfe», o sea que pasaba por la calle Torneo y Marqués de Paradas. Con el fin de impedir las frecuentes inundaciones, de algunas de las cuales existen referencias de que fueron terribles, los almohades para proteger la ciudad rellenaron la cintura exterior en esa zona, y la interior unos seis metros. Esto explica el que algunos lugares, como la puerta que existió en la Barqueta, quedara la muralla muy disminuida en su altura e incluso llegó a darse el caso de que fuera necesario añadirle varios metros más de altura. Este relleno y modificaciones defensivas en la orilla del río hicieron desplazarse el puerto hacia el lugar de la Torre del Oro, construida ésta por el gobernador almohade Cid Abu El Ola en 1220. El arsenal, muelles y puerto pesquero dejaron su nombre a aquellos sitios en las inmediaciones de la Puerta de Goles, tal como calle Dársena, calle Redes, etc.

También influye en el traslado del puerto la comodidad de los reyes y gobernadores almohades que preferían tener los embarcaderos junto a su alcázar. Hacia 1220 quedaba el puerto sevillano con los siguientes límites: Desde la Torre del Oro una gran cadena cruzaba el río para sujetarse en una torre situada en Triana. Entre la Puerta Triana o Puerta de Triana, y el acceso del barrio trianero un puente sobre barcas y pellejos de cabra hinchados de aire. Los barcos quedaban encerrados en el rectángulo comprendido entre la cadena y el puente amarrados a muelles a ambas orillas.

La Torre del Oro que recibió su nombre por estar revestida de azulejos de reflejos dorados, tenía la doble finalidad de servir como faro y de asegurar la defensa del puerto.

La vida económica sevillana en su aspecto financiero y bancario estaba centralizada en el barrio judío comprendido entre la actual iglesia de Santa Cruz y la Puerta de la Carne con su sinagoga de Santa María la Blanca, y la casa del Gran Visir (Ministro de Hacienda) en la actual calle Segovias.

La característica de la construcción almohade es el empleo del ladrillo, el cual los romanos ya habían empleado para bóvedas de cloacas y para estructura de edificios destinados a estar recubiertos de estuco; en cambio los árabes utilizan el ladrillo sin revestimiento, antes bien, empleándolo como elemento decorativo con lo que lo elevaron al más alto rango entre los materiales de construcción.

Construcción del Alcázar

En realidad no se sabe cuándo pudo construirse el Alcázar, ya que los vestigios de muro ciclópeo existente junto al río Tagarete, indican que ya debió haber en esa zona alguna importante construcción. Es probable que los romanos también tuvieran ahí un castillo o fortaleza, y asimismo los bárbaros, aunque siempre con carácter específicamente militar.

El dato escrito más antiguo que tenemos, respecto a su dedicación a Palacio residencia de reyes, quizá sea la inscripción que figura en la puerta de madera de alerce en el Salón de Embajadores, y que dice así:

«Talubi fue el arquitecto de mi obra, y maestro mayor. Fue venido de Toledo con los demás maestros toledanos, a mi Palacio y atarazana de Sevilla. Yo el rey Nassar por la gracia de Dios.» La fecha asignada a esta inscripción es de 1181 de la Era Cristiana, y por consiguiente estos maestros toledanos procedían de Toledo ya ocupada noventa y tantos años antes por el rey Alfonso VI, lo que significa que ya habían tomado contacto tres generaciones de artesanos árabes, con el arte cristiano, lo que influyó sin duda en la construcción de esta parte del Alcázar.

Aunque se han encontrado en Medina Azahara algunas figuras de leones en bronce, y aunque en Granada existan, ya de la época decadente, los leones de mármol de la fuente en el patio que lleva su nombre, lo cierto es que los árabes no cultivaron la escultura. Estas escasísimas muestras son con toda probabilidad obra de escultores no árabes, quizá bizantinos y de inspiración persa. Los árabes hubieron de orientar sus inquietudes plásticas hacia el estrechísimo contorno de la ornamentación geométrica, único permitido por la religión por no ser figurativa. Vemos sin embargo en muchas de las obras que de los árabes conservamos la extraordinaria habilidad con que lograban efectos altamente decorativos valiéndose de elementos tan sencillos como son las estrellas, la torre escalonada (que es un esquema del tronco de una palmera y que suele emplearse en la última hilera superior de los alicatados de azulejos) y algunos caracteres de escritura cúfica con las cuales logran los más agradables efectos ornamentales. A veces con el empleo de estos elementos se advierte la atormentada preocupación del artista por conseguir algo más. Sin la prohibición coránica no puede dudarse que los árabes habrían dejado en España una escultura de tan alta calidad como la que alcanzaron por la arquitectura.

El canto del cisne.
Últimas palabras sobre la grandeza de Sevilla

Rápidamente nos estamos acercando a la destrucción del poderío árabe en Sevilla. Como último testimonio escrito del esplendor de nuestra época almohade, se conserva el precioso y preciso documento de un escritor musulmán, Abu-I-Wali El Sakundi, quien en el año 1220 escribe estas palabras dirigidas a lectores de los países del Oriente, que difícilmente pueden asombrarse, acostumbrados a la belleza y pintoresquismo de sus ciudades: «Sevilla cuenta entre sus excelencias lo templado de su clima, la magnificencia de sus edificios, su río en que las riberas están bordeadas por quintas y jardines, por viñedos y alamedas que se suceden sin interrupción, con una continuidad que no se encuentra en otros ríos.» Ponderaba este país porque en él no falta nunca la alegría y porque en él no están prohibidos los instrumentos de música ni el beber vino mientras la borrachera no ocasione querellas o pendencias. Algunos gobernadores sevillanos celosos en materia de religión intentaron suprimir este estado de cosas, pero no pudieron lograrlo. Los productos de Aljarafe cubren las regiones de la tierra y el aceite que se prensa en los molinos es exportado hasta la propia Alejandría. A uno que ya había visto El Cairo y Damasco le preguntaron, ¿qué te gusta más, estas dos ciudades o Sevilla? y contestó: «El Aljarafe es un bosque sin leones y el Guadalquivir un Nilo sin caimanes.» Respecto a la abundancia de vituallas hasta las más insignificantes o caprichosas, era corriente frase en la época, que en Sevilla se podría buscar hasta lo más increíble y exquisito en la seguridad de encontrarlo: «Si en Sevilla se pidiese leche de pájaro se encontraría.»

«En la mayoría de las casas no falta el agua corriente ni árboles frondosos como el naranjo, la cidra, la lima, el limonero y otros. Dios ha puesto a Sevilla como madre de todas las ciudades del Andalus y como sangre de su gloria y de su puesto que es la mayor de sus poblaciones y la más grande de sus capitales.»

Los sevillanos en esta época tenían un carácter tan risueño que el mismo autor dice: «Los sevillanos son la gente más ligera de cascos, más espontáneas para el chiste y más dadas a la burla.»

Se vestía en esta época con lujo, vistosidad, colorido y refinamiento.

CAPÍTULO VII

DESTRUCCIÓN DEL IMPERIO ALMOHADE
SEVILLA INDEPENDIENTE

En el año 1212 el Sumo Pontífice Inocencio III a petición de Alfonso VIII de Castilla había predicado la Guerra de Cruzada contra los árabes de España. Ejércitos de Italia, Alemania, Francia y Aragón, aliados del castellano, vencen en la batalla de Calatrava. El gobernador sevillano pidió, ante la amenaza cristiana, refuerzos al emperador almohade su señor, viniendo Emir Hamad Muley, al que los cristianos llaman Miramamolín, para evitar el paso de los castellanos desde Ciudad Real a Jaén, fortificándose las alturas de Sierra Morena. Por una intriga en la que un notable sevillano, Abu Said, acusó al gobernador Aben Cadís de negligencia, el emperador mandó degollarlo, cundiendo el descontento en la ciudad. Derrotado Miramamolín en la batalla de las Navas de Tolosa, llegó a Sevilla el 20 de julio furioso y avergonzado. Entró en el Alcázar y sin desnudarse ni quitarse el polvo de la cabalgada, mandó llamar a su presencia a todos los jeques y personajes notables de la ciudad y después de acusar de falta de espíritu combativo a las tropas sevillanas que habían participado en la batalla, ordenó a los soldados negros de su escolta marroquí, degollar en su presencia a todos aquellos ilustres sevillanos, muchos de ellos ancianos y que ni siquiera habían estado presentes en la batalla. Pereció miserablemente a manos del tirano de Marruecos toda la clase rectora de Sevilla que había embellecido y engrandecido a la ciudad, quedando ésta huérfana de sus gobernantes y hombres capaces de servirla con la inteligencia o con la espada. Miramamolín, después de tan inútil y cruel matanza, regresó a Marruecos donde al año siguiente murió envenenado en su palacio de Marraquex. Nombrado emperador su hijo Abu Yacub, intentó éste reconstruir el poderío marroquí que su padre había hundido en la batalla de Alacab (las Navas) para lo que necesitaba, ante todo, dinero. Un ejército, no de soldados sino de recaudadores de impuestos envió a Andalucía, sumiéndola en pocos meses en una pobreza y aflicción increíbles. Duró poco Abu Yacub en el trono, puesto que la misma muerte que a su padre, el veneno, puso fin a sus días dos años después. Su hijo y heredero, Almonstansir, no llegó a reinar efectivamente, pues sus ministros procuraron apartarle de la política sumiéndole en los placeres del harén y en ejercicios y ocupaciones indignas de la grandeza de un príncipe, tal como criar y amaestrar perros de ganado, cultivar por su propia mano una huerta aneja al palacio real y ordeñar vacas. El monarca, degenerado vástago de la estirpe imperial almohade, que en tan ruines deportes se ejercitaba, abandonando el gobierno, tuvo una muerte también ruin, pues después de cornearle una vaca lechera, lo encontraron bañado en su sangre y en los excrementos del animal.

Herederos del imperio, ambos con igual derecho, eran sus tíos Abu Mohamed y Abu Alí, quienes se repartieron el territorio almohade, quedándose Abu Mohamed con Valencia y Levante, y Abu Alí con Sevilla, sur de España y Marruecos. Sin embargo, no le fue posible a éste controlar el territorio del Mogreb, que se alzó en armas en favor de Aben Huz. Después de una guerra civil, quedó Aben Huz como rey en Sevilla. Reorganizó el ejército y participó en varias guerras para defender su reino contra los castellanos. Habiendo pasado a Almería para socorrer al rey de Valencia. Ben Zayán, el alcalde almeriense le dio muerte cuando estaba dormido por instigación de un castellano exilado, Lorenzo Juárez, que de este modo facilitó a Fernando III el deshacerse del más fuerte contrincante árabe. Al saberse la noticia de la muerte del rey de Sevilla, cundió entre los andaluces la mayor consternación, y Córdoba que estaba sitiada por el ejército cristiano, perdiendo las esperanzas de recibir ayuda de Sevilla, se entregó a Fernando III el 29 de junio de 1236. Las ciudades menos importantes siguieron el ejemplo de Córdoba y se entregaron en muy pocos días Estepa, Écija y Almodóvar. Quedaba con esto Sevilla desamparada, libre la llanura y la ribera para el avance de los ejércitos del Santo Rey de Castilla.

La etnografía andaluza

En vísperas de la Reconquista nos detendremos un momento en examinar cuál era la etnografía andaluza bajo los almohades.

Durante el siglo IX el predominio del elemento hispanorromano sobre el elemento árabe invasor era rotundo. La mayoría indígena incluso conservaba su religión y así sabemos que en ciudad tan importante como Elvira, capital regional del oriente andaluz, Hanash Al Sankani comenzó a construir una mezquita, pero había tan pocos musulmanes en aquella ciudad, que durante siglo y medio estuvo sin concluir. No había mezquita (pero en cambio había cuatro iglesias cristianas (Isidoro de las Cajigas en su obra *Andalucía musulmana*). Si esto ocurría en el siglo IX, no cambió la situación en siglos posteriores a pesar de las repetidas llegadas de tropas africanas, que a decir verdad, en su mayor parte se repatriaban después a Marruecos.

En el siglo XI (los beréberes constituían en la ciudad de Granada una minoría frente al elemento español e incluso al judío, que constituían siempre el núcleo principal.

En el siglo XII «la raza española, fuese hispanorromana o goda, y la raza israelita, fuese indígena del país o inmigrada, debieron seguir predominando numéricamente sobre los bereberes del mismo modo que éstos predominaban sobre el siempre escaso elemento árabe».

Del siglo XIII tenemos un texto del historiador árabe Ibn-Al-Jatib que dice: «Por su linaje eran los más de los habitantes de Granada extranjeros», dando a la palabra extranjero el valor de *no árabes*, o sea hispanorromanos y descendientes de los godos.

Estas afirmaciones respecto a los habitantes de Granada son válidas para toda la Andalucía. Incluso en Granada donde en el siglo XIV se concentra la masa de fugitivos musulmanes de todas las regiones de España, según Menéndez Pidal esa raza «mostraba la hispanidad de sus musulmanes cuando un observador venido del África, Ben Jaldun, notaba honda diferencia racial entre una y otra parte del Estrecho, advirtiendo en el moro granadino una agilidad de miembros, una vivacidad de espíritu y una aptitud para instruirse que se observan en vano en todos los mogrebíes».

La región andaluza en esta época tiene una toponimia muy mezclada de palabras supervivientes de la época visigótica, otros nombres de lugares y pueblos propiamente de idioma arábigo, y otros en fin de origen español, pero modificados en su fonética. Así encontramos que Abgena se ha convertido en Gines; Arva en Alcolea; Balbilis en La Algaba; Constantina en Cotinena; La Elia en Albaida; Marucena en Marsenah (hoy Marchena); Nebrissa en Lebrixa; Solia en Solúcar (hoy Sanlúcar); Vergentim en Aljarafe.

Entre las palabras relacionadas con el campo encontramos, Algaba o bosque; Algabejo o sauce; Arrayán o mirto; Arriate o jardín; y Algarrobo, Algodonal, Aulaga, etc. (De este asunto hay un interesante trabajo de don Vicente García de Diego, al que nos remitimos. De los apellidos de entonces aún quedan hoy algunos como Benjumea, de Ben-Umaiya o Ben-Omeya.)

La fonética arábiga andaluza en sus problemas fundamentales del ceceo y seseo, la aspiración de la hache, la indiferenciación de la «V» y la «B», de la «y» y la «ll», resulta característica en relación incluso con el resto de los países musulmanes. Existen testimonios de que a los árabes andaluces se les notaba su acento occidental cuando llegaban a Damasco. La mezcla de elementos fonéticos que en el breve espacio de cuatro siglos se produce en Andalucía, vestigios de turdetano, de cartaginés, latín, dialectos germánicos, árabe oriental y dialectos mogrebíes y fonética eslava e israelita, determinan, al fusionarse, una profunda personalidad fonética regional en la que al mismo tiempo percibimos variantes comarcales sumamente acusadas.

Una de las dificultades de poner en orden la fonética andaluza, incluso en la actualidad, reside en el hecho de que algunos de los fonemas escapan al encasillamiento dentro de nuestro alfabeto. Mientras que en castellano no hay más que dos posiciones y dos grafismos, uno para la «s» y otro para la «z», esta familia de las consonantes fricativas cuenta en el andaluz con otros sonidos más, existiendo una «s» apical, una «s» coronal, y una «s» dorsal que requerirían si quisiéramos escribir correctamente el andaluz, el empleo de un alfabeto mucho más completo que el del idioma castellano. Del mismo modo nos ocurre con la «h» aspirada, sonido que no existe en castellano, y para él por consiguiente, no hay un signo gráfico que lo represente. En cambio en andaluz sí existe el sonido, y necesitaríamos el signo.

Sevilla bajo el Gobierno republicano

Inexplicablemente san Fernando no continuó la conquista de Sevilla, quizá por estar fatigado su ejército, quizá por temer a que los árabes recibieran refuerzos de Marruecos.

La muerte de Aben Huz había consternado a toda la España musulmana y no estaba prevista la sucesión. Vuelven a surgir las taifas, algunas regidas por reyes como Arjona y el Argarve. Sevilla se organiza, cansada de las luchas de familia y partidos dinásticos, en forma de república. Ya no existe un reino con extensión geográfica sino solamente una pequeñísima comarca con muy escasos pueblos. Desde 1236 el gobierno de Sevilla se asemeja mucho al de las ciudades-estado de la época clásica griega, o acaso al de algunas repúblicas italianas del Renacimiento.

A la preocupación territorial sucede la preocupación municipalista. Reaparece la mayor tolerancia religiosa, tanto que los mozárabes vuelven a reaparecer, quizá porque no habían dejado de existir a pesar de las emigraciones del siglo anterior, o quizá porque regresan los descendientes de aquellos emigrados. En todo caso, en la capital sevillana no sólo hay sacerdotes cristianos, sino que en las iglesias poseen rentas propias y en la de San Ildefonso el año 1240 había un Cabildo de Beneficiados, según se deduce de una lápida encontrada por el historiador Rodrigo Caro. En Sanlúcar la Mayor se inaugura una ermita y es curioso que su construcción se había iniciado antes de la batalla de las Navas de Tolosa lo que indica que también bajo los almohades se tolera públicamente la religión cristiana.

Sevilla ejerce una gran influencia en la Castilla de entonces a través de su comercio de telas, cueros y orfebrería. El ataúd del infante don Sancho en el monasterio de Las Huelgas, descubierto al abrir las tumbas del panteón real el año 1947, ha aparecido forrado con telas que tienen la misma ornamentación geométrica y foliada que se puede ver en algunos monumentos sevillanos de la época almohade. En Castilla, no solamente se vestía con estas telas sino incluso con prendas de figurín arábigo. En el mismo panteón real burgalés, el sepulcro de doña Berenguela dio la sorpresa de estar el cadáver vestido con una aljuba árabe, y en otras tumbas se han encontrado tejidos de oro y seda con inscripciones en caracteres cúficos salidas de los telares sevillanos.

El idioma arábigo influyó tanto en el latín medieval que (aunque existía el romance, el latín era obligado en documentos oficiales) los propios castellanos tomaban muchas palabras arábigas creyendo que eran latinas: «Exibant de Castris magnae turbae militus, quod *nostro lingua* dicimos algaras.» El castellano creía que algaras es una palabra castellana y no árabe. Igual sucede con: «Fortissimae turres quae nostra lingua alcázares vocantur», y «Arcos, Ravé et media Armentero, in alfoce de Burgos» (Boletín Institución Fernán González segundo trimestre, 1961).

La última gran construcción con carácter defensivo que se edificó en tiempos musulmanes en Sevilla es la Torre de la Plata, baluarte para la defensa del río y que estaba unido al Alcázar y a la Torre del Oro por un panel de muralla.

San Fernando pone sitio a la ciudad. Principales episodios de esta lucha

En 1246 San Fernando organiza un poderosísimo ejército,* casi sin comparación, cuanto a sus mandos, en la historia de la Edad Media española. Un centenar de generales o jefes superiores y varios centenares de brillantes caudillos de hueste formaban el cuadro de man-

* Después de escrito este libro, trabajos realizados por la cátedra del profesor Julio González han permitido establecer un cálculo sobre los efectivos militares del ejército de San Fernando y del ejército árabe defensor de Sevilla. El ejército de San Fernando debió estar formado por 1.770 caballeros y 10.620 peones, o sea un total de 12.390 hombres. El ejército árabe sevillano puede estimarse en unos 45.000 hombres, o sea, cuatro veces superior.

dos, Pelay Correa, López de Haro, el almirante Bonifacio, Alfonso Téllez, el infante don Fadrique, el príncipe don Alfonso y su padre el rey San Fernando eran los principales, pero junto a ellos los comendadores de gran número de encomiendas de cada una de las órdenes de Santiago, Alcántara, Calatrava y el Temple.

Por las gestiones realizadas en Roma por el arzobispo Jiménez de Rada, se había conseguido que el Papa Inocencio IV se interesara en esta Cruzada, lo que significó la venida a España de gran número de caballeros francos, alemanes e italianos, bien provistos de oro para pagar las tropas. El Papa autorizó a San Fernando para disponer de gran parte de las rentas eclesiásticas. Asimismo se contaba con la ayuda del ejército árabe de Granada cuyo rey era vasallo del de Castilla. En la primavera de 1247 el ejército de Fernando rompe la línea fronteriza por Carmona, Constantina y Lora y a continuación por Reina (Badajoz) y Alcolea.

El punto de mayor resistencia de los ejércitos sevillanos fue Reina donde se obró el milagro en favor de Pelay Correa, de detenerse el curso del sol según piadosa tradición, en el lugar de Tudia (hoy Tentudía), en recuerdo de las palabras de aquel cristiano: «María ten tu día.» Capituló el famosísimo y soberbio castillo de Reina.

San Fernando, aún enfermo de tifoideas, que alarmaron a su Estado Mayor, tan pronto se repuso algo en Guillena, conquistó Alcalá del Río y arrollando la débil resistencia de los pueblos se encaminó a Sevilla acampando a la vista de la ciudad el 20 de agosto de 1247.

El Consejo de Notables que regía en forma republicana a Sevilla nombró jefe del ejército de la ciudad, jefe del poder civil, y lo que es más importante, jefe de los creyentes, al joven Abul Hasan, hijo de Abu Alí, príncipe de la estirpe de los almohades, como la persona que podía intentar la salvación de todos frente al peligro del ataque cristiano. Así Abul Hasan vino a encontrarse convertido en rey de Sevilla.

Su primera medida de gobierno fue ordenar a todos los jeques o jefes militares de la comarca, incluido su tío Abu Abdala, que se vinieran a Sevilla con todos los hombres útiles para ejercitar las armas. Con ellos guarneció las torres, torreones y puertas del recinto amurallado, así como el castillo recio de Triana situado frente a la Torre del Oro y el de San Juan de Aznalfarache, único baluarte de importancia que conserva Sevilla en sus alrededores, puesto que el de Alcalá de Guadaira había caído en manos de San Fernando.

Mientras el rey sevillano tomaba estas disposiciones defensivas, el rey de Castilla recorrió la ciudad en su contorno recontando sus dieciséis puertas que eran las siguientes:

La de la Macarena, o puerta del campo.

Puerta de Córdoba.

Puerta del Sol.

Puerta de Vib Alfar (hoy Osario).

Puerta de Carmona.
Puerta de Vib Ahoar o de la Judería (Puerta de la Carne).
Puerta de Guadaira.
Puerta de Jerez.
Postigo del Carbón.
Postigo del Aceite.
Puerta del Arenal.
Puerta de Triana.
Puerta de Er-Goles (Puerta Real).
Puerta del Guadalquivir.
Puerta de Vib Arragel (La Barqueta).
Postigo de la Feria.

San Fernando instaló su real o campamento principal en Tablada, primero en tiendas de lienzo y más tarde dándole solidez al sustituirlas por barracas de barro y cañas. Este campamento era un verdadero poblado con sus calles en las que además de encontrarse las viviendas de los soldados, e incluso de las familias de éstos (los almogávares traían a sus mujeres e hijos), se encontraban talleres y tiendas de los herradores, armeros, silleros, traperos, boticarios, etc. Los historiadores dicen que un real tan poblado, tan rico y tan de asiento no se había visto jamás en guerras de España. El número de sus habitantes pasaba de 40.000 personas. (Historia de Sevilla. Bachiller Peraza. Manuscrito de la Biblioteca Municipal.)

Otros campamentos de menor importancia, pero también populosos fueron el de Pelay Correa, maestre de Santiago, en Aznalfarache; Diego López de Haro, frente a la Macarena (posiblemente donde ahora está el cementerio); don Lorenzo Suárez de Figueroa y don Garci Pérez de Vargas en el Prado de San Sebastián; el arzobispo de Santiago, don Arias, acampó cerca del Tagarete (donde el actual Parque de María Luisa). Por último el rey moro de Granada Aben Alhamar puso el real en el Aljarafe. Entre los principales jefes del ejército castellano se encontraba el príncipe don Alfonso *el Sabio*, los infantes don Sancho, don Manuel, don Fernando, don Luis, don Fadrique y don Felipe, todos ellos de Castilla; el infante don Sancho de Aragón; Aben Alhamar, rey de Granada; su hijo el príncipe heredero; el príncipe heredero de Baeza, un infante moro de Murcia, Micer Huberto, sobrino del Papa. A más de estas personas reales había catorce prelados, dos arzobispos electos, cuatro grandes maestres de las órdenes militares, 200 caballeros de linaje, algunos barones franceses, genoveses, y del imperio bizantino de Constantinopla, varios cientos de caballeros hijosdalgo, las milicias concejiles de todas las grandes ciudades españolas, los caballeros de Aragón, Vizcaya, Navarra y Portugal, todos ellos con sus escuderos y gente de armas de sus señoríos y una numerosísima tropa de almogávares o soldados profesionales.

En el bando de los sevillanos estaban Abul Hasan, rey de Sevilla, su tío Abdala y el reyezuelo de Niebla, Aben Anafan. Durante todo el invierno hubo numerosas escaramuzas y una batalla seria entre Pelay Correa y Abu Anafan. Durante la primavera, el rey don Fernando envió órdenes a Ramón de Bonifaz, a quien poco antes había nombrado almirante de Castilla, para que viniese con alguna flota de Vizcaya. Bonifaz llegó a la barra de Sanlúcar con trece naves, teniendo un encuentro naval en aguas del Guadalquivir contra treinta barcos marroquíes que habían venido de Tánger, y a los cuales, Bonifaz por el agua y Rodrigo Álvarez lanzando flechas incendiarias desde las riberas, consiguieron hundir. Ancló la escuadra cristiana en aguas de Tablada no pudiendo entrar al puerto por estorbarlo la cadena de hierro que iba desde la Torre del Oro hasta el castillo de Triana. El rey, por consejo de su pariente Rui Pérez, famoso marino natural de Avilés, ordenó al almirante Bonifaz preparar dos poderosas naves, aguas arriba, en San Jerónimo, para que bajasen a favor de la corriente. Dichas dos naves cargadas de piedras y tierra para darle mayor peso, y provistas de cortantes cuchillas de hierro en sus proas, fueron lanzadas contra el puente que estaba situado al pie de la Puerta de Goles o quizás al pie de la Puerta de Triana. El feliz suceso de destruir el puente de barcas (relatado en versos heroicos por Calderón en su auto sacramental *El Santo Rey San Fernando*), sirvió para dejar a Sevilla incomunicada e imposibilitada de recibir víveres, con lo que comenzó a sentirse el hambre en la ciudad.

El agua para Sevilla venía pasando por unos tornos o conducciones subterráneas labradas en la roca viva, por debajo de Alcalá de Guadaira, que cruzaban dicho pueblo y la mina del agua ha dado nombre a la calle de la Mina, que aún se llama así. Muchas casas de Alcalá sacan agua por sus pozos o «lumbreras» de esa conducción de agua para Sevilla que era la que nutría los Caños de Carmona con su caudal. Conquistada la villa de Alcalá de Guadaira, quedaron algunos defensores musulmanes en el Castillo. Cierta noche los centinelas de San Fernando oyeron ruido bajo tierra y sospechando que sería una galería que construían los sitiados para salir del castillo hicieron a su vez una galería para sorprenderlos. Y con gran sorpresa se encontraron con que el ruido procedía de un molino que movido por el agua de dicha conducción o mina, estaba moliendo trigo que se subían los del Castillo. Una vez que les privaron del molino el Castillo se rindió por hambre.

Este curioso molino subterráneo quizás el único existente en España siguió funcionando por lo menos hasta 1487, fecha en que todavía se alude a él en documentos.

Los Caños de Carmona eran la prolongación de esta mina de agua que procedente del manantial de Santa Lucía cruzaba Alcalá, llegaba hasta el Puente del Zacatín, donde torcía hacia Torreblanca, y un poco más abajo empezaba el acueducto sobre pilares con 410 arcos, obra árabe, realizada en 1172, durante la dominación de Yucef Abu Yacub. Al cortar la comunicación de agua las tropas de San Fernando, en Sevilla se empezó a padecer la sed, ya que el agua del río era difícil de obtener, por el asedio de la ciudad, y el agua de los pozos era un líquido de pésimas condiciones para beberla, sobre todo siendo como era en verano.

En el castillo de Triana tenían pasadores, catapultas pedreras con las que hostilizaban a las naves de Bonifaz. Bajo la protección de este fuego podían aventurarse a veces los moros a cruzar desde la Torre del Oro al castillo de Triana, aunque muy precariamente. Varias veces intentó don Fernando desembarcar tropas en la playa del Arenal, estorbándolo la salida de los moros. Ocurriendo durante este tiempo muchos episodios y lances caballerescos de parte de uno y otro bando. Se cuenta que Garci Pérez de Vargas cierto día se encontró con siete moros los cuales no osaron cerrarle el paso; transcurrido un rato, como echase de menos una cofia que se le había caído, volvió atrás y encontró a los siete enemigos nuevamente, quienes por la fama de invencible que Garci Pérez disfrutaba tampoco se atrevieron a combatir con él. Sin embargo, tal vez este episodio también pueda interpretarse en el sentido de que por ser ellos varios y él uno solo, tuvieron el gesto caballeroso de dejarle ir, ya que por ambas partes se guardaban escrupulosamente las leyes del honor militar.

Encontrándose un día en una escaramuza el rey San Fernando, en un lugar cercano a Tablada, pidió ayuda a la Virgen con estas palabras: «Santa María, Valme», y como la Virgen le valió sacándole con bien de la batalla, el rey mandó construir allí una ermita con el nombre de Santa María de Valme.

En otra ocasión, una flecha lanzada desde la Macarena, rasgó el minúsculo manto en que iba envuelta la imagen de la Virgen que llevaba en el arzón de su caballo el rey. Cuando lo advirtió en el campamento, cogió una aguja y un hilo para zurcirlo y como uno de los caballeros quisiera llamar a un sastre dijo San Fernando que para las cosas de la Virgen bien podía hacer de sastre un rey, con lo que al saberlo los sastres del campamento lo nombraron Hermano Mayor de su hermandad gremial de San Crispín.

El príncipe don Alfonso y Pelay Correa intentaron volar el castillo de Triana valiándose de una mina, sin conseguirlo, porque los moros hicieron contramina quedando neutralizado el propósito.

Estalló dentro de la ciudad una terrible epidemia durante el verano de 1248 que ocasionó la muerte del tío del rey y de numerosísimos sevillanos.

Deseoso de buscar un procedimiento para entrar en Sevilla quiso confiar San Fernando a la astucia lo que hasta entonces no había podido obtenerse mediante la fuerza. Cierto día el propio San Fernando

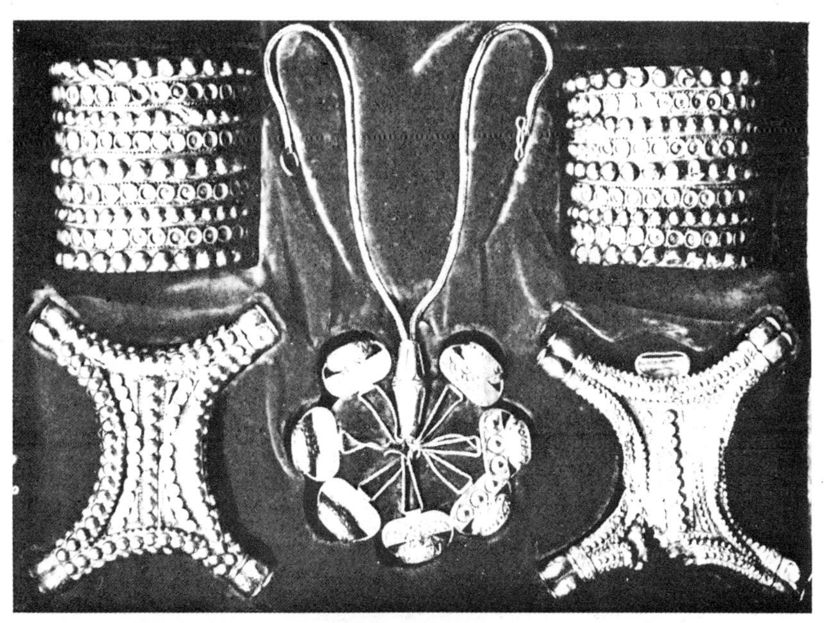

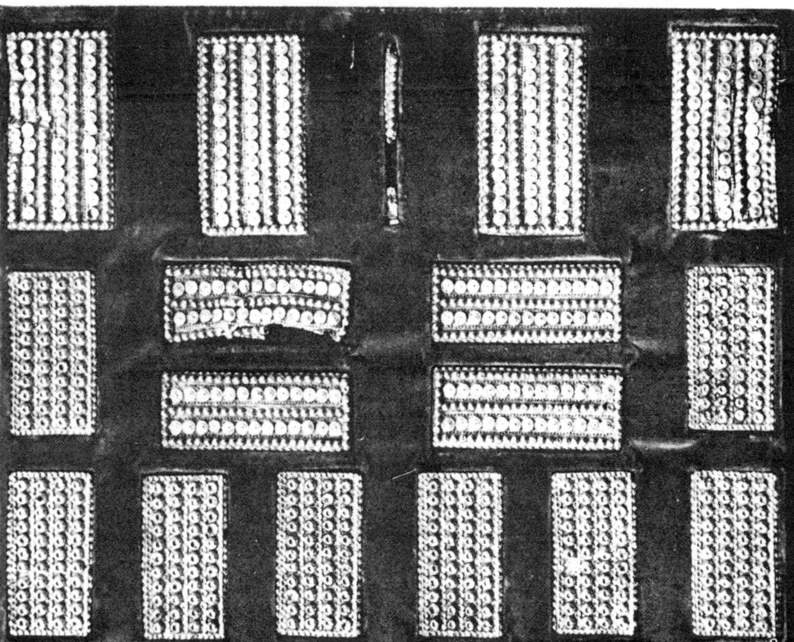

El tesoro de El Carambolo, obra máxima de la orfebrería primitiva española, atribuido a los tartesios.

Hércules fundador de Sevilla y César que la amuralló, en sus columnas romanas de la Alameda.

Acueducto de la época romana llamado «Los caños de Carmona», del que quedán algunos vestigios.

Estela funeraria de la época romana (Museo Arqueológico Municipal.)

Cipo en honor de Cutio Balbino, época romana. (Alcázar de Sevilla.)

El bautismo público de Hermenegildo en la pila que hoy se conserva en el Patio de los Naranjos de la Catedral. Inició la guerra civil con su padre Leovigildo.

En Sevilla persistió la mozarabía como prueba la lápida del sepulcro de Salvato, fechada en 982. (Colección arqueológica municipal.)

La primitiva mezquita de Ad-Abbas, de la que quedan restos en el Patio de los Naranjos del Salvador.

Ábside de la mezquita, hoy iglesia de Santa Catalina, época de la dominación almohade.

San Fernando y su esposa Beatriz de Suabia, retratos auténticos. (Catedral de Burgos.)

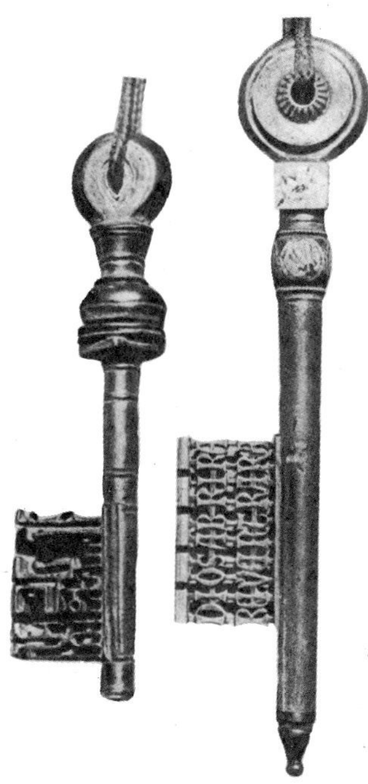

Las llaves de Sevilla entregadas por Axataf al rey san Fernando, que se conservan en el tesoro de la Catedral. En una de ellas se lee «Dios abrirá Rey entrerá».

A la derecha del Arco de la Plata la torrecilla de Abdelaziz, donde se colocó el estandarte de san Fernando el día de la Reconquista.

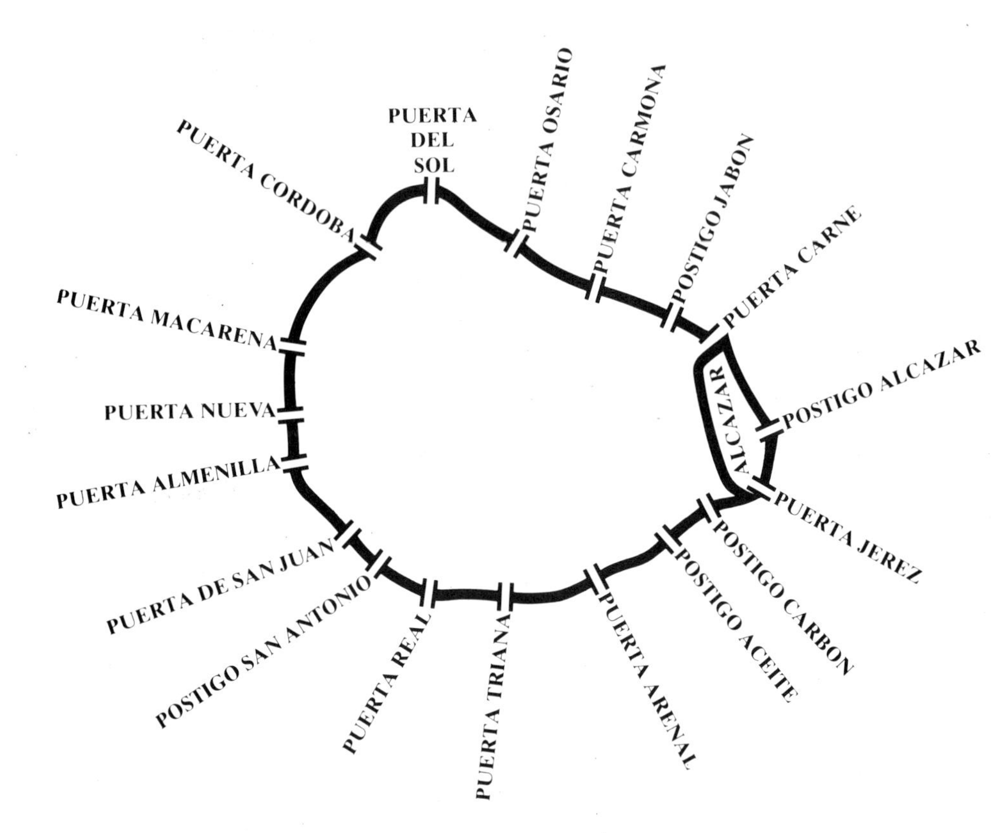

Desde la Reconquista el recinto de murallas contó con estas puertas y postigos, a excepción de la Puerta Nueva y Postigo de San Antonio que son de la época de los Reyes Católicos. En el siglo XVI todavía se añadió el Postigo de la Casa de la Moneda, y en el siglo XVIII la Puerta de San Fernando en la Real Fábrica de Tabacos, persistiendo la totalidad hasta el XIX en que se derribaron, dejándose como único recuerdo histórico la de la Macarena y el Postigo del Aceite, que aún existen hoy.

Pendón de la ciudad tras la Reconquista.

Tumba de Doña María, esposa de Alfonso XI y madre de Don Pedro I en el convento de San Clemente.

Mascarilla auténtica de Don Pedro I.

Contra lo que suele creerse, la parte más artística del Alcázar de Sevilla no fue obra de los reyes musulmanes sino de Don Pedro I.

La Universidad dominica de santo Tomás, en la calle Santander esquina a la Avenida, hoy desaparecida.
La Universidad de Santa María de Jesús, fundada por Maese Rodrigo de Santaella, base de la actual Universidad Hispalense.

Carta de relaciõ ẽbiada a su. S. majestad del ẽpa-
dor nro señor por el capitã general dela nueua spaña: llamado fernãdo cortes. Enla q̃l haze relaciõ d̃las tierras y prouicias sin cuẽto q̃ hã descubierto
nueuamẽte enel yucatã del año de. xix. a esta p̃te: y ha sometido ala corona
real de su. S. M. En especial haze relaciõ de vna grãdissima prouicia muy
rica llamada Culua: ẽla q̃l ay muy grãdes ciudades y de marauillosos edificios: y de grãdes tratos y riq̃zas. Entre las q̃les ay vna mas marauillosa
y rica q̃ todas llamada Timixtitã: q̃ esta por marauillosa arte edificada sobre vna grãde laguna. dela q̃l ciudad y prouicia es rey vn grãdissimo señor
llamado Muteeçuma: dõde le acaeciero al capitã y alos españoles espãto-
sas cosas de oyr. Cuenta largamẽte del grãdissimo señorio del dicho Muteeçuma y de sus ritos y cerimonias. y de como se sirue.

La célebre imprenta de Jacobo Cromberger divulgó desde Sevilla las nuevas de los descubrimientos y conquistas, como esta «Relación» escrita por Hernán Cortés en 1522.

La riqueza de Sevilla en los años del Imperio español aparece de manifiesto en la suntuosidad con que se edificó el Palacio del Ayuntamiento, obra cumbre del Renacimiento.

Diego Velázquez, máxima figura de la pintura española. (Monumento erigido en la Plaza del Duque.)

La riquísima labor gótica de la Catedral junto al minarete de La Giralda.

Sevilla, con su imaginería barroca del siglo XVII, alcanza las más altas cimas del arte universal como en esta Virgen de la Amargura, obra insigne de la escultora Luisa Roldán de Mena, la Roldana.

La Real Fábrica de Tabacos señala el resurgir de Sevilla en el siglo XVIII tras la decadencia del anterior.

disfrazado de moro se entró por la Puerta de Córdoba, recorrió totalmente las calles sevillanas y salió por la Puerta de Jerez después de haber estudiado de cerca las defensas y sin encontrar un punto flaco por donde intentar el asalto. Existe también la noticia de que Diego Lope de Haro, Rodrigo González de Girón y otros diez caballeros penetraron un día por sorpresa en la ciudad llegando hasta la mezquita mayor y saliendo de ella sin recibir daño, episodio semejante al del «Triunfo del Ave María»» del sitio de Granada.

Capitulación de la ciudad

En dos ocasiones los moros intentaron asesinar a don Fernando enviando mensajeros que con el pretexto de parlamentar le apuñalasen cuando estuvieran en su tienda, aunque ambas veces se descubrió a tiempo el siniestro designio. También se cuenta como cierto que Garci Pérez de Vargas adelantándose hacia la puerta de la calle Guadalquivir, bajo la mortífera lluvia de flechas de los moros, golpeó con su espada la cerrada puerta y le dijo: «De San Juan has de llamarte», por lo que al conquistarse la ciudad se dio a esta puerta el nombre de San Juan. Por fin, en octubre de 1248, tras nueve meses de asedio, de hambre horrible y de crueles enfermedades, los sevillanos se vieron obligados a ofrecer la rendición. El príncipe Abul Hasan ofreció «entregar la ciudad a cambio de que se respetasen las haciendas de los moradores y la mitad de las rentas públicas que quedarían para el monarca vencido, pero Fernando se negó a aceptar esta proposición, exigiendo la rendición incondicional. Todavía insistieron los sevillanos ya que no en cuestiones económicas, sí en cuestiones sentimentales pidiendo que se les permitiese demoler la mezquita mayor y su famosa torre con el fin de evitarse la vergüenza de que el mejor templo de la religión musulmana que conservaba en España sirviera de templo para los cristianos, pero el príncipe don Alfonso *el Sabio* contestó: «que si faltaba una sola teja de la mezquita o un ladrillo de la torre, no dejaría en Sevilla un hombre ni una mujer con vida». Finalmente capitularon sin condiciones los sevillanos el día 23 de noviembre de 1248. San Fernando exigió que le entregasen la ciudad vacía de habitantes, así que todos tuvieron que marchar a Marruecos, a Málaga o a Granada. Dicen las crónicas que trescientos mil sevillanos salieron al exilio. El rey Abul Hasan, a quien algunas crónicas cristianas nombran Axataf,* salió por la llamada Puerta del Carbón o Puerta del Alcázar

* El nombre del último rey de Sevilla, aunque aparece escrito en diferente forma en las distintas fuentes, parece que podemos definitivamente establecer que fue: Abul Hasan Al Xataf Ben Abu Ali, a quien generalmente y por abreviar se le suele llamar Al Xataf, Al Chefar, o Axataf, aunque algunos por transposición de letras escriban Atafax.

para entregar la llave de la ciudad a su vencedor. Fernando le aguardaba en el Arenal y después de recibir las llaves le cedió una de las embarcaciones del almirante Bonifaz para que con su familia se trasladase a Marruecos.

El rey de Sevilla Axataf fue bien tratado por el rey San Fernando, según afirma Santiago Montoto, quien dice en un trabajo manuscrito que conservamos: «Mas Fernando III generoso con el vencido accedió a la última súplica que Axataf le hiciera, dándole en feudo Sanlúcar de Alpechín.»

Pocos días después, el 22 de diciembre, aniversario de la traslación de los restos de san Isidoro a León, se efectuó la entrada solemne del rey San Fernando y su ejército por la Puerta de Goles, o por la del Arenal, que en esto no se ponen de acuerdo los cronistas, con una brillantísima comitiva en la que figuraban todos los príncipes y caballeros que habían participado en el asedio, acompañando al Santísimo que iba en una custodia sobre unas andas que rodeaban los prelados y una carroza triunfal en la que estaba colocada la imagen de Nuestra Señora a la que acompañaban el rey don Fernando con la espada desnuda, y a su lado la reina doña Juana, los infantes de Castilla, de Aragón y de Portugal y el caballero Uberto, sobrino del Papa Inocencio IV. La procesión llegó hasta la mezquita mayor en la cual entró el primero el arzobispo electo de Toledo, don Gutierre quien ofició la ceremonia de purificación y consagración, entrando seguidamente la imagen de la Virgen cuya carroza sirvió de altar para la primera misa en la cabecera de lo que ya era templo cristiano y catedral de Sevilla. Entretanto Garci Pérez de Vargas subió a la torre y por encima de las esferas o bolas doradas que remataban la cúpula alzó el estandarte real con la Cruz.

El rey Alhamar de Granada que había quedado en las afueras de la ciudad con su gente de armas por no formar parte de la procesión dado su carácter religioso, al ver desde su campamento elevarse la Cruz sobre la Giralda sintió una gran congoja. Había cumplido su palabra de caballero y de rey al ayudar a Fernando a conquistar Sevilla pero al mismo tiempo había asestado un golpe de muerte a la Andalucía islámica convirtiendo a Sevilla, de capital de un reino independiente, en simple provincia de la nación castellana.

Alhamar recogió sus tiendas y trastos y pensativo mientras sus aliados gozaban las ilusiones y satisfacciones del triunfo, tomó con su ejército la vuelta de Granada. Mezclados sus soldados victoriosos, pero entristecidos con los fugitivos sevillanos que se encaminaban al destierro, eran una sola multitud que simboliza claramente la derrota musulmana. Se iba con ellos, sin embargo, el espíritu que había animado la luminosa época de la gran cultura arábiga sevillana y que ahora iba a encender en la pequeña monarquía de Granada la última gran antorcha artística y cultural de la Edad Media andaluza.

En Granada intentaron y consiguieron resucitar, creando Alhambras y Generalifes, el pasado esplendor de la Sevilla almohade. Un poeta de Ronda escribirá en esos días luctuosos con desgarradores acentos el más bello poema que jamás se ha dedicado a la pérdida de una ciudad:

¿Dónde está Sevilla con sus delicias,
dónde su río de puras, abundantes y deleitosas aguas?
Ciudad Magnífica.
¿Cómo se sostendrán las provincias
si vosotras que erais su fundamento
habéis caído?
Al modo que un amante
llora la ausencia de su dulce amada
así lloro desconsolado.
Tú que vives en la indolencia.
Tú que paseas satisfecho y sin cuidado
feliz que tu país, que tu patria te ofrece encantos.
Pero ¿puede haber ya Patria para el hombre
después de haber perdido a Sevilla?

(Abul Beka. Elegías)

CAPÍTULO VIII

SEVILLA DURANTE EL RESTO DE LA EDAD MEDIA

Ocupada que hubo la ciudad comenzó el rey San Fernando a reorganizar la vida local, designando por arzobispo al prelado don Remondo o don Ramón, que le había acompañado en la conquista. «Heredó de buenos y grandes heredamientos de villas castillos y lugares munchos ricos» a la iglesia de Santa María. Ordenó el Cabildo y Regimiento de la Ciudad; puso muchos letrados y oficiales, dando como ordenanza y legislación municipal el «Fuero Municipal y general toledano», otorgando a los caballeros sevillanos las mismas franquezas que gozaban los de Toledo; y a los del barrio de la calle Francos, la «franquía» o facultad de comprar, vender y cambiar libremente y sin impuestos, de donde viene su nombre a esta calle.

Repartió las propiedades tanto urbanas como rústicas de la ciudad y comarca, contándose mil seiscientas cincuenta aranzadas de terreno solamente en la villa de Gelves con 20.000 pies de olivar; en Camas había 15.000 pies de olivar y de higueral en 1.600 aranzadas. En Aznalfarache 40.000 pies de olivar y de higueral en 1.312 aranzadas de tierra.

En el cuaderno de repartimientos figuran con detalle los predios, cultivos y edificaciones de que el rey hizo donación a los caballeros, príncipes e iglesias.

Gobierno de San Fernando

Para redondear sus conquistas y asegurarlas intentó el rey San Fernando crear, como todos los grandes reyes de España, una cabeza defensiva al otro lado del Estrecho, para lo cual después de apoderarse de Cádiz con toda su bahía, ordenó que en Vizcaya se construyeran y pertrecharan numerosas galeras y otros buques de combate, para desembarcar en Marruecos.

Sin embargo, no le dio tiempo a realizar este propósito ya que atacado de hidropesía, hubo de permanecer gravemente enfermo en su habitación del Alcázar de Sevilla toda la primavera de 1252.

Su hijo, el príncipe Alfonso *el Sabio*, que iba sumando, Sanlúcar, Jerez, Medina Sidonia, Arcos y Lebrija a los territorios conquistados no pudo ocuparse del intento de pasar el Estrecho ante la gravedad del estado de salud del rey, y se vino a Sevilla para acompañarle.

Viendo San Fernando que se le acercaba la muerte, en la noche del 30 de mayo de 1252, pidió al obispo de Segovia, su capellán, que le administrara el Santo Viático. Para recibirlo, el rey salió del lecho, y con una soga al cuello, en señal de penitencia, y depuestos en el suelo el cetro y la corona, como renuncia a todos los bienes terrenales, dijo: «Desnudo salí del vientre de mi madre y desnudo he de volver al seno de la tierra.» En esta edificante actitud recibió la última Comunión (escena que, magistralmente imaginada por uno de nuestros mejores pintores, Virgilio Mattoni, podemos ver en el cuadro del Museo Provincial de Bellas Artes, sala del siglo XIX, en el piso alto).

Le acompañaron en sus últimos momentos la reina doña Juana, y los hijos que don Fernando había tenido de sus matrimonios, con doña Beatriz de Suabia y con doña Juana. Excepto el infante don Sancho, que no pudo venir a Sevilla por encontrarse como arzobispo en la Sede toledana.

Posiblemente de fecha muy poco anterior a su muerte data la imagen de la Virgen de los Reyes, que según tradición, fue labrada por dos jóvenes artistas, en quienes la piadosa leyenda quiso ver dos ángeles que premiaron con tan preciosa dádiva la piedad del santo rey. Sin embargo, parece que esta tradición o leyenda está inspirada en otra anterior, la de la Cruz de los Ángeles de Oviedo, y que la imagen de la Virgen de los Reyes de Sevilla es una obra francesa de los orígenes del gótico, regalada por San Luis, rey de Francia, a su primo San Fernando.

En los años 1249 ó 50 fundó San Fernando el Hospital de San Lázaro, a extramuros de Sevilla, alejado un cuarto de legua de la Macarena, para que sirviese para aislar y asistir a los enfermos leprosos que en aquel entonces constitutía una dramática amenaza de contagio en todos los países cálidos como Sevilla.

Sevilla bajo Alfonso «el Sabio»

A pesar de que San Fernando había sido principalmente un hombre de armas, no por ello dejó de cuidarse de fomentar algunos aspectos de la cultura. Así reunió un grupo de hombres estudiosos que con el nombre de Colegio de Varones Doctos, tuvo una gran participación en la vida intelectual del siglo XIII. En la ciudad de Sevilla creó unas escuelas de lectura y gramática en la calle del ABC (actual calle Bailén), costeadas por el erario público. Sin embargo, la mayor empresa cultural de San Fernando fue el haber educado a su hijo don Alfonso proporcionándole maestros, libros y un ambiente en el que su natural inclinación hacia las ciencias y las letras encontrase pábulo, alimento y estímulo. La corte leonesa tuvo juglares tanto de la Provenza como galaicos y de ellos había aprendido desde niño don Alfonso a trovar versos. Encumbrado al trono, don Alfonso *el Sabio* protegió con largueza a los científicos, a los juristas, a los letrados y aun a los astrólogos y a los maestros de diversas artes y artesanías. Seguramente en Sevilla escribió muchos de sus libros excepto las *Tablas del Saber de Astronomía* que confeccionó en el observatorio que había instalado en el Alcázar Real de Toledo, o Alcázar Viejo situado donde hoy está el paseo Miradero de aquella ciudad. De la serie sevillana de sus obras son con certidumbre una gran parte de las famosísimas *Cantigas a Loores a Santa María.* (En mi discurso pronunciado en el paraninfo de la Universidad hispalense el día de la Inmaculada de 1959, expuse la presencia de algunas devociones marianas de Sevilla y su comarca tales como Virgen del Viso del Alcor, y la de la basílica del Puerto de Santa María, y muchos episodios que se refieren a la Virgen de los Reyes, escritos en forma de presente que no dejan lugar a dudas sobre haberse redactado esta parte de las *Cantigas* en Sevilla.)

Sevilla experimenta una profunda modificación en la época de Alfonso X *el Sabio.* Cuando San Fernando había hecho el famoso «repartimiento» o distribución de las tierras circundantes, y las casas y solares de la ciudad entre sus caballeros y soldados, éstos quedaron en su mayor parte viviendo en Sevilla. Muchos se cansaron y al cabo de tres o cuatro años, cuando murió San Fernando se volvieron a sus tierras de León y de Castilla. Pero al mismo tiempo, gran número de los sevillanos musulmanes que habían marchado al exilio al saber muerto a San Fernando y conociendo que su hijo era más tolerante y menos guerrero, fueron regresando a la ciudad desde los lugares de Granada y Almería e incluso desde el África. La población hacia 1270 venía a ser seis partes de cristianos y las otras cuatro de moros y judíos. Conservaban éstos para su religión las mezquitas del Salvador San Juan de la Palma y alguna otra, y los judíos las sinagogas de San Bartolomé, Santa María la Blanca y Santa Cruz.

El escudo de la ciudad

Aparece el estilo ojival con la llegada de maestros arquitectos y canteros del norte de España, alguno de los cuales conservaba incluso la vieja técnica del arte románico. Al unirse estos maestros con los operarios sevillanos musulmanes, surgió por mezcla del románico y gótico con el arte almohade, el estilo mudéjar. Una a una todas las mezquitas fueron modificándose, ya con elementos mudéjares para su nueva disposición como iglesias cristianas. Así las de Omnium Sanctorum, San Marcos, Santa Ana y San Esteban. Las bóvedas sustituyen a las techumbres de madera en las naves y empiezan a sustituirse los cupulines y almenas de los alminares o torres, por campanarios cristianos. En 1280, don Alfonso *el Sabio* ordena la modificación de la mezquita de Triana que convierte en parroquia de Santa Ana, siendo la aportación arquitectónica cristiana del orden románico ojival. También en esta época se construye una torre o atalaya en el palacio que ocupaba el infante don Fadrique a quien le había correspondido en el repartimiento de la ciudad una de las mejores viviendas de los notables musulmanes. La torre, de planta cuadrada, es de piedra y de ladrillo con elementos decorativos románicos en los dos primeros cuerpos y ventanales góticos en el más alto. (Año 1253.)

Los últimos tiempos del reinado de Alfonso X *el Sabio* se caracterizan por la sangrienta guerra civil promovida por su hijo don Sancho, quien con el amparo de la reina madre doña Violante, pretendió destronar a don Alfonso. Hay una serie de altibajos en el desarrollo de la guerra. El Papa excomulga a las ciudades y señores que se hayan puesto de parte del príncipe rebelde. Finalmente a don Alfonso *el Sabio* tan sólo le queda la ciudad de Sevilla a la que por su fidelidad le otorgó, según la leyenda, el lema de su escudo: «No me ha dejado», que se simboliza en una madeja. Sin embargo esta leyenda merece muy poco crédito. Más bien, dice Guichot, debemos entender que la madeja del escudo de Sevilla y las sílabas NO ∞ DO significan Nudo en castellano antiguo, y simbolizan que el rey se sentía unido por fuertes lazos de gratitud, afecto y mutua defensa con la ciudad que le había permanecido leal.

La guerra civil —que en tiempos de Alfonso *el Sabio* ensangrentó España, dio lugar a disgustos entre los príncipes cristianos de Europa y puso en breve tiempo a Castilla, desde el glorioso lugar a que lo había elevado San Fernando, en la más baja de las vergüenzas—, retrata por entero en sus circunstancias la violenta pugna entablada entre la nobleza y el poder real a lo largo de toda la Edad Media europea. Un siglo antes se habían descubierto las Pandectas de Justiniano y el brillante y clarísimo derecho romano, con sus instituciones, contrastaba demasiado poderosamente con el derecho confuso y arbitrario medieval. El emperador de Alemania autoriza a su canciller la divulgación de las Pandectas y muy pronto comienza la lucha entre los partidarios de los privilegios feudales.

Don Alfonso *el Sabio* había declarado heredero a su hijo el infante don Sancho, en perjuicio de su nieto, hijo de su fallecido primogénito le infante De la Cerda. Don Sancho, que era hombre de temperamento colérico y envidioso, no bastándole la certeza de que llegaría a ser rey aun habiendo nacido segundón, quiso precipitar los acontecimientos apoyándose precisamente en uno de los dos bandos en pugna, es decir en la nobleza contra el rey su padre. Para esto y recién promulgado el Código de las Siete Partidas, que representaba, aunque tibiamente, la resurrección de las Pandectas en las que estaba inspirado, el infante reunió a los príncipes nobles descontentos, entre ellos don Nuño de Lara. El infante manifestó posiblemente su propósito de usurpar la corona basándose en los excesivos gastos realizados por Alfonso *el Sabio* para coronarse emperador de Alemania y que habían debilitado el erario público; otro cargo, el haber desvalorizado la moneda. Otro, el haber prometido al rey de Francia concederle a su sobrino don Alfonso de la Cerda, un reino independiente en Jaén; lo que representaba dividir en dos el reino de Castilla, partición que perjudicaba a don Sancho. Junto a estos cargos principales añadió don Sancho contra su padre la acusación de «muchos desafueros, daños, fuerzas, muertes, despachamientos sin ser oídos, deshonras y otras muchas cosas que eran contra Dios, la justicia, *los fueros* y grandes perjuicios del reino que había hecho el rey». Como puede verse, el fondo de la cuestión eran los *fueros* y más exactamente los privilegios individualmente concedidos por los reyes anteriores en favor de cada noble, que daban a España no un cuerpo de legislación sino miles de miles, y no una estructura legal, sino tantas legislaciones como señores había, cada uno de los cuales por sí mismo, en virtud de los privilegios, dictaba en su pequeño territorio las leyes que le venían en gana. Vino a representar por tanto Sancho, el bando de la nobleza contra el poder central.

Después de una larga guerra y a pesar de que el Papa había declarado en entredicho el bando faccioso, vino toda España, o sea toda la nobleza española a reconocer por rey a don Sancho. Quedó solo en Sevilla, desamparado de todos en 1282 el rey don Alfonso *el Sabio*. Tan abandonado y tan carente de medios que vivía a costa de su fiel amigo don Pérez Sarmiento. Falto de toda clase de medios económicos acudió don Alfonso a proponer al emir de Marruecos, que le prestase dineros entregándole en prenda su corona real. Página vergonzosa ésta de que la diadema que representaba el poder de Castilla, la corona de los Alfonso y los Fernando, fuera a parar a manos del enemigo de la cristiandad. Parece ser que el emir le dio dineros sin querer quedarse con la prenda.

En una de sus cartas escritas en esta época por don Alfonso *el Sabio* a don Alonso Pérez de Guzmán, revela la participación que tuvo la Iglesia española en aquellos desdichados sucesos, con estas palabras: «y como cayó en mí que era amigo de todo el mundo (la desgracia) en todo él sabrán la mi desdicha y el mi afincamiento, que el mío hijo tan sin razón me face tener, ayudado de los míos amigos y de los míos prelados, los cuales en lugar de meter paz metieron asaz de mal», se deduce por tanto que aunque el Papa se había manifestado en favor del legítimo rey, los prelados españoles no obedecieron esta inclinación del pontífice sino que estaban en el bando de la nobleza.

Las desdichas de don Alfonso no eran sólo políticas sino que también afectaban a su salud. Tuvo un fuerte dolor en un ojo, probablemente un glaucoma o dolor de clavo tan rabioso que creyó morir y en testimonio de su gratitud al cielo por haberse aliviado de aquel dolor, fue por lo que construyó la iglesia de Santa Ana en el barrio trianero, llamada «la catedral de Triana».

En los años de 1280 encontrándose gravemente enfermo el rey don Alfonso X *el Sabio* hizo una promesa que relata la Crónica: «Estando doliente de sus ojos de muy gran mal saltósele el ojo derecho del casco, e prometió a Nuestra Señora la Virgen Santa María el hacer aquí una eglesia quel dixesen Santa Ana Madre de Nuestra Señora Santa María; e luego en esa hora se le tornó el ojo sano y en su lugar.»

Su agradecimiento a Sevilla por la lealtad de estos últimos tiempos vino a ponerlo el rey de manifiesto al formular su último testamento en 22 de enero de 1284. En dicho testamento dispuso ser enterrado en la catedral de Sevilla «donde está enterrado el rey San Fernando y la reina doña Beatriz yace y de guisa que la sepultura sea llana, de guisa que cuando el capellán metiera a decir la oración sobre ellas y sobre Nos, que los pies tengan sobre la sepultura».

«Foragidos» y pazguatos

En esta época la población de Sevilla se componía de caballeros hijosdalgo, de caballeros foragidos, de moros pazguatos, de almogávares y de cristianos villanos. Aclaremos esta nomenclatura que hoy resulta un poco extraña. Se llamaban caballeros hijosdalgo los que procedían de algo, o sea de linaje conocido y documentado, ennoblecidos aunque no tuvieran títulos propios.

Se llamaban foragidos los caballeros que se habían ido fuera de su reino de origen (fora-gidos es igual que fora-egidos, o fora-exidos, es decir exiliados fuera). Según el Fuero de Castilla, cuando un caballero no quería servir a su rey porque había tenido con él algunas querellas, se exilaba yéndose a servir a otro rey. Frecuentemente marchaban a servir a reyes moros aliados. Los caballeros que se habían desnaturado en los años de 1271 con motivo de la guerra de los De la Cerda, habían luchado en las guerras civiles granadinas y más tarde se les permitió volver a Sevilla, siendo entre ellos el infante don Felipe, don Lope Díaz de Haro, don Nuño de Lara, don Jaime Ruiz de los Cameros y otros muchos.

Se llaman moros pazguatos a los moros pazguados, apazguados o apaciguados.

Finalmente, eran cristianos villanos los que procedentes de las villas castellanas habían venido a establecerse en la capital hispalense, como artesanos.

La basílica del Puerto

Alfonso *el Sabio* se propuso crear en el Puerto de Santa María el más importante de los templos de España. La edificación de una gran basílica constituyó para él preocupación, ilusión y empeño. El propósito del rey, devoto por excelencia de la Virgen, como ya hemos visto en sus Cantigas, era conseguir que la gran corriente de los peregrinos que iban a Santiago de Compostela, se desviase hacia el gran santuario nacional del Puerto de Santa María, colocando éste al mismo rango de devoción universal que lo estaba por aquel entonces el de Rocamador en Francia y que más tarde andando los siglos han venido a estar el de Lourdes y el de Fátima.

No pudo conseguir por completo ver realizados sus deseos ya que la inseguridad de los caminos, y las guerras surgidas con motivo de la rebeldía de su hijo don Sancho, impidieron la gran afluencia de peregrinos europeos hacia Andalucía. En todo caso, sí consiguió que el santuario del Puerto llegara a ser el más importante del sur de España aunque por poco tiempo.

Reinado de don Sancho IV

Coronado rey don Sancho, mantuvo por algún tiempo su residencia en Sevilla donde recibió una embajada del emir de Marruecos que venía a felicitarle por su coronación como rey y a proponerle amistad. Sancho contestó, en el Alcázar sevillano, aquellas famosas y arrogantes palabras: «Decid a vuestro emir que la guerra ni la temo ni la deseo, pero que estoy dispuesto a todo. En una mano tengo el pan y en la otra tengo el palo.» Ofendido el emperador marroquí por estas palabras desembarcó poco después con abundantes tropas en Algeciras internándose en las tierras de Medina Sidonia, Alcalá de los Gazules y Jerez. Es ésta la llamada invasión de los benimerines, que puso en peligro la capital sevillana. Llegaron los benimerines hasta las puertas de la ciudad con más de 12.000 caballos de guerra. Salió don Sancho a su encuentro, pero los benimerines temieron el choque y regresaron a Jerez, ciudad que tenían cercada. Días después y acercándose Sancho para socorrer a los jerezanos sitiados, el emir de Marruecos prefirió retirarse al Africa, dando por terminada su incursión. Auxiliaron a don Sancho doce galeras de la república de Génova mandadas por el almirante Zacarías a quien el rey dio el Puerto de Santa María como base permanente para su escuadra. En 1291 la ciudad de Sevilla compró el cortijo del Toro que era de don Diego Pérez de Montenegro y más tarde otros muchos cortijos que dedicó a pastos del ganado de que se abastecía el matadero de la capital. Sancho continuó atento a las amenazas de los africanos y así después de enviar una flota a destruir la armada que el emir de Marruecos tenía preparada en el puerto de Tánger, organizó un cuerpo de ejército con el que conquistó la ciudad de Tarifa en setiembre de 1292. Otorgó muchos premios a los caballeros sevillanos que se habían distinguido en esta cruzada y dio un privilegio a la población de la Puebla de Coria.

Ya en esta época vivían en Sevilla familias que aún hoy persisten como la de los marqueses de Valencina y los marqueses de Paradas, los primeros que habían venido a la conquista con San Fernando y los segundos establecidos en 1272.

De Sevilla era don Alonso Pérez de Guzmán el cual era bastardo y en tiempo de Alfonso *el Sabio* participó en nuestra ciudad en un torneo donde hizo muy lucido papel. Como el rey preguntase quién era aquel caballero tan bizarro que jugaba las lanzas, don Alvar Pérez de Guzmán le contestó que era «su hermano de ganancia», es decir, que era su hermano bastardo. Molesto don Alonso de oírse llamar bastardo despectivamente en presencia de la corte, se desnaturó del reino proponiéndose no volver hasta que su bastardía fuese oscurecida por el brillo de sus hazañas. Se marcharon con él al exilio voluntario muchos amigos suyos, entre ellos Gonzalo Sánchez de Troncones, Alonso Fernández Cebollilla, Garci Martínez Gallegos, Gonzalo García y otros más; don Alonso Pérez de Guzmán permaneció algún tiempo al servicio del rey de Marruecos, pero más tarde regresó a Sevilla muy honrado. Le encomendó don Sancho la defensa de Tarifa y allí fue donde habiendo los moros (entre quienes se encontraba como auxiliar el infante don Juan que servía al rey de Marruecos por haberse desnaturado) cogido a un niño de corta edad hijo de don Alonso, arrojó su propio puñal desde el adarve, prefiriendo que matasen al niño antes que rendir Tarifa. La hazaña de Guzmán le mereció el título de *Bueno,* contándose ya para siempre como una de las figuras más gloriosas de la historia sevillana.

Poco después y a consecuencia de unas fiebres contraídas en campaña, murió el rey don Sancho y comienza una era de agitaciones populares instigadas por la nobleza que se disputaba la tutela del príncipe heredero, tempestad que con las mayores dificultades iba sorteando la reina gobernadora doña María de Molina. En Sevilla ocurrían en esta época numerosas muertes, incendios de las tiendas de los genoveses y otros excesos lamentables.

En el mes de octubre de 1298 recibió licencia don Alonso Pérez de

Guzmán *el Bueno* con su esposa doña María Alonso Coronel para construir un monasterio en Santiponce, en la antigua iglesia de San Isidro, obras que comienzan en 1301 y que dan lugar al famosísimo monasterio de San Isidro del Campo que todavía hoy existe.

Templos sevillanos

En la capital tienen ya para esta época gran fama la iglesia de San Benito construida por San Fernando en 1248 (suponemos que la actual iglesia no conserva en absoluto ningún vestigio de esto por haber sido reconstruida en diversas ocasiones). El convento de Santa Clara fundado en las casas que pertenecieron al infante don Fadrique y junto a la torre de su nombre, después de haber sido ajusticiado este personaje. El convento de San Pablo fundado por San Fernando y del que fue primer prior el obispo don Remondo. Este convento debió ser el mayor de Sevilla, puesto que sus límites llegaban desde la Magdalena a San Pedro Mártir y desde Gravina hasta Bailén.

El Ayuntamiento o Cabildo Civil de la ciudad tenía su residencia o lugar de reuniones en la catedral, en la parte superior del edificio del Patio de los Olmos, y en la parte inferior residía el Cabildo Eclesiástico. La catedral o mezquita consagrada se había dividido en dos partes, una de las cuales tenía en su altar mayor la imagen de la Virgen de la Sede y en la otra, la de Oriente, tenía la imagen de la Virgen de los Reyes en un altar de plata. Del año 1300 data la actual iglesia de San Román y posiblemente de la misma época la pintura de la Virgen de Rocamador en la iglesia de San Lorenzo. Si tenemos en cuenta la importancia que la devoción al Rocamador tiene en el siglo XIII, recogida por Alfonso *el Sabio* en una de sus Cantigas, no es aventurado afirmar que se trata de la pintura mural más antigua de Sevilla.

Ya hemos visto muchos de los apellidos castellanos injertados en la vida de Sevilla, los Lara, Gómez, Haro, Martínez, etc. Junto con ellos aparecen apellidos franceses e italianos como Arnaut, Zacarías y Vilanova de los caballeros extranjeros que sirvieron a los reyes de Castilla. También vale la pena saber algunos apellidos árabes cristianizados como Benjumea (Ben-Humea o Ben-Umailla de Ben-Umeya de la familia de los Omeyas y Omniades) y el apellido Cotán de un ilustre jeque mauritano.

Reinado de Fernando IV

Llegado a su mayoría de edad don Fernando IV, intentó la conquista de Gibraltar, que realizaron exclusivamente tropas sevillanas al mando de don Alonso Pérez de Guzmán *el Bueno* y el arzobispo don Fernando Gutiérrez, primera batalla en la que los cristianos emplean la artillería. Pero cuando los sevillanos festejan su triunfo, Guzmán *el Bueno* fue muerto de un bote de lanza en una escaramuza contra los moros el 19 de setiembre de 1309 siendo enterrado en San Isidoro del Campo.

En 1312 muere en Jaén don Fernando IV sucediéndole también en minoría de edad don Alfonso XI, con lo que volvió España a estremecerse en bandos como había ocurrido en la minoría de don Fernando. Sevilla participó escasamente en esta guerra civil. Algunas guerras con los moros aliviaron algo las contiendas intestinas de Castilla. Fueron los más importantes hechos de armas la guerra contra los moros de Granada en 1319 y finalmente la de 1326.

Reinado de Alfonso XI

Ya mayor de edad pero inexperto, don Alfonso XI equipó galeras, reunió consejo de guerra en Sevilla y partió para conquistar Olvera a 30 kilómetros de Morón. Noticioso el rey de que los moros se estaban refugiando con todos sus bienes en Ronda, intentó la conquista de aquella plaza fuerte, pero con tan mala fortuna que la vanguardia mandada por Ruy de Manzanedo fue derrotada cayendo el pendón de Sevilla en manos de los moros. Durante los años que don Alfonso XI permaneció en Sevilla, tuvo amores ilegítimos con doña Leonor de Guzmán, «la más apuesta mujer que había en el reino», de la cual tuvo varios hijos bastardos, entre ellos don Enrique de Trastámara y el Maestre de Santiago, don Fadrique.

Aunque don Alfonso estaba casado con doña María de Portugal era doña Leonor de Guzmán de hecho, ya que no de derecho, la verdadera reina de Castilla, puesto que los nobles tenían interés en estar bajo su protección ya que ella pertenecía a la familia de los Guzmán, la más poderosa de la Corte. Determinó esto una guerra con Portugal en la que las tropas sevillanas dirigidas por don Henrique Anriquez y don Juan Alonso de Guzmán, derrotaron a los portugueses, tan completamente, que solamente escaparon algunos jinetes, pero murieron en el campo la totalidad de los peones en 1336. De doña María de Portugal tuvo Alfonso a su legítimo heredero don Pedro.

En 1340 los moros, al mando de los cuales venía el príncipe Abd-El-Melik, emprendieron, tomando como base Algeciras, una campaña contra Sevilla apoderándose de las comarcas de Jerez y Medina Sidonia siendo rechazados en Lebrija por Fernán Pérez de Portocarrero. Llegados refuerzos desde Sevilla al mando de don Gonzalo Martínez de Oviedo, los africanos fueron derrotados muriendo el príncipe Ali Hatar sobrino del emperador marroquí. Como desquite, el emperador africano envió una poderosa flota que destruyó la armada castellana mandada por Jofre Tenorio el cual, tras perder una pierna de una bala de cañón, fue muerto a golpes de barra de hierro. Prosiguió la guerra en 1340 teniendo los moros sitiada muy estrechamente a Tarifa que bombardeaban con balas de cañón huecas llenas de nafta que incendiaban la ciudad.

El 30 de octubre, el ejército de Castilla tuvo el encuentro definitivo con los mahometanos en las orillas del río Salado donde murieron muchos paladines castellanos y varios príncipes de Marruecos. Mandó personalmente Alfonso XI el ejército y después de la victoria hizo traer las banderas cogidas al enemigo que se pasearon por las calles de Sevilla arrastrándolas y después se regalaron a la iglesia catedral donde permanecieron colgadas mucho tiempo. En memoria de esta victoriosa jornada, la más grande batalla que había habido en España después de las Navas de Tolosa, hizo construir don Alfonso XI la Puerta del Perdón del Patio de los Naranjos. Todavía continuó la guerra algún tiempo conquistándose tras un corto asedio la plaza de Algeciras en 26 de marzo de 1344, que había sido pesadilla de los castellanos y amenaza permanente para Sevilla durante todo un siglo. Fue por capitán de las tropas sevillanas don Alonso Fernández Coronel y por general de la caballería de nuestra ciudad, don Fernando Yáñez de Mendoza.

Murieron en esta guerra don Ruy López Ribera que fue enterrado en Santa Marina (trasladado el enterramiento después a la Cartuja, construida por su hijo Parafán de Ribera) y otros ilustres caballeros de Sevilla. Seis años más tarde y cuando se proponían conquistar Gibraltar contrajo la peste el rey don Alfonso XI durante la gran epidemia que habían contagiado los africanos o quizá que habían traído los barcos genoveses. Con la muerte de Alfonso XI, Castilla, muy ensanchada en sus territorios durante su reinado, quedaba, sin embargo, amenazada de gravísimos disturbios, ya que al rey legítimo, don Pedro I, habrían de enfrentarse sus hermanos bastardos, los hijos de doña Leonor de Guzmán. Otra vez contra el poder central la alta nobleza, es decir, otra vez contra el Derecho Romano unitario de las Pandectas, el maremágnum de los privilegios feudales.

Durante el reinado de Alfonso XI se promulgaron en Sevilla algunas curiosas disposiciones encaminadas a ordenar diversos aspectos de la vida municipal, entre ellas el ordenamiento de los pesos y las medidas para los mercados en 3 de diciembre de 1337; nombramiento de los siete fieles ejecutores para vigilar que los jueces y alguaciles cumplían con sus deberes; y una pintoresca ordenanza sobre que las mujeres de vida airada deberían llevar tocas de color azafrán para que se las diferenciase de las mujeres honestas.

De esta época data la iglesia de San Esteban en la que en 1350 existía ya la imagen del Cristo del Buen Viaje, al que se encomendaban los que salían de Sevilla para tener felicidad en el camino.

La pólvora y sus fechas

No está muy clara la fecha en que aparece la pólvora en España. En diversos autores he encontrado alusiones que discrepan entre sí en bastantes años. Guichot dice: «En el sitio de Algeciras en 1344 se empleó por primera vez en España la pólvora, con la cual los moros fulminaban con truenos *pellas de hierro* tan grandes como manzanas.» Otros autores dicen que en tiempos de Fernando IV se intentó la conquista de Gibraltar por tropas sevillanas que mandaba don Alonso Pérez de Guzmán *el Bueno*, siendo ésta la primera batalla en que *los cristianos emplean artillería.*

En el sitio de Tarifa, también en 1340, consta que se utilizaron proyectiles de hierro huecos llenos de nafta para incendiar naves y campamentos, aunque no consta si se arrojaban con cañón o con catapulta.

Fundación de la Hermandad del Silencio

En 1340 se fundó en la iglesia de Omnium Sanctorum la Hermandad de Jesús del Silencio que hizo su primera procesión de Semana Santa no a la Catedral sino a una capilla de su propiedad en la Resolana, frente a la Puerta de la Macarena, en 1356.

Reinado de don Pedro I

Llegamos al reinado de don Pedro I, llamado por unos *el Justicero* y por otros *el Cruel,* aunque haya prevalecido más este segundo apelativo, porque quienes escribieron la historia fueron, como siempre ocurre, los vencidos, o al menos los sometidos a los vencedores.

Tenía 15 años de edad el hijo legítimo de Alfonso XI y de su esposa doña María de Portugal, cuando hubo de heredar el trono por la muerte de su padre, víctima de la gran epidemia llamada «la peste de Levante» que diezmó toda Europa desde 1348 a 1351.

Don Pedro, apenas exaltado al trono dio muestras de tener un talento político muy superior a lo que entonces se acostumbraba, y unos ideales muy avanzados, que no eran los propios de la época. Estos ideales eran dos: unificar el territorio peninsular (en lo que se adelantaba siglo y medio a lo que realizaron los Reyes Católicos) y someter bajo la autoridad real a los magnates nobles y prelados que constituían cada uno de ellos pequeños reyes en sus señoríos. No es exageración calificarlos así, puesto que estos señores feudales disponían de ejército propio; tenían libertad para «desnaturarse» o separarse de la obediencia a su rey para ponerse en servicio de otro monarca; cobraban directamente impuestos a las villas y vasallos de su jurisdicción; levantaban en su señorío horca y picota, administrando justicia incluso en materia criminal, aplicando la pena de muerte a sus vasallos sin licencia ni conocimiento del rey. Crear y recaudar impuestos, poseer ejército y administrar justicia, ¿qué son sino signos de soberanía y de independencia?

Don Pedro se propuso, pues, acabar con ese estado de cosas, y «centralizar» el poder, bajo leyes únicas, hacienda única y ejército único, dando a Castilla que era un conglomerado de señoríos feudales, la estructura moderna de nación. Esto, naturalmente, era ir contra los intereses de los nobles y privilegiados, quienes por lo tanto habrían de oponerse violentamente contra los propósitos del rey. Incluso su propia madre, doña María de Portugal, no podía comprender esta política, por lo que no vaciló en actuar contra su hijo formando parte de banderías y partidos.

La primera medida de gobierno de don Pedro fue intentar la concordia entre la familia legítima y la familia bastarda, llamando a su lado a los hijos que don Alfonso XI había tenido de su favorita, doña Leonor de Guzmán. Eran éstos don Enrique de Trastámara, don Fadrique, y otros seis, todos los cuales se acogieron a la generosidad de don Pedro I, y se vinieron a Sevilla a vivir en el Alcázar, incluso trayéndose con ellos a su madre doña Leonor de Guzmán.

No supo ésta interpretar el deseo del rey, de proteger a sus hijos evitando conflictos dinásticos, sino que lo atribuyó a debilidad, o a miedo, y así se ensoberbeció y llegó a atreverse a urdir una intriga para fortalecer el partido de los Guzmanes contra la autoridad real, y así, concertó la boda de don Enrique con doña Juana Manuel de Villena, la cual estaba destinada por doña María para esposa del propio don Pedro I.

Fue ésta la chispa inicial de la rivalidad entre el rey y su hermano bastardo.

No tomó don Pedro por lo pronto ninguna medida para castigar esta ofensa, pero doña María, arrogándose una autoridad que no tenía, mandó prender a doña Leonor de Guzmán, y vengó en ella, no solamente la ofensa inferida a su hijo, sino satisfizo el rencor que profesaba a la antigua amante de su esposo, haciendo dar muerte a su odiada rival.

Este cruel acto de la reina madre molestó justamente a don Pedro, que la apartó de donde pudiera ejercer cualquier autoridad, y entonces doña María que había soñado con ser ella la que gobernase imponiendo su voluntad al joven monarca, se disgustó con él y formó causa común con los enemigos de su hijo.

En las primeras cortes, reunidas en Valladolid, don Pedro manifestó su intención de acabar con el bandidaje y con las partidas armadas que ensangrentaban campos y ciudades, creadas unas veces, protegidas otras, por los grandes señores. Para esto, anticipándose también a la creación de la Santa Hermandad de los Reyes Católicos, organizó el somatén ciudadano.

Con el fin de crear una clase media que elevase el nivel económico de los mejores entre los plebeyos, y que diera lugar a una burguesía capaz de sofrenar a los poderosos, en las mismas cortes hizo aprobar el ordenamiento de los menestrales en gremios.

Perfilaba así una sociedad ciudadana, muy distinta de la sociedad rural, de castillos y monasterios que había sido la de Castilla hasta entonces. Obraba don Pedro a impulsos de su visión política del futuro, pero también empujado por la necesidad presente. La vida económica de la etapa anterior se había sustentado en gran parte sobre los tributos cobrados a los reyes moros, y sobre el botín que se cogía en las incursiones sobre territorios árabes. La defensa de las fronteras obligaba a dar a los nobles una autonomía muy grande, y las tierras recién conquistadas permitían asentar en ellas el excedente de población pobre y la mano de obra no especializada que sobraban en Castilla y en León.

Pero ya en la época de don Pedro las cosas eran bien distintas. No quedaban más reyes tributarios que los de Granada. No había tierras recién conquistadas en las que asentar excedentes de población. No se cogían botines sino que las campañas resultaban onerosas. No podía mantenerse indefinidamente el régimen de privilegios y excepciones en favor de los nobles, ya que ello significaba privar a la Hacienda pública de los mayores ingresos.

Finalmente dirigió don Pedro a las principales ciudades, cartas u órdenes por las que obligaba a «que todos los oficiales del Cabildo sean vasallos del Rey, de quien y no de otro habrán de recibir sueldo en pago de sus servicios, porque así conviene al buen gobierno y sosiego de la ciudad». Esta disposición quitaba a la nobleza la oportunidad de colocar en los municipios gente que fuera hechura aristocrática, y gobernase poniendo la ciudad en servicio de los nobles, como venía sucediendo.

Estas medidas políticas, que constituían una auténtica «revolución desde arriba», promovieron el descontento de la nobleza, y a ello se unió la ambición de los Guzmanes, de volver a ocupar el papel preponderante en la gobernación del Estado. Viendo los bastardos que no obtendrían tal situación privilegiada, empezaron a acariciar la idea de deshacerse del rey y heredar el trono. Tal vez no fuera casual la enfermedad que padeció don Pedro en esta primera época de su reinado, y que puso en peligro su vida. Ya se alegraban los Guzmanes creyendo segura la muerte del rey, cuando éste mejoró y se repuso del todo.

Durante el tiempo que estuvieron reunidas las cortes, doña María de Portugal, don Juan Alfonso de Alburquerque —primer ministro— el obispo de Palencia, don Vasco —canciller del reino— y el Consejo Real, estudiaron la necesidad de que el rey se casase, proponiéndole a don Pedro como candidata la princesa Blanca de Borbón, sobrina del rey de Francia.

Se ajustaron las negociaciones, y el rey mandó embajadores para recoger a la novia y traerla a Castilla. Fue con esta embajada el hermano bastardo, don Fadrique, único de los hermanos que había permanecido junto al rey, ya que los otros estaban con don Enrique de Trastámara, en diversos lugares de España, promoviendo la rebelión.

Parece cosa cierta que en el camino desde Francia a Castilla o durante el tiempo que estuvieron allí los embajadores, se enamoró don Fadrique de la que iba a ser su cuñada y ella correspondió a este amor. El historiador Zúñiga alude a la existencia de un hijo adulterino de don Fadrique y doña Blanca.

Lo supo don Pedro, y por el ultraje de lesa majestad hecho contra él, mandó matar a su hermano don Fadrique, aunque demoró por el momento la ejecución de la sentencia.

Por este tiempo, o quizás antes, tenía amores don Pedro con una dama llamada doña María de Padilla.

Con esta dama contrajo nupcias, que aunque han sido muy discutidas por los historiadores, no han sido jamás discutidas por la Iglesia ya que se le dio sepultura cuando murió, en 1361 en la primitiva capilla de los Reyes, en la catedral. Y más tarde, en 13 de junio de 1579, cuando se efectuó el traslado de los restos de los reyes a la nueva capilla volvió a dársele sepultura de reina legítima, al lado de don Pedro. No habría procedido así el cabildo hispalense si hubiera existido la menor duda sobre la legitimidad del matrimonio canónico entre don Pedro I y doña María de Padilla, por más que algunos historiadores, por congraciarse de la dinastía de Trastámara, hayan acumulado sobre la memoria de don Pedro toda clase de baldones, entre ellos el de no ser legal su matrimonio con doña María de Padilla.

Fue ella mujer pequeña de cuerpo, pero grande en hermosura dotada de potencias y de genio agradable compasivo, según la describe el padre Flórez en su historia. Dio a don Pedro tres hijas y un hijo, muriendo este varón siendo todavía párvulo, con lo que quedó truncada la dinastía legítima de los reyes de León. La muerte del príncipe sumió en luto a Sevilla, el 18 de octubre de 1362.

Contra don Pedro llevaba ya bastante tiempo alzada toda o la mayor parte de la nobleza castellana. Se había formado una liga en la que se dio la monstruosa amalgama de juntarse la reina doña María, con los bastardos de su esposo en contra de su hijo legítimo. Y no es menos monstruoso el que dichos bastardos se aliasen con doña María, que había mandado matar a la madre de ellos doña Leonor de Guzmán.

Ya esta alianza dice bien claramente cuál era la contextura moral de quienes, por ambición de mando, no vacilaban en buscar alianzas incluso con quienes habían vertido sangre de sus propias familias, o con quienes habían sido oprobio y baldón de la familia propia.

De tal modo cegó al bando rebelde la ambición de figurar, la codicia de continuar con sus privilegios y exacciones, y el odio contra don Pedro, que ofrecieron el trono de Castilla a un infante de Portugal. Contrasta esta conducta con la de don Pedro, quien en 1368 recibe noticias de que varias de sus ciudades del Norte, entre ellas Logroño, estaban cercadas por los rebeldes, y no siendo posible enviarles socorro desde Andalucía, pedía instrucciones el jefe de los realistas sitiados sobre si convendría entregar dichas plazas al rey de Navarra, para que no cayesen en manos de los rebeldes. Contestó a esta consulta don Pedro I, con estas palabras llenas de patriotismo: «Que nunca se separen de la corona de Castilla y que antes se den al conde de Trastámara.»

En ayuda de los rebeldes vinieron abundantes tropas extranjeras, ya que a otros países interesaba intervenir en los asuntos de Castilla, que con la conquista de Sevilla y últimamente de Tarifa, se había convertido en una gran potencia que hacía sombra a otras naciones. El mayor contingente de estas tropas fue las llamadas «grandes compañías» de Francia, pagadas por el monarca francés, y mandadas por el famoso Bertrand Duguesclin, a quien se otorgó luego el título de mariscal de Francia. Estas «grandes compañías» y un ejército aragonés invadieron Castilla por el Norte de Burgos, entrando en Burgos, donde don Enrique se hizo coronar rey, y continuaron hacia Toledo, que se entregó sin defenderse, entrando luego en Andalucía. Don Pedro, falto de tropas tuvo que abandonar Sevilla, y cruzó Portugal para reunir un ejército en Galicia. Solicitó la ayuda de su pariente el príncipe de Gales, y aprovechando las enemistades entre Navarra y Aragón, se atrajo a su favor el apoyo del rey navarro.

Vencedor don Pedro en la batalla de Nájera huyó el de Trastámara a Francia donde fue favorecido por el rey y por la corte pontificia y provisto de grandes sumas de dinero para pagar nuevas tropas, reclutó gente en Francia y Aragón volviendo a invadir Castilla.

Lo supo don Pedro, que se encontraba en Sevilla y convocó a los caballeros de Castilla y Galicia que le seguían siendo fieles en escaso número. Encontró en Montiel un ejército poderosísimo, cuyo grueso eran las tropas francesas de Bertrand Duguesclin. No pudo don Pedro con tan escasas tropas —y habiéndole abandonado a última hora sus únicos auxiliares, moros granadinos (pues el príncipe de Gales hacía tiempo que se había vuelto a Inglaterra)—, entablar combate serio, sino que tras un breve contacto con las vanguardias de los rebeldes, se acogió al castillo de Montiel, de donde salió por la noche a la tienda del francés para negociar su retirada. Pero Duguesclin faltando a su palabra había dado aviso a don Enrique quien se presentó armado de todas armas, y dio muerte a don Pedro con la ayuda del mariscal francés.

Nos hemos detenido en relatar aunque a grandes trazos la vida de don Pedro I, por ser el rey que en la Edad Media tuvo más íntima relación con Sevilla. A él le debe nuestra ciudad la construcción del maravilloso Alcázar, obra máxima del arte mudéjar, y que exornó con las más ricas labores que pudieron hacer los alarifes de su tiempo, los ebanistas y doradores de artesonado, los tallistas y azulejeros. El Alcázar enriqueció su arquitectura con capiteles labrados en mármol, con hermosa yesería, con pinturas afiligranadas, y con soberbias puertas de valiosos herrajes, siendo quizás el mejor palacio de su siglo en España.

Entre otras muestras de su generosidad, debe contarse el haber donado a las monjas de San Leandro unas casas principales situadas en la collación de San Ildefonso (Guichot).

El año 1355 fue fundado el Hospital de San Bernardo, vulgarmente llamado de los Viejos, situado en unas casas entre la iglesia de San Juan de la Palma y la de San Martín. Éste fue el primer hospital geriátrico que hubo en Sevilla, y su fundación fue debida al apoyo de don Pedro I, el rey que ha pasado a la historia con el sobrenombre de *Cruel,* pero que hizo ésta y otras muchas obras de gran mérito y utilidad para Sevilla.

También hizo construir muchas parroquias, entre ellas la de Omnium Sanctorum, la de la San Román y la de San Miguel, sobre solares de viejas mezquitas, dando así al pueblo una intensa vida espiritual parroquial.

Por más que sus historiadores se hayan complacido en mostrarle como cruel y arbitrario, el pueblo le amó, y siguió amándole después de su muerte. Es el pueblo que prefería ser vasallo del rey mejor que ser vasallo de los despóticos nobles, ese mismo pueblo que más tarde veremos también en Andalucía alzarse contra el comendador y pedir a los Reyes Católicos que incorporen a la corona la villa de Fuenteovejuna, sacándoles de la autoridad feudal en que estaban.

El vulgo ha creado alrededor de don Pedro una aureola legendaria y han nacido, de episodios acaso insignificantes, leyendas que perfilan, mejor que la Historia, la personalidad del rey. Son éstas la leyenda de la calle Candilejo, donde el rey no se muestra cruel sino que concede el premio prometido a quien descubriera al matador de cierto caballero, aunque el matador había sido el mismo rey.

Otra leyenda es la del lego del convento que suplanta la personalidad del prior para librarle del castigo del rey. Tampoco vemos aquí a don Pedro como cruel, sino que comprendiendo el talento natural del lego, le nombra prior del convento.

No leyenda sino historia cierta, según Zúñiga, es el otro episodio en que un clérigo cometió cierta violencia o desmán contra un pobre zapatero, el cual acudió a pedir justicia, pero el tribunal eclesiástico condenó al clérigo con excesiva benignidad, limitándose a imponerle prohibición de acudir al coro durante un año.

El zapatero no pudo sufrir aquello que más que justicia era una burla, y por su propia mano infirió al clérigo la misma violencia o desmán que el otro le había inferido a él.

Preso el zapatero querían ahorcarle, pero intervino don Pedro y reclamó el preso a su jurisdicción real. Examinó el caso y dijo: «No voy contra los privilegios del fuero eclesiástico, pero me parece que en iguales casos de delitos se deben aplicar penas iguales. Por tanto, si este delito, cometido por primera vez, no tuvo más castigo que un año sin oficio, no puede castigarse ahora con la horca, porque el autor fuera entonces clérigo y ahora tan sólo un zapatero. Así, pues, la sentencia debe ser la misma y, por consiguiente, condeno al zapatero a que en un año no haga zapatos, y vaya ahora libre.»

De este suceso verdadero se derivó una ley que dice: «Establezco y ordeno por ley que cualquier home lego, que de aquí adelante matare o firiere o deshonrase a algún clérigo o le ficiere algún otro mal en su persona o en sus cosas, que haya otra pena cual habría el clérigo que tal malficiese al laico y que mis Alcaldes ante quien fuere el pleito, que tal pena le den y no otra alguna.»

Tres episodios sangrientos aunque de estricta justicia en Sevilla en este reinado que han sido muy diversamente comentados. Uno, la muerte del maestre de Santiago, don Fadrique, hermano bastardo del rey, a quien mató a golpes de maza el ballestero Juan Diente por orden del monarca. Los motivos ya los hemos explicado antes.

Otro, la muerte del «rey Bermejo» Abu Said, ajusticiado ante la Puerta de Triana, y que Lafuente dice que fue muerto por mano del propio don Pedro, recogiendo noticias de dudosa procedencia. Otros dicen que en la de la Macarena y algunos que en Tablada.

El tercero, la muerte de doña Urraca Osorio, mujer de don Álvaro de Guzmán, y que habían intervenido activamente en la rebelión contra el rey. Aun con ser lamentable por tratarse de una mujer, el castigo por traición y rebelión armada no era otro en la época que el de muerte, y en tiempos posteriores no medievales, sino en pleno siglo XIX, lo hemos visto aplicar, en una sociedad mucho más civilizada y culta.

Fue don Pedro hombre de más de mediana estatura, blanco y rubio; ceceaba al hablar y amó a muchas mujeres. Fue el primer rey de Castilla que mandó una batalla naval, y lo hizo con tanto ardimiento que puso en fuga nada menos que a la veterana flota aragonesa, mandada por Mosem Perellós.

Dos heroínas sevillanas

En esta época se dieron en Sevilla dos grandes ejemplos de heroísmo. Fue el primero el de la heroína de la castidad, doña María Coronel, viuda de don Juan de la Cerda, mujer bellísima, a la cual puso amoroso cerco el rey don Pedro, y ella por quitarle al regio galán su liviano apetito, se desfiguró el rostro echándose aceite hirviendo en él. Libre ya de la amorosa persecución de don Pedro, fundó la dama un monasterio sobre el solar de lo que había sido palacio de su esposo, y que estaba arrasado y sembrado de sal por sentencia, ya que don Juan de la Cerda fue uno de los más señalados cabecillas de la rebelión contra el rey en tiempos anteriores.

Cuando don Pedro conoció la abnegada y virtuosa acción de doña María Coronel, no solamente la dejó en paz, sino que protegió el convento fundado por ella, que es el llamado de Santa Inés, de franciscanas clarisas, donde aún se conserva el cuerpo de la heroína de la castidad, su primera abadesa, y en cuyo rostro todavía pueden verse las cicatrices del aceite, cada vez que se descubre el cuerpo donde se guarda, un día cada año en el aniversario de su muerte.

La otra heroína fue Leonor Dávalos, a quien se ha llamado justamente «heroína de la fidelidad». Servía como criada o doncella de confianza en casa de doña Urraca Osorio, noble dama, que fue condenada a morir en la hoguera, como castigo a su delito de complicidad en la rebelión de los nobles y por haber descubierto a los principales de ellos, y facilitado dinero para tropas y armas de los sublevados. Esta doña Urraca Osorio era esposa de don Álvaro de Guzmán, de la ilustre y siempre levantisca familia de los Guzmanes.

Cuando la noble señora fue llevada a la hoguera, prendida ésta, con el viento y las llamas se le alzaron los vestidos. Entonces Leonor Dávalos, que presenciaba la ejecución, para ahorrar a su señora la vergüenza de mostrar sus piernas ante la chusma que asistía al suplicio, rompió por entre los soldados que rodeaban y guardaban la hoguera, y sin que nadie se lo pudiera impedir, se lanzó entre el fuego, y abrazada a su señora, la cubrió con su cuerpo, y así murieron las dos, la una ajusticiada, y la otra voluntariamente para defender el pudor de su dueña. El nombre de Leonor Dávalos ha quedado en la memoria del pueblo sevillano, como el de la más insigne de las mujeres en la virtud de la fidelidad.

El Guadalquivir navegable (1398)

Durante la Edad Media existe un gran pleito entre los barqueros y lo molineros. Mientras los barqueros querían que el río estuviera libre para la navegación, los molineros lo cortaban con presas para beneficiar con el desnivel la fuerza de sus molinos. Hay un texto dirigido al rey don pedro y dice así: «Señor: Pedro Sánchez de Orozco, Juan Martín e Alonso Díaz barqueros de la ciudad de Sevilla que tenemos por oficio subir fasta la civdad de Córdoba con nuestras barcas de carga parecemos ante la vuestra Alteza e decimos que los señores de los azudas o presas de los molinos del Guadalquivir han acerrado las bocas de los canales de las azudas por donde suben e bajan los barcos cargados que nosotros tremos para el abastanza de esta civdad de trigo e de farina, de lo cual nos ha recrecido gran daño e para remedio de lo tal parecemos ante Vuestra Alteza a le pedir e demandar justicia.»

A esta carta le puso el rey don Pedro la siguiente providencia: «Vista la petición de suso para bien proveer fice parecer ante mi la carta de mi abuelo el rey don Sancho e cartas de mi padre el rey don Alfonso e considerando el mal fecho que habedes fecho contra Dios e contra mi corona que por los haber aferrado las bocas de los canales por donde suben e bajan estos buenos omes barqueros se afegan e pierden sus faciendas, e nos ha vegadas que non tenemos trigo ni farina que yantar; por lo cual vos mando que dende en adelante non fagades lo tan sinon que deis libre paso por do puedan subir e descender sin pena alguna e mando a toda mi justicia de lo realengo, abolengo e lugareños de señorío que cumplan lo así preveído por mí, sin ir ni venir contra ellos. E mando al Corregidor de Lora que así lo faga guardar e cumplir en su distrito e a todos los demás desta frontera de la Andalucía, e al Adelantado de ella. En el nuestro palacio era del Señor de 1398.»

Como se ve estaba empeñada la polémica entre la nobleza, «los señores», propietarios de los molinos, y el gremio de los barqueros, gente pobre y trabajadora. El rey no solamente dio la razón a los barqueros, sino que como se ve cursó órdenes concretas a las autoridades ribereñas. Con el fin de determinar la anchura que debía quedar libre para la navegación, se estableció que fuese la misma anchura que tiene el arco de las Bendiciones de la Catedral de Córdoba, y por estas medidas entibaban la carga en su máxima anchura los barqueros que desde Córdoba iban a bajar a Sevilla. Además se obligó a que la canal libre entre presas estuviera en lugar donde por lo menos hubiese profundidad de agua de dos varas.

Reinado de don Enrique de Trastámara

Atado de pies y manos don Enrique, por el baldón de bastardía que sobre él pesaba y obligado a pagar en mercedes, privilegios y dinero la ayuda que había recibido de la nobleza facciosa contra don Pedro su hermano, el tiempo de su gobernación es el comienzo de una etapa de claudicaciones del poder real y de empobrecimiento del erario público.

Ya este rey, a diferencia de sus seis antecesores, no tiene principal lugar de residencia en Sevilla. Así desde 1248 hasta 1369 puede decirse que la capital y principal ciudad del reino de Castilla, y domicilio de los monarcas había sido Sevilla, salvo cuando marchaban a Cortes temporalmente a Burgos o Valladolid. En cambio, don Enrique, solamente venía a nuestra ciudad a pasar el invierno por la suavidad del clima sevillano.

Por congraciarse con Sevilla que todavía seguía amando la memoria de don Pedro, y por hacerse perdonar el haber hecho degollar en la plaza de San Francisco a Martín López, ilustre maestre de Calatrava que se mantuvo fiel a don Pedro, el de Trastámara, tan pronto como se reunieron las Cortes en Toro, confirmó a Sevilla todos sus privilegios en favor de la ciudad, de la Catedral y las comunidades religiosas y de numerosos particulares.

Trasladó el cuerpo de su padre don Alfonso XI que estaba enterrado en Sevilla a la Catedral de Córdoba, lo que desagradó no poco al Cabildo hispalense.

Algunas reparaciones y obras de ampliación en el Alcázar fueron la única novedad constructiva que se puede señalar en su tiempo.

Don Enrique II de Trastámara, fundador de la nueva dinastía, murió trágicamente envenenado según parece, por orden del rey de Navarra, aunque no faltan historiadores que aseguran haber sido el sultán Mohamed de Granada quien le envió como presente unos borceguíes en los que pérfidamente se había introducido veneno. (30 de mayo de 1378.)

Construcción del «Patín de las Damas» (1383)

Habiendo dañado grandemente las murallas las últimas crecidas del río, especialmente en el lugar de la Almenilla (la Barqueta) donde el río ataca de frente a la muralla, que hace ángulo al doblar hacia la Macarena, fue necesario pensar en protegerla contra futuras crecidas del río.

A tal efecto se rellenó un gran espacio entre la muralla y el río, haciendo un terraplén, trabando las piedras con argamasa, y dando a todo consistencia para que pudiera frenar el ímpetu de las aguas e impedir que socavasen nuevamente la muralla.

Este terraplén y la explanada que sobre él quedó se convirtieron en un lugar adonde concurrían las sevillanas de los barrios de la Macarena y de San Lorenzo y San Vicente a tomar el sol en invierno y a pasear en primavera, por lo que se le dio nombre de «Patín de las Damas», por ser un lugar a manera de un patio, protegido por la muralla contra el viento y con el río delante que le daba gracia y exorno.

Este paseo duró hasta el siglo diecinueve en que se derribaron las murallas.

Inundación del año 1403

«En el mes de setiembre fizo muchas aguas en tal manera que se hubiera de hundir Sevilla, que entraba el agua por encima de las murallas, y rajóse la puerta de la Almenilla (la Barqueta) y entraba el agua, e llenóse de agua la ciudad de tal manera que daban a las bestias en San Miguel, y en la plaza y en la Puerta de Atarazanas. E andaban los barcos por la Laguna (Alameda) e por enderredor de la Puerta del Ingenio (calle Guadalquivir).

E si no fuera por el Corregidor que era el doctor don Juan de Alfonso del Toro, que andaba de noche e de día con todos los del Ayuntamiento, tapando los portillos con colchones, e ropas, e piedras, e otras cosas, toda la ciudad fuera llena de agua, e se hubiera perdido toda la gente. Que aún con todo este recaudo, entró el agua de noche en algunas casas y se ahogaron algunas personas, e andaban las camas nadando en el agua, e las otras cosas e salió la gente de ellas por los tejados, fasta que Dios quiso que menguaran las aguas.

Y quedó Sevilla tan húmeda e llena de lodos que con esto y con el temor murió mucha gente.» (Crónica del Reinado de don Enrique *el Doliente* por Pedro López de Ayala.)

Reinado de don Juan I

Por primera vez en la Historia, es bajo el reinado de don Juan I cuando tropas sevillanas participan en una guerra internacional. Aliado el rey de Castilla con el de Francia contra el monarca inglés se organizó una expedición naval en la que tres galeras armadas en el Arsenal y tripuladas por gente de mar y caballeros sevillanos, se unen a la flota francesa y se remontan el Támesis castigando el puerto de Londres.

Poco después, en guerra contra Portugal, el almirante Fernán Sánchez de Tovar con una armada sevillana derrota a 23 galeras portuguesas frente a la isla de Saltes, en aguas de Huelva. Las tripulaciones, con su almirante el conde de Marcelos, fueron apresadas trayéndose a Sevilla prisioneros portugueses y las banderas de sus barcos que Tovar regaló como trofeos a la Catedral hispalense. Se inicia en esta época la terrible división de los «bandos de Sevilla» en que los principales nobles con sus criados ensangrentaron nuestra ciudad en batallas callejeras, asesinatos y otros sucesos que duraron bastantes años, al igual que, según la tradición, ocurrió en la ciudad italiana de Verona con los Capuletos y los Montescos. Fueron aquí los protagonistas los Ponce de León, los Guzmanes y otras ilustres familias que se disputaban la influencia en la gobernación de la ciudad o que simplemente trataban de satisfacer su orgullo y sus rencores.

Agravada la guerra con Portugal envió Sevilla al cerco de Lisboa al almirante Tovar con muchos valerosos capitanes, los cuales en su mayor parte murieron al declararse la peste en el campamento, teniendo que regresar los supervivientes trayéndose el cadáver del almirante que fue sepultado en la Catedral.

No podemos dejar de recoger la influencia de las corrientes renacentistas que empiezan a influir en la vida española. Así el joven don Álvaro Pérez de Guzmán que dirige el ejército sevillano en la batalla de Mertola, contra los portugueses, al venir a Sevilla vencedor entra con un cortejo triunfal a la manera de los antiguos generales romanos cuando regresaban a la capital del Imperio, llevando detrás de su caballo cientos de prisioneros portugueses. Sin embargo esta guerra terminó desastrosamente al perder la batalla de Aljubarrota que ocasionó grandes daños a Castilla. Poco después murió en un desgraciado accidente de equitación don Juan I el 9 de octubre de 1390.

Panorama sevillano en los fines del siglo XIV

La ciudad estaba dividida en 1390 en veinticuatro collaciones o barrios, ocho a Oriente que eran: San Bartolomé, San Esteban, San Ildefonso, Santa Catalina, San Román, San Julián y Santa Lucía. Ocho a Occidente: Santa María la Mayor, San Francisco, Santa María Magdalena, San Miguel, San Vicente, San Lorenzo, Santiago *el Viejo* y San Clemente. Y entre unas y otras las de San Isidoro, San Salvador, San Andrés, San Martín, San Marcos, Santa Marina, San Gil y Omnium Sanctorum.

Es muy curioso en aquella época la redacción del libro *Sevillana Medicina,* escrito por el maestro Juan de Avignon, «físico», criado de la muy noble ciudad de Sevilla, lo que quiere decir médico a sueldo del Ayuntamiento. Este hombre de ciencia asistió a los sevillanos en la grave epidemia del año 1361 que debió ser un tifus. El siguiente año hubo epidemia de fiebres cuartanas o palúdicas y en 1363 viruelas. Sin embargo, la epidemia de más gravedad que experimentó Sevilla según este médico, fue la de 1381, de cólera, que entró por Niebla y Gibraleón llegando a Sevilla donde atacó a mucha gente. En el palacio del arzobispo la casi totalidad de los hombres enfermaron.

El antisemitismo en Sevilla

En 1391 y por las predicaciones del arcediano de Écija, don Fernando Martínez, que excitaba al pueblo contra los judíos, se produjo un alboroto que el alguacil mayor de la ciudad consiguió reprimir cuando ya habían saqueado muchas casas de la Judería. El alguacil mayor castigó con azotes el 15 de marzo a dos de los alborotadores, pero el pueblo los defendió produciéndose nuevo motín en el que los justicias estuvieron a punto de ser asesinados; eran éstos el alguacil mayor don Álvaro Pérez de Guzmán y los alcaldes Pérez de Esquibel y Arias de Cuadros. Durante un mes continuó el arcediano de Écija excitando al pueblo contra los judíos y el 6 de junio, el populacho rompió las puertas de la Aljama y entrándose airadamente por los arcos de la Puerta de la Carne y la del Alcázar, cuyos muros delimitaban el contorno de la Judería, inició una matanza de judíos que no pudieron reprimir las autoridades. Cuatro mil hebreos perecieron aquel día quedando reducido el número de los pobladores del barrio a insignificante cifra ya que casi todos fueron pasados a cuchillo. Los pocos supervivientes continuaron teniendo una sinagoga reconstruida a sus expensas en la actual parroquia de San Bartolomé.

La lucha del pueblo bajo contra los judíos era reflejo de la relajación del principio de autoridad, de la impunidad en que se desenvolvían los delitos de sangre y de la excitación de los ánimos como un mal permanente a causa de las luchas callejeras entre los criados y partidarios del conde de Niebla y los de don Pedro Ponce de León.

Reinado de don Enrique III

Desde agosto de 1390 era rey don Enrique III bajo cuyo mando se puso en vigor el llamado privilegio de los Farfanes en virtud de que las familias de los Farfanes obtuvieron la vecindad de Sevilla. Estos Farfanes descendían de los godos y vivieron en África desde hacía mucho tiempo como vasallos de los reyes de Marruecos. Es decir, eran mozárabes que no habían perdido su condición de tales. Vinieron a España en 1390 solicitando que se les reconociera la nacionalidad castellana y el derecho de la vecindad. Por su esclarecido linaje se les concedieron varios privilegios y tuvieron capilla propia en la iglesia de San Martín.

En 1394 fue promovido al arzobispado de Sevilla el ilustre prelado don Gonzalo de Mena y Roelas, uno de los prelados que más se han distinguido por su celo en elevar el rango y el decoro del santo templo metropolitano hispalense.

Desde la época de la Reconquista venía siendo el contorno de la Catedral y su Patio de los Naranjos, lugar de contrataciones y mercado de telas y manufacturas, al estilo de los antiguos zocos musulmanes. Se encontraba la Catedral asfixiada por una serie de pequeñas construcciones a manera de quioscos o tendezuelas, y casetas de lienzo o lona bajo las que se cobijaban los mercaderes.

Tanto por ser estas barracas desdoro para la estética, como porque muchos de los mercaderes solían ser judíos y moros cuya presencia no correspondía a la santidad del edificio, el arzobispo don Gonzalo de Mena y el Cabildo catedralicio acordaron no sólo suprimir todo aquel mercadillo sino también construir las gradas que rodean la catedral y señalar a cierta distancia de los muros del templo un andén o acera superior limitada por cadenas que se sujetaron a 99 columnas con el fin de que dicho espacio quedase vedado a los mercaderes, estableciéndose una zona de respeto en todo alrededor de la catedral. También se repuso la fuente del patio de la catedral por la que salió agua corriente de la de los Caños de Carmona que iba al Alcázar (1395), y se reconstruyó el Hospital de San Lázaro otorgándole importantes privilegios don Enrique III, a quien se considera, sin serlo, su fundador.

También bajo la prelacía del ilustre don Gonzalo de Mena se construye en los alrededores de Sevilla la famosísima Cartuja, cuyas obras se comenzaron no a expensas de don Perafán de Ribera, como suele decirse en algunos libros de historia, sino habiendo iniciado la construcción los frailes Terceros de san Francisco el arzobispo les cambió de lugar enviándolos a San Juan. El pequeño eremitorio de estos Terceros lo entregó a cuatro frailes y un prior venidos del Monasterio del Paular encargándoles construir una gran Cartuja para lo que puso a su disposición la enorme suma de treinta mil doblas de oro. Ocurrió, sin embargo, que el infante don Fernando el de Antequera, con motivo de la guerra contra los moros en la que conquistó la ciudad de Antequera, necesitó dinero y se apoderó violentamente de las treinta mil doblas que estaban en poder del canónigo don Juan Martínez de Victoria, a quien llega a dar tormento para que las entregase. Por consecuencia, se paralizaron las obras, y para continuarlas, Perafán de Ribera, Adelantado Mayor de Castilla, proporcionó dinero con la condición de tener capilla para enterramiento suyo y de su familia.

Sin embargo, Perafán de Ribera intentó que el contrato que había suscrito se interpretase en el sentido de que no la capilla, sino el Monasterio eran de su patronazgo y que en la iglesia deberían figurar los escudos de la casa de Ribera, duques de Alcalá y marqueses de Tarifa en vez del escudo arzobispal de don Gonzalo. Se promovió un pleito en el que el prelado mantuvo enérgicamente su derecho, consiguiendo que el Papa Nicolás V fallase a su favor después de varios años. Más tarde, el rey don Juan II otorgó a la Cartuja ciertas rentas reales de los pueblos del Aljarafe para resarcir de las treinta mil doblas de oro, si bien lo que se cobró por aquellos impuestos nunca llegó a alcanzar la cantidad perdida.

A pesar de esta fundación y de las obras de la catedral, lo que más enaltece la memoria de mi glorioso pariente fue el haber conseguido pacificar totalmente la ciudad terminando con los odios y rivalidades de las familias de los Pérez de Guzmán y los Hurtado de Mendoza, que continuados por los partidarios del conde de Niebla y de los Ponce de

León, señores de Marchena, habían ensangrentado a Sevilla durante largos años. En 1396 un violento terremoto ocasionó la destrucción de la iglesia del Salvador, dañó infinitos edificios de la ciudad y derribó el cupulín de azulejos de la Giralda cayendo a la calle las cuatro grandes esferas de bronce dorado que lo remataban, las cuales se hicieron menudos pedazos. No fue posible restaurar convenientemente el edificio de la mezquita o Iglesia Mayor que quedó sumamente afectada, por lo que don Gonzalo de Mena comenzó a preocuparse seriamente de que sería necesario derribar el edificio árabe y construir una nueva catedral. No pudo sin embargo el prelado dar forma definitiva a su pensamiento, pues le sorprendió la muerte el 21 de abril de 1401 en Cantillana. Su última mejora a la catedral había sido colocar en la torre de la Giralda el primer reloj público que hubo en Sevilla.

Construcción de la Catedral

La idea de edificar la nueva iglesia metropolitana fue hecha realidad muy poco después, en el mes de julio del mismo año 1401 en una memorable reunión del Cabildo, tenida en el Corral de los Olmos de la antigua mezquita. Según el acta de aquella reunión, el deán, canónigos, dignidades, racioneros y compañeros dijeron: «Que por tanto la iglesia de Sevilla amenazaba cada día ruina por los terremotos que ha habido y está para caer por muchas partes, que se labre otra iglesia, tal e tan bien que no aya otra su igual.» Según tradición, uno de los capitulares dijo: «Hagamos una iglesia tan grande que los que la vieren acabada nos tengan por locos.»

Se iniciaron las obras sin ayuda económica del rey y con los solos fondos de que disponía la propia catedral. Se concluyeron las obras 119 años más tarde y en efecto llegó a buen término y realidad el propósito puesto que ha sido y es la mayor catedral de España.

En 1403 volvió a recrudecerse en Sevilla la lucha entre magnates cometiéndose nuevos crímenes a lo que puso término el rey don Enrique en forma enérgica y decidida, pues, presentándose de improviso en la ciudad, mandó cerrar las puertas de las murallas y prender a cuantos habían intervenido en los desmanes y muertes. Condenó a la última pena al conde Niebla y a don Pedro Ponce de León, a los cuales más tarde conmutó este castigo por el de destierro de Sevilla, destituyó a los alcaldes y nombró un corregidor y cinco fieles ejecutores. Muchos de los criados de ambas casas rivales fueron condenados a duras penas. Otras medidas de pacificación que tomó don Enrique fueron la de prender y castigar al arcediano de Écija que había promovido la matanza de judíos años atrás, y las de quienes más se significaron en aquel suceso.

Finalmente, Sevilla debe a don Enrique en esta época la fundación del Hospital de Santa María, donde hoy está el convento del mismo nombre, frente al palacio arzobispal. Muerto el 29 de diciembre de 1406, en la prematura edad de 27 años, dejó don Enrique a España en difíciles circunstancias para su gobierno, como lo son todas las minorías reales. El nuevo monarca, don Juan II, tenía menos de dos años y como era natural se disputaron los principales señores la influencia política.

Reinado de don Juan II

En medio de las luchas de la nobleza y de las dificultades económicas que ocasionaban, Sevilla experimentó pocos progresos. Al contrario, se ocasionaron grandes destrucciones en 1444 con ocasión de la llegada a Andalucía de un ejército navarro al mando del cual venía el infante don Enrique de aquella región, que se apoderó de Carmona y puso sitio a Sevilla donde el hambre ocasionó estragos. Fue la causa principal de esta guerra el que don Álvaro de Luna, favorito, consejero y primer ministro del rey, se había adelantado a su tiempo como antes le ocurrió a don Pedro I y como antes a don Alfonso *el Sabio.* El ideal político del condestable don Álvaro de Luna era conseguir la unidad territorial de España y someter a la nobleza bajo el poder real.

Estos ideales políticos que llegaron a tener realidad en tiempos de los Reyes Católicos, no podían, ni en el siglo XII ni en el XIV ni en estos primeros años del XV encontrar posibilidad de realizarse. Así, del mismo modo que la nobleza unida al rebelde don Sancho derrotó a don Alfonso, y de la misma manera que esa nobleza con aliados extranjeros aniquiló a don Pedro, ahora se enfrentaba al poder real mantenido fielmente por el condestable de Luna, y las naciones extranjeras y los reinos aún no fusionados con Castilla, ayudarán gozosamente a impedir el fortalecimiento del poder del monarca castellano para suprimir el peligro de una Castilla convertida en gran potencia europea.

Muerto don Álvaro de Luna por la condena que la debilidad del rey don Juan II, a quien tanto había servido, dictó contra él, no pudo resistir el monarca los remordimientos y un año más tarde murió dejando el reino en manos de su hijo don Enrique IV. (21 de julio de 1454.)

Reinado de Enrique IV

Una figura que ilumina con resplandores de caridad la ciudad de Sevilla en los primeros años de este siglo es doña Guiomar Manuel, dama que dedicó la mayor parte de su vida a ejercitar activamente no sólo el amor al prójimo, sino también el cariño hacia la capital de Sevilla en la que por cierto no había nacido sino que según parece había visto la primera luz en Roma.

Doña Guiomar, sabiendo que la cárcel real era un edificio lóbrego, húmedo, donde los presos enfermaban por las pésimas condiciones de higiene, movida a compasión costeó de su peculio la construcción de un nuevo edificio para cárcel en el año 1418. Consiguió doña Guiomar que el rey cediera cierta cantidad de agua de la que por los Caños de Carmona iba al Alcázar y de la que el monarca hacía merced para algunos edificios de la iglesia, de la nobleza, o de servicio público. De este modo la cárcel nueva tuvo ya agua corriente tanto para el aseo de los presos como para beber evitándoles a éstos y a sus familias las incomodidades que suponía el llevarla de fuera en cántaros.

También se debe a la generosidad de doña Guiomar el haber pavimentado con ladrillo varias calles de la ciudad, de cuya obra de pavimentación queda todavía recuerdo en el nombre de la calle Enladrillada.

Fue enterrada doña Guiomar, quien murió joven, en la Catedral, en la capilla de San Pedro, y dejó en su testamento toda su fortuna para conventos pobres, limosnas a personas menesterosas y obra de fábrica de la construcción de la catedral.

En esta época participarán los sevillanos en la conquista de Gibraltar, plaza fuerte que había sido durante varios siglos amenaza constante para la tranquilidad del sur de España.

Volvieron otra vez, y precisamente a consecuencia de las rivalidades por la gloria y provecho de la conquista de Gibraltar, escándalos y luchas entre los Ponces y los Guzmanes con nuevas muertes en las calles de Sevilla. En 1474 estos sucesos determinaron tal temor entre el vecindario por la inseguridad en que se vivía, que los hortelanos y labradores del Aljarafe no se atrevían a traer víveres a la capital, lo que determinó tal carestía de precios que mucha gente moría de hambre.

Por fin, en diciembre de aquel año murió don Enrique IV cuyo reinado había sido calamitoso y después de los sucesos de armas entre el partido de doña Juana *la Beltraneja* y el de doña Isabel, quedó ésta como reina de Castilla, pacificado el reino en 1476. A pesar de la incertidumbre en que se vivía y de las graves dificultades económicas por que atravesaba Sevilla, en 1475 se construye el maravilloso edificio mudéjar del convento de Santa Paula, uno de los más bellos conventos sevillanos, fundado por doña Ana de Santillán, que fue su primera priora.

CAPÍTULO IX

REINADO DE LOS REYES CATÓLICOS

La primera providencia dictada por los Reyes Católicos en beneficio de Sevilla, fue señalar el valor de la moneda para acabar con la anarquía económica que padecía.

En 1475 autorizan la instalación de los muelles de la ciudad en la orilla del río junto a la Torre del Oro, con lo que termina la existencia del viejo puerto que estaba algo más arriba desde tiempo de los árabes al pie de la Puerta Real y bajo Barqueta y la calle de Goles y barrio de Dársena. Estas dos disposiciones reales se dictan cuando todavía hervía la guerra en España y no se había ganado la batalla de Toro contra el pretendiente don Alfonso de Portugal.

Meses después se crea la Santa Hermandad, instituto que parece pensado expresamente para devolver el sosiego y el orden a Sevilla y a la región andaluza. Así debió ser, pero los nobles intentaron dificultar el desarrollo de la nueva institución de orden público, por lo que el Ayuntamiento mediatizado por los bandos de Guzmán y Ponce organizó un simulacro de Hermandad que no era exactamente lo que la reina había mandado. Entonces ella insistió en términos tales que obligó a la ciudad a crear la verdadera Santa Hermandad para el castigo de los delincuentes.

En esta época existe en Sevilla una institución sumamente original. Existiendo muchos negros, tanto esclavos como libres traídos de Túnez y de Guinea, los reyes nombraron un juez llamado Juan de Valladolid para entender en los pleitos y casamientos de los de dicha raza. Fue éste el que vulgarmente se conoció por el nombre de *Conde*

Negro y del cual tomó su denominación una calle próxima a la capilla donde los negros celebraban sus cultos religiosos, llamada capilla de los Ángeles o de la Fundación.

En 1483 en la guerra contra los moros de Granada participaron muchos y muy buenos caballeros sevillanos, los cuales hicieron bizarros hechos de armas. Uno de ellos, don Pedro de Pineda, cayó prisionero de los moros en el desgraciado desastre de la Axarquía de Málaga y, para pagar su rescate, vendieron sus padres la casa que tenían en San Juan de Palma y que pasó a ser propiedad de la familia de los Ribera que la transformó y embelleció. Es ésta la edificación que conocemos con el nombre de Palacio de las Dueñas y que en el siglo XVI fue sumamente mejorada sin perder su estilo mudéjar.

Del mismo tiempo es la Casa de Pilatos o Palacio de los Duques de Medinaceli, que comenzó a labrar el Adelantado don Pedro Henríquez, casado con doña Catalina de Ribera, bellísimo palacio renacentista.

Existe una leyenda según la cual en 1518, al regreso de su viaje a **Jerusalén don Fadrique** Henríquez Ribera, hijo de ambos, trajo las medidas del Vía Crucis, tomadas en los mismos lugares del recorrido de Jesús desde el Pretorio al Gólgota y que las trasladó en la ciudad formando las estaciones del Vía Crucis desde el Palacio de Medinaceli hasta la Cruz del Campo. Según esta leyenda, el hecho de iniciarse el Vía Crucis en el Palacio sería lo que dio lugar a que se llamase a éste, vulgarmente, la Casa de Pilatos.

Sin embargo, parece que no tiene fundamento esta tradición, ya que el viaje de don Fadrique es en 1518, mientras que el templete de la Cruz del Campo, según testimonios documentados, recogidos por varios historiadores y críticos, entre ellos Zúñiga, data de 1482. Estos templetes con una Cruz no son forzosamente terminales de Vía Crucis, ya que existe otro igual en Ávila sin relación alguna con la devoción del Vía Crucis. También del mismo tiempo son las casas del canónigo Jerónimo Pinelo y de su hermano don Pedro en la calle de Abades, de bella arquitectura mudéjar.

Las calles

Sevilla en esta época en que se construye la catedral es una ciudad trepidante de ruidos. Trabajan los maestros canteros al aire libre labrando la piedra junto a la misma obra. Rechinan por las calles inmediatas a la catedral las carretas en que se transportan los grandes bloques de granito. Yuntas de bueyes se apacientan en las huertas que hay alrededor del convento de Santa Clara. Junto a la calle de San Vicente tienen sus talleres los caldereros que martillean de sol a sol, con un estrépito incesante. Todas las casas tienen su corral y la noche está poblada de quiquiriquíes de gallo, alertas de soldados en los torreones de la muralla, y entrechocar de chuzos, lanzas y espadas de la ronda nocturna. En la Laguna, donde hoy está la Alameda de Hércules, cantan las ranas entre los juncos ruidosamente. También hay ranas en las charcas que se forman al pie de la muralla en el foso exterior. La actual calle de Gravina se llamaba calle de Cantarranas. De hora en hora, día y noche estremecen el aire las campanas de todos los conventos con sus toques de laudes, de maitines, de vísperas y de completas. Al amanecer vienen las recuas desde Alcalá de Guadaira trayendo el pan, y desde el Aljarafe las hortalizas y frutas para los mercados. Hay gritos de pregones por todas las esquinas.

La poesía

Un día, durante el reinado de don Juan II, ha llegado a Sevilla un poeta viejo, mezcla de pícaro y de juglar. Había nacido en Illescas, la villa de los hidalgos de Toledo. Dio mala vida a su primera mujer y ahora en castigo le toca sufrir de la segunda duelos y achaques, y celos y vejez. Villasandino, que ya no es el poeta cortesano decidor y alegre que había sido en sus mocedades, recorría España vagabundo, dando el oro de sus versos a cambio del cobre de alguna pequeña limosna. En Sevilla se encuentra sin recursos, como es en él enfermedad común. Acude al Consejo demandando un socorro: «Sennores, para el camino dad al de Villasandino.»

Los alcaldes encuentran de su gusto al poeta viejo. Le obsequian con dineros y «pannos»; esos paños tejidos con lanas de las ovejas de Cazalla de la Sierra y del Pedroso que tan bien se tiñen de pardo, de azul y de bermejo en estas tintorerías que usan en sus pilas el agua del Guadalquivir. Villasandino encuentra Sevilla de su gusto. Hace un alto de algunos días y se propone cantar las alabanzas agradecidas a la ciudad. No le cuesta demasiado trabajo ensalzar a Sevilla en sus versos, porque a más de rica y generosa la ciudad es grande, noble, bien guarnecida de murallas, vistosa, de edificios ilustres. Alfonso Álvarez de Villasandino escribe entonces sus mejores versos:

Linda sin comparación
claridad e sol de España
placer e consolación
briosa ciudad extraña
el mi corazón se baña
en ver vuestra maravilla
muy poderosa Sevilla
guarnida de alta compaña.

El primer testimonio histórico de un platillo volante

Dos escritos, que datan del año 1464, nos dan motivo para la sorpresa y la estupefacción. Uno es del cronista Alonso de Palencia, y otro de Diego Enrique del Castillo, ambos cronistas del rey don Enrique IV, y el segundo de estos autores, sacerdote.

Aseguran ambos, que cierto día hubo un fenómeno maravilloso y nunca visto. Árboles del Alcázar fueron arrebatados en el aire y, sacados de raíz, arrojados por encima de las murallas afuera. Una torre del Alcázar se vio como cortada con un cuchillo. Una estatua del rey don Pedro, de piedra, con su diadema, que estaba en los jardines sobre un pedestal de mármol, desapareció y nunca más volvió a ser encontrada. Numerosos arcos de los Caños de Carmona cayeron por tierra, pero sin que el hundimiento súbito produjera ningún ruido. Y personas dignas de crédito y niños inocentes afirmaron haber visto en el aire gentes armadas.

Este suceso excepcionalmente raro, tiene cierta semejanza con algunos testimonios que en los años de 1960 se han leído en los periódicos, respecto a los platillos volantes. Objetos arrebatados, árboles arrancados de cuajo, plantas que perdieron su verdura, hundimientos de edificios sin ruido, y gentes que vienen por el aire.

Las calamidades

En el año 1481 el río se salió de madre «de manera que llevó e echó a perder el Copero que habían en él ochenta vecinos, e otros muchos lugares de la ribera. E subió la creciente por el almenil de Sevilla e por la barca de Coria, en lo más alto que nunca subió; e estaba la ciudad en mucho temor de ser perder por agua».

A la inundación terrible que pudo hacer desaparecer la ciudad, según nos cuenta el cura de Los Palacios, Andrés Bernáldez, hay que sumar la epidemia de peste, cuyo contagio ocasionó la muerte de más de quince mil personas en Sevilla; y otras tantas en Córdoba; y más de ocho o nueve mil personas en Jerez y en Écija.

En enero de 1481 se había establecido en Sevilla, en el convento de San Pablo, el Santo Tribunal de la Inquisición. Fueron sus promotores el prior de los Dominicos de dicho convento, fray Alonso Ojeda y el Asistente de la ciudad, Diego de Merlo, quienes en 1477 habían propuesto a los Reyes Católicos la creación de un Tribunal para inquirir, reprimir y castigar a los conversos que volvían a judaizar. El historiador del reinado de los Reyes Católicos, Bernáldez, cura de Los Palacios, dice que el Tribunal comenzó sus funciones «prendiendo a muchas personas de calidad de los más honrados e de los más ricos Veinticuatros y jurados, bachilleres, letrados e hombres de mucho valor». Fue tan crecido el número de los presos que no cabiendo ya en los encierros del convento de San Pablo, los inquisidores se trasladaron y con ellos el Tribunal al castillo de Triana. Se produjeron durante el año numerosos autos de fe, y cuando a causa de la epidemia no fue posible al Santo Tribunal continuar su labor en Sevilla, se trasladó temporalmente a Aracena.

El rigor de los inquisidores produjo universal escándalo, y quejas que llegaron hasta Roma, motivando que el Papa Sixto IV enviase dos Breves durante el año 1483 en uno de los cuales amonestaba a los inquisidores amenazándoles con privarles del oficio.

Fin de la guerra de Granada

La participación de Sevilla en anteriores guerras contra los moros inspiró a los Reyes Católicos la mayor confianza en que esta ciudad podría facilitarles los medios naturales para acabar con los altos baluartes que quedaban al islamismo en la Península Ibérica. A este efecto envió la reina Isabel cartas en las cuales pedía hombres, caballos y víveres. Participó con largueza la ciudad tanto en la toma de Alhama como en la de Málaga aportando quinientos caballos y cinco mil peones y centenares de carretas cargadas de armamento y vituallas para la primera de las campañas y mayor número, siete mil quinientos infantes y todos los caballeros y nobleza con el pendón de la ciudad, para la conquista de Granada.

Expulsión de los judíos

Conseguida la capitulación de Granada y dueños ya los cristianos de todo el territorio peninsular, pensaron los Reyes Católicos expulsar a los judíos a fin de conseguir la unidad religiosa lo mismo que habían conseguido la unidad territorial de Castilla y Aragón. En 30 de marzo de 1492 se promulgó el edicto de expulsión. El cura de Los Palacios cifra el total de judíos que hubieron de salir de España en treinta y cinco o treinta y seis mil familias que dan una cifra total de alrededor de ciento ochenta mil individuos. Tanto en la creación del Tribunal de la Inquisición, como en la expulsión de los judíos, y ésta, según el cura Bernáldez, efectuada en manera tan lastimosa que muchos de ellos viejos o enfermos se iban muriendo por los caminos y las mujeres dando a luz a la intemperie en los campos, han encontrado abundante pretexto para fomentar la leyenda negra contra España. Sin embargo, debe tenerse en cuenta que muchos otros países habían efectuado en fechas anteriores las mismas persecuciones por motivos religiosos. La dispersión de los judíos en tiempos del Imperio romano; las matanzas de judíos en los países del centro y del oriente europeo; y algo después las ejecuciones de católicos en Inglaterra en tiempos de Enrique VIII y de Isabel I; la matanza de los hugonotes en la noche de San Bartolomé; «pogromos» de la Rusia zarista ortodoxa y de la católica Polonia, son muestras de que en todos los tiempos, en todas las latitudes y bajo todos los regímenes y en nombre de todas las creencias, han existido semejantes hechos de intolerancia religiosa y de crueldades y matanzas. Parece ser más bien éste, un defecto inherente a toda sociedad humana y por consiguiente no está justificado el que los historiadores, principalmente ingleses, franceses y alemanes lo hayan utilizado para denigrar solamente a España viendo la paja en el ojo ajeno. Quede pues bien sentado que en España tanto las persecuciones y expulsión de los judíos en el siglo XV, como la implantación y actuación del Tribunal Inquisitorial, fueron episodios comunes a otros muchos países y de los que no se nos puede acusar de exclusivismo. En Sevilla la Judería se había suprimido como barrio aparte el año 1391, y los judíos vivían ya mezclados con el resto de la población cuando se produjo la Cédula de su expulsión, 1492.

Colón en Sevilla

En éste de 1492 emprende su viaje al Nuevo Mundo Cristóbal Colón. En los últimos tiempos parece haber quedado suficientemente demostrado que Cristóbal Colón, mercader de libros de estampa, no había averiguado solamente por obra y gracia de su «sutil ingenio» la redondez de la Tierra y el posible camino para llegar a Indias. Cristóbal Colón habló con los supervivientes de un pesquero onubense, los cuales, empujados por el temporal, habían navegado hasta las costas del archipiélago de las Antillas. Supo Colón aprovechar los informes que ellos le facilitaron, informes técnicos, ya que se trataba de gente de mar, y así pudo, con relativa seguridad, emprender su viaje por el único itinerario que permitía encontrar tales islas con el recorrido más breve.

Lo difícil en el viaje a aquellas costas misteriosas no era la ida sino la vuelta. Aprovechando los alisios se puede hacer fácilmente la ruta desde las Canarias al mar de los Sargazos. Pero al regreso hay que remontar muchas millas al norte y aprovechar los vientos que soplan hacia el Este. Si observamos en el mapa el trayecto del primer viaje de Colón, encontramos que coincide exactamente con la línea de desplazamiento de las más importantes corrientes de los vientos, lo que descarta la casualidad y nos afirma en la idea de que Colón estaba muy bien informado. (He obtenido estos datos a través de mi buen amigo el ilustre marino vicealmirante don Eduardo Gener.)

Colón llegó a Sevilla a mediados de mayo de 1492, y el conde de Cifuentes, Asistente de la ciudad, le facilitó, por orden de los Reyes Católicos, mantenimientos o víveres para las naves que traían orden de aprestar en el puerto de Palos.

El viaje de Colón

Los Reyes, para evitar dificultades en la empresa proyectada, manejando hábilmente con una mano el pan y con la otra el palo, ordenaban en una carta la entrega de tales víveres, mientras en otra carta ratificaban ciertos privilegios y beneficios que habían concedido a los navegantes de Sevilla los reyes anteriores.

Efectuada su requisa marchó Colón a Palos de Moguer donde inició su glorioso viaje descubridor y al año siguiente, a principios de abril, regresó a Sevilla de vuelta triunfal de su hazaña.

Fue la nuestra la primera ciudad que le dispensó clamoroso recibimiento en el que participaron las autoridades y el pueblo con estruendosa alegría. Colón siguió desde aquí a Barcelona para dar cuenta de su éxito a los Reyes. Pasados dos meses, en julio, vino nuevamente el Almirante a Sevilla con nuevas órdenes para equipar una gran flota, en la que se enrolaron mil doscientos hombres, se embarcaron cientos de caballos, vacas y cerdos, animales que no existían en las Indias; y como dato pintoresco, señalaremos que una vez empezada la navegación se encontraron escondidos en las bodegas de los barcos hasta centenar y medio de polizones, en su totalidad jóvenes de Sevilla ganosos de participar en la empresa. Van en este segundo viaje, fray Pedro Boil, monje de San Benito con doce eclesiásticos sevillanos, entre ellos el licenciado Bartolomé de las Casas. También en este segundo viaje iba el capitán Alonso de Ojeda, quien en Sevilla había dado mucho que hablar años antes en ocasión de estar aquí los Reyes Católicos viviendo en el Alcázar.

Alonso de Ojeda en la Giralda

Ocurrió que Ojeda, que era un niño de 15 años, se subió a la Giralda donde estaban haciendo obras y por una viga que sobresalía fuera de la torre en diez varas, salió al exterior haciendo equilibrio y desde allí, para llamar la atención del público que salía de la misa en la catedral, arrojó una de las naranjas que llevaba en el bolsillo. Los Reyes y su comitiva miraron hacia arriba y vieron horrorizados cómo el niño, manteniéndose en la punta de la viga, sacaba otras dos naranjas y empezaba a jugar arrojándolas al aire para volverlas a coger. Parecía que de un momento a otro iba a caer y matarse. Cuando terminó su juego volvió por la viga hasta el campanario y bajó a la calle donde fue cogido por los guardias quienes lo llevaron a presencia de doña Isabel. Alonso era paje de la casa real y dijo a Su Alteza que había hecho aquello para que se fijasen en él y viendo su valor le hiciesen merced de una plaza en el ejército, pues no temería a los enemigos como no había temido a la caída. La reina le dio una banda de alférez pese a su corta edad, y cumplió como muy buen caballero en las campañas de Granada y en este segundo viaje de Colón como en otros siguientes y llegó a ser gobernador de Castilla del Oro (Colombia). Murió viejo y pobre en un convento franciscano.

Hernando Colón y sus libros

Las relaciones de Colón con Sevilla fueron siempre buenas y amó mucho a nuestra ciudad. Muerto en Valladolid, estuvo depositado en Sevilla en la Cartuja antes de embarcarse sus restos para Santo Domingo.

Su hijo, don Hernando Colón, ilustre hombre de letras y el primer bibliógrafo y bibliófilo del mundo, tuvo casa en Sevilla, y su muerte en 12 de julio de 1539, dejó su valiosísima biblioteca al Cabildo de esta Catedral. Tal es el origen de la Biblioteca Colombina instalada en el Patio de los Naranjos, de nuestro templo metropolitano.

Como curiosidad señalaremos que Hernando Colón durante casi treinta años viajó por Europa y compró infinitos libros en los cuales anotaba de su puño y letra dónde y a qué precio los había comprado. «Este libro costó en Londres un pening por julio de 1522 y el ducado de oro vale 54 pening. Está registrado 768», o «Este libro costó en Nuremberg un fening por deciembre de 1521 y el ducado de oro vale 344 fening. Consta en el ABC que es el 10877 del registro».

Nebrija

No podemos olvidar antes de cerrar este siglo, la figura eminente de Antonio de Nebrija, nacido en la ciudad de Lebrija y una de las mayores glorias de las letras hispalenses.

Durante tres años, a los treinta años de edad, estuvo al servicio de don Alonso de Fonseca, arzobispo hispalense, fue el mayor latinista de su tiempo y el cardenal Cisneros le encargó la revisión de los textos latinos y griegos de la Biblia Políglota Complutense. Escribió en 1492 la *Gramática Castellana* que es la primera gramática que ha existido de un idioma moderno. No debe pasar inadvertido el hecho de que el idioma castellano a quien más debe en su disciplina gramatical sea precisamente a un andaluz pese a la fama que nuestra región tiene, injustamente, de vulnerar la gramática en sus partes de prosodia y de ortografía.

Desaparición de los ajimeces y nacimiento del «cierro»

La fisonomía de las calles sevillanas, durante la época árabe y los siglos siguientes a la Reconquista, había tenido como nota característica el «ajimez». Era éste, una especie de cajón con celosías sobresaliendo de las fachadas de las casas. La reina doña Isabel *la Católica*, quizá porque estos ajimeces moriscos se prestaban a que los galanes hablasen con las mujeres sin ser ellas vistas, en pleno día, y quizá también porque los ajimeces daban a la ciudad más aspecto musulmán que de país cristiano, los mandó arrancar. Según José de las Cuevas, en el Ayuntamiento de Sevilla hay una cuenta de «dos mil e trescientos veinte maravedises solamente por el trabajo de arrancar los ajimeces de la calle Francos». Naturalmente, el vecindario de Sevilla no podía conformarse, y así como una fórmula intermedia entre el ajimez morisco, y el ventanuco castellano, nace el «cierro» o mirador, más airoso que cualquier otro tipo de balcón o ventana de toda la arquitectura europea.

El puerto, en los Humeros

En el año 1492 todavía el Puerto de Sevilla no estaba en el lugar inmediato a la Torre del Oro sino mucho más arriba, hacia la Barqueta. En la terminación de la calle Guadalquivir, al pie de la Puerta de San Juan, estaba el «Ingenio» o «Machina» que era una máquina para cargar y descargar los barcos, o sea una especie de grúa. Esto dio a la Puerta de San Juan el nombre de Puerta del Ingenio.

En la Barqueta, o Puerta de la Almenilla había muelles, que ya en la época de los árabes habían servido para las embarcaciones reales, o falúas, ya que el palacio de verano de los reyes moros estaba en el actual convento de San Clemente.

El puerto ocupaba desde la Barqueta, aguas abajo, hasta el llamado Barrio de los Humeros, donde las calles todavía conservan nombres que recuerdan su dedicación marinera: calle Bajeles, calle Dársena, y algo más allá, pasando la muralla, estaba la calle Redes. Es decir, la zona portuaria comprendía desde la Puerta de la Almenilla o la Barqueta, hasta la Puerta de Goles posteriormente llamada Puerta Real.

En el cauce del río, y como vestigios de su antigua división en brazos, quedaban dos islas, una situada en medio del río a la altura de la Barqueta, y otra también en el centro del río, exactamente enfrente de la Cartuja de las Cuevas, y de la calle Baños. Ambas islas servían de atracadero de barcos.

La Aduana para el pago de los derechos de las mercaderías que se desembarcaban, estaba situada junto al convento de frailes de Santiago dc la Espada, en el lugar hoy llamado Husillo Real.

El puerto se desplazó hacia abajo, cuando la Aduana fue llevada junto al Postigo del Carbón, al producirse el descubrimiento de América, es decir, cuando el año 1503 se creó en virtud de una Cédula Real, expedida el día 14 de enero de dicho año, la Casa de Contratación de Sevilla. La Aduana permaneció en el lugar inmediato al Postigo del Carbón hasta que a fines del siglo XVI se trasladó al nuevo edificio de las Atarazanas. El traslado de la Aduana llevó la «machina» o «ingenio» junto a la Torre del Oro.

La riqueza de Sevilla en lo industrial a principios del siglo XVI era extraordinaria. En Triana, el año 1500 funciona la fábrica de jabones mayor que existía entonces en el mundo. Se llamaba «La Almona del Jabón», y era propiedad de los duques de Alcalá.

En ella se manipulaban cada año de cincuenta a sesenta mil arrobas de aceite, y se elaboraban más de quince mil quintales de jabón, de calidad fina, llamado jabón blanco, que se exportaba no sólo a Castilla, sino a Francia, Inglaterra, Flandes y otros países.

Otra industria importantísima fue en los años 1500 el arte de la seda, que todavía como vestigio nos ha dejado el nombre de la calle Arte de la Seda, cerca de la Barqueta. Se elaboran ricas telas, las cuales se exportaban a toda Europa.

Asimismo fue muy productiva la industria de la cerámica, fabricándose azulejos muy bellos, y cantidades inmensas de loza para mesa, con la particularidad que se llamaba, no sabemos por qué, «loza de Málaga». Había más de cincuenta fábricas, y ello daba trabajo a infinidad de artesanos.

Nicoluso Pisano

Por los años 1500 se produce la gran renovación de la cerámica trianera, que hasta entonces había cultivado los estilos tradicionales árabes. Ello fue debido a la llegada a Sevilla de un célebre pintor italiano Nicolás de Pisa, o Nicoluso Pisano, como se le suele llamar en su tiempo.

En 1502 hizo el bellísimo retablo de la *Visitación de la Virgen a su prima Santa Isabel* para una capilla del Alcázar. En 1504 otro retablo de la *Coronación*. Con estas dos sobras introdujo la pintura de figuras y composición en el arte cerámico demostrando que la pintura podía hacerse en azulejos lo mismo que en lienzo, y con más durabilidad. Ello abrió el camino a otros muchos pintores y dio un gran progreso a la azulejería trianera.

También se le debe la soberbia portada del convento de Santa

Paula, modelo del arte mudéjar, hecho en 1508.

Mientras maese Nicoluso Pisano pinta sus magníficos retablos para los palacios, conventos e iglesias de los años 1504 a 1520, hay otro gran pintor, especializado en trazar imágenes religiosas sobre el lienzo. Se llama Manuel Sánchez de Guadalupe. Debió ser el pintor de moda en la Sevilla de entonces porque gana mucho dinero. Se compra una casa en la collación de San Lorenzo. Precisamente a la entrada de la calle de Santa Clara. Las casas tienen patio y huerta. Las acomodó para vivir confortablemente. Parece que con los pinceles sabía hacerse su capitalito el pintor de imágenes, Manuel Sánchez de Guadalupe. Pasando el tiempo esas casas han venido a ser el palacio del barón del Sabazona, edificio derribado en 1962, hoy casas de pisos en la calle Santa Clara número 1.

Por estos años florece en Sevilla con singular belleza el arte gótico y se construye el retablo del altar mayor de la Catedral iniciado por el artista flamenco Dancart que falleció en 1492 dejando sin concluir su obra que había de ser terminada más tarde por los hermanos Jorge y Alejo Fernández Alemán.

También en estos últimos años del siglo XV se comienza a construir el palacio del Adelantado de Andalucía, don Pedro Henríquez y su mujer doña Catalina de Ribera, llamado comúnmente la Casa de Pilatos.

Llegada de los gitanos

Poco después de la toma de Granada empieza a plantearse en Andalucía el último de nuestros problemas raciales: la llegada de los gitanos.

Esta raza procedía de la parte norte de la India, región de Hyderabad y estuvo constituida por una serie de tribus llamadas sind-an que significa hombre de los llanos. Estas tribus del Sind habían sido expulsadas de su territorio por el emperador mongol Timur-Bek o Tamerlán, teniendo que refugiarse en Egipto. Sin embargo, pasado algún tiempo comenzaron a resultar huéspedes enojosos por lo que el rey los expulsó, dirigiéndose entonces a Rumania, desde donde siguieron a Checoslovaquia. Allí se dividieron en tres grupos, uno de los cuales se esparció por el Oriente europeo, otro se dirigió hacia Alemania y los Países Bálticos y finalmente, el tercero vino a España, donde entró por Barcelona el 11 de junio de 1447 procedentes de Marsella. Lentamente se habían ido esparciendo por la Península, y desde 1470 comienzan a dictarse pragmáticas reales para fijarles domicilio estable a fin de que abandonasen el nomadismo que les era habitual. Sin embargo los gitanos no cumplieron los mandatos reales de tomar oficio conocido, dedicándose al canto, al baile y a la adivinación o buenaventura. Para protegerse contra el rigor de los alguaciles reales, se pusieron bajo la tutela de los grandes señores de la nobleza a quienes divertían con sus músicas y danzas. Estos señores los incorporaron a su servidumbre y les señalaron lugares como el Sacromonte o el Albaicín de Granada en los que los alguaciles reales no se atrevían a perseguir por no enojar a la nobleza. Por otra parte, el vulgo les tenía lástima y los encubría. Esta tutela y protección de los grandes señores permitió a los gitanos usar los apellidos de aquéllos según costumbre entre los escuderos y criados de casa grande. Ello explica que los gitanos lleven los mismos apellidos que las casas más ilustres de la aristocracia de nuestra Reconquista: Vargas, Heredia, Zúñiga, Mendoza, etcétera.

Fundación de la Universidad

El comercio se venía haciendo en los alrededores de la catedral y en el Patio de los Naranjos que venía a ser lo que ahora es la calle Sierpes y sus cafés, reuniéndose allí los tratantes y corredores que vendían al por mayor granos y otros productos agrícolas y asimismo innumerables tendezuelas y puestos de telas y perfumes. Los días de lluvia no vacilaban los mercaderes y corredores en ponerse a cubierto del agua, metiéndose en las capillas que rodeaban el Patio de los Naranjos, irreverencia que daba lugar a constantes protestas del Cabildo.

Otras importantes mejoras de la ciudad son, por esta época, la fundación del Colegio Mayor de Santa María de Jesús, elevado luego a Estudio General y que más tarde se denomina Universidad Literaria de Sevilla. Fue creado dicho Colegio por maese Rodrigo Fernández de Santaella en los últimos años del siglo XV y estaba situado junto a la Puerta de Jerez, conservándose todavía hoy su pequeña capilla.

La imprenta en Sevilla

El principio de la imprenta en Sevilla no está aún totalmente dilucidado. Se sabe que apenas inventada por Gutemberg en Maguncia, algunos de sus discípulos, o los de su socio Lorenzo Coster, se dirigieron a España, donde esperaban hacer fortuna. Debe haber algunos impresos menores, hechos hacia 1450 pero que por no llevar pie de imprenta, se ignora que estén hechos en Sevilla.

El primer libro datado con certeza en Sevilla lo hizo en 1477 uno de los talleres ambulantes de los llamados «compañeros alemanes» y fue el *Repertorium*, escrito por Alfonso Díaz de Montalvo.

Hasta finales del siglo siguen siendo casi exclusivamente «compañeros alemanes» quienes ejercen el oficio de impresores en Sevilla. La primera imprenta que hubo en local fijo y ya de asiento fue la de Jácomen Cromberger, instalada en la calle que por ese motivo se llamó calle del Imprimidor, o calle de la Imprenta, y que ahora llamamos calle Pajaritos, donde una lápida extensamente lo recuerda.

Entre los primeros «compañeros alemanes» figuran cuatro que formaron sociedad, y que se llamaban Pablo de Colonia, Juan Pegnitzer, Magnus y Thomas. Imprimieron bellísimos libros en Sevilla hacia 1490. Posteriormente trabajan como impresores y abren talleres propios un alemán y un español llamados Pedro Braun y Juan Gentil, hacia 1492. Por la misma época, otro alemán y un polaco llamados Meinardo Ungut y Stanislao Polono, con quienes se cierra el siglo XV.

Ya en el XVI los impresores son sevillanos, como Martín Montesdoca en 1550, Fernando Díaz, 1588, etc. Las principales imprentas, además de la de la calle Pajaritos (que enviaba sus libros a América, por privilegio Real), estaban establecidas en la calle Génova, hoy Avenida de José Antonio, en la calle de la Plata, hoy Laraña, y en la calle Sierpes. Los impresores solían poner el nombre de esta última calle en latín, y así es frecuente leer los pies de imprenta de sus libros: «In Via Serpentina».

Junto con las imprentas dedicadas a libros, hemos de citar otra dedicada a estampas y a naipes, también instalada en la calle Sierpes, que era propiedad de un francés llamado Pierre Papin, en la segunda mitad del siglo XVI y que es citada por Cervantes.

Fin de la Edad Media sevillana

Con la muerte de los Reyes Católicos y la despedida de Cisneros había resucitado en parte el espíritu individualista de la nobleza española, intentando recuperar sus privilegios pasados. En 1520 Carlos I viene a España con su séquito de flamencos y alemanes a quienes entrega importantes cargos del Gobierno y de la Iglesia, entre ellos la Sede Primada de Toledo y el oficio de Aposentador Real, así como el empleo de Contador General o Ministro de Hacienda. La nobleza española en gran número se levanta contra el rey por entender que los nombramientos de aquellos extranjeros perjudicaban sus intereses. Al mismo tiempo, los municipios más poderosos, como el de Toledo, se alzan también en armas contra el poder centralista del rey. Esta guerra llamada de las Comunidades es realmente la última de las guerras de la aristocracia contra los monarcas; la última guerra de la Edad Media de Fueros y privilegios contra la legislación general; la última guerra de los señores que defendían su derecho a tener pendón, o sea mesnada propia, contra el rey que quiere ser el único que tenga un ejército nacional; la última guerra del sistema de horca y cuchillo con el que los duques, condes y marqueses aplican la justicia sobre sus vasallos, frente al sistema territorial de las justicias reales y las chancillerías; la última guerra, en fin, de los prelados belicosos, del manteo rojo sobre la armadura de hierro, que desde el obispo Gelmírez hasta el obispo Acuña galopan al frente de sus tropas sobre los campos de la Reconquista. Aquí termina, pues, la Edad Media española.

El 12 de febrero de 1502 es la fecha en que podemos considerar terminada la Edad Media sevillana, al cerrarse la última mezquita musulmana de la ciudad; los últimos mahometanos que oficialmente profesaban esa religión fueron maestre Mohamed Recocho, maestre Mohamed Dayma, maestre Mohamed Saganche, Alí Aguja, Inza Toledano, Alí Faran y Alí Mayon, los cuales viendo que todos sus correligionarios se habían convertido al cristianismo, decidieron marchar a Marruecos, liquidándose así los últimos restos de la Morería que aún existía en el barrio que hoy ocupa la plaza del Cristo de Burgos y calles inmediatas. (El documento de liquidación de la Morería ha sido descubierto, recientemente, por el profesor don José Hernández Díaz.)

CAPÍTULO X

EDAD MODERNA
MOVIMIENTO COMUNERO CONTRA CARLOS I

Naturalmente, la nobleza andaluza, la más levantisca según hemos visto en las luchas de los Ponces y los Guzmanes, y la que disfrutaba mayores preeminencias, tomó parte en la rebeldía en favor de los Comuneros.

Don Francisco Ponce y don Juan de Figueroa del bando del duque de Arcos, el tesorero Luis de Medina, los Perafanes, algunos Tellos y don Juan de Guzmán, Caballero Veinticuatro y que había sido procurador de Sevilla en las Cortes de La Coruña, se reunieron en San Pablo, y acordaron ocupar por fuerza de las armas el Real Alcázar. Mandó esta acción el capitán don Juan de Figueroa, facilitando dinero y armas el duque de Arcos. Provistos de la artillería y con trescientos hombres se dirigió la hueste rebelde hacia el Alcázar y encontrándose por el camino al Alcalde de Justicia Jerónimo de Aguilas, Figueroa le quitó la vara.

Sin embargo, las rivalidades de las dos casas grandes aristocráticas provocaron el fracaso de la rebeldía comunera puesto que al ver que el duque de Arcos se pronunciaba contra el rey, apresuróse el bando del duque de Medina Sidonia a ponerse en contra de los Arcos. Por consiguiente, la que en otros sitios fue lucha de la nobleza contra el rey, se redujo en Sevilla a una lucha entre los Arcos y los Medina Sidonia, venciendo éstos, que reconquistaron el Alcázar y dieron muerte a los más señalados alborotadores plebeyos, condenándose al destierro a don Alonso de Guzmán y a otros caballeros.

El nuevo Ayuntamiento

Se perfila ya una nueva vida sevillana basada en el comercio con las Indias Occidentales y la ciudad se asoma por el Guadalquivir a la vida internacional. Una de las primeras preocupaciones de los regidores de la ciudad es, en los comienzos del siglo XVI, construir un edificio para celebrar las reuniones del Cabildo Municipal que desde tiempos de San Fernando venían efectuándose en el Corral de los Olmos de la catedral. Encomendóse al arquitecto Diego de Riaño hacer la traza del deseado edificio y comenzó la construcción en 1527 pudiendo comenzar a utilizarse en 1533, fecha que lleva la primera de las Actas de reuniones en el nuevo edificio. Es éste el de la plaza de San Francisco que todavía hoy sigue destinado a Casa Municipal y que constituye una de las más ricas bellezas arquitectónicas de nuestra capital.

La seriedad que había impuesto doña Isabel *la Católica* a la vida española y que en los últimos tiempos llevó a extremos de rigor excesivo, llegando a verse en trance de ser ajusticiado un joven caballero, porque la reina sospechó que iba a entrar por una ventana del Alcázar a pasar la noche en la alcoba de una de sus damas, experimentan ahora un cierto alivio y se vive en la ciudad más alegremente, comenzando a prender aquí el tono de amor a la vida y a las diversiones propio del Renacimiento. Vive por estos años de 1530 un joven oficial de batihojas llamado Lope de Rueda que trabaja en un taller en la calle Batihojas y que abandona el martillo de batir los panes de oro para dedicarse a escribir y representar comedias. Nace en Sevilla el teatro cómico y popular español. Como contrapartida de esta ligereza profana, tenemos un bello dato sobre la vida religiosa. En 1508 aparece la primera documentación escrita del Baile de los niños Seises ante el Santísimo Sacramento. Hay una nota en las cuentas de la catedral indicando el pago de unos maravedises por las ropas que se hicieron a los niños que bailaron el día del Corpus.

El motín de la calle Feria o del Pendón Verde

Habiéndose malogrado las cosechas por los temporales y por el descuido de las labranzas con ocasión de la guerra de los Comuneros, se produjo escasez de víveres y la consiguiente elevación de precios que dio lugar en el mercado de la calle Feria a ciertas alteraciones del orden público que alcanzaron mayor volumen del que en principio parecía. La gente hambrienta, acaudillada por un carpintero de dicha calle llamado Antón Sánchez, entró a viva fuerza en la iglesia de Omnium Sanctorum y se apoderaron de un estandarte verde, antiguo trofeo cogido a los árabes en el reinado de Alfonso XI. El estandarte verde fue llevado como enseña por los amotinados que se dirigieron a la catedral donde apedrearon las salas que todavía servían para Cabildo Municipal. Al día siguiente, el vulgo alborotado reanudó sus manifestaciones, y un grupo se apoderó de armas de mano y cuatro piezas de artillería que tenía en su palacio el duque de Medina Sidonia, con cuyas armas fueron a la cárcel y dieron suelta a los presos. Al tercer día, el Asistente, viendo que las cosas iban tan mal, recurrió a la nobleza para que tomase las armas contra los revoltosos. Según el cronista Ortiz de Zúñiga, «dioles la nobleza tal Santiago que los rompió con estragos en muertes y después en suplicios». De tan lastimosa manera acabó el motín, que aunque violento en su desarrollo como cosa de gente baja e inculta, tenía un origen justificado como promovido por la necesidad y el hambre. La represión fue de una crueldad tan excesiva como injusta.

La boda del emperador

El día 10 de marzo de 1526 llegó a Sevilla el emperador con el propósito de permanecer aquí algún tiempo para celebrar su boda con la infanta doña Isabel de Portugal. El recibimiento que le hizo la ciudad a la que iba a ser emperatriz fue solemnísimo conduciéndola bajo palio desde la Puerta de la Macarena hasta la Iglesia Mayor donde oró antes de pasar al Alcázar. Vino después con varios días de diferencia Carlos I que entró igualmente por la Macarena donde hizo juramento de respetar los privilegios de la ciudad. También bajo palio fue llevado el emperador con vistosísima comitiva hasta la catedral. El Domingo de Ramos se celebró la boda y aunque estaban cerradas las velaciones se les dijo la Misa en virtud de una Bula concedida por León X al marqués de Tarifa y que era extensiva a sus deudos. La Misa de velaciones se ofició en la capilla del Alcázar donde está un azulejo de Niculoso Pisano que representa la Visitación de la Virgen a Santa Isabel. Pasada la Semana Santa se celebraron justas, torneos y festejos populares a los que asistieron príncipes y embajadores de todos los países que habían venido invitados a la boda, y caballeros portugueses que habían traído a la emperatriz y toda la nobleza sevillana rivalizando en lujo en sus monturas, armas y vestidos y en gallardía en los ejercicios caballerescos. También el pueblo bajo se divirtió grandemente y recibió muchas dádivas de ropas, comida, bebida y dineros, porque la solemnidad de las ceremonias se abrillantó con la generosidad de las limosnas, y la prodigalidad de festejos y convites.

Para alojar a tantos invitados llegados de todo el mundo, se añadió una planta alta al edificio del Alcázar, que lo convirtió en más capaz pero afeando su arquitectura.

Sevilla bajo Carlos I

Tras la boda del Emperador, Sevilla adquiere su plenitud histórica como capital mercantil y marítima de España. Son los años en que salen de este puerto las expediciones para descubrir nuevas tierras cada año, y para aventurarse por los ríos americanos en busca del paso de un océano a otro, o para buscar la legendaria fuente de Eldorado.

Las riquezas que Sevilla recibe en esta época, procedentes del Nuevo Mundo, y las islas de Oriente, permiten la construcción de nuevos edificios y el enriquecimiento de las cofradías, conventos y hospitales. Todo ello hará de Sevilla la primera ciudad de Europa en urbanismo, en edificaciones y en arte, capaz de rivalizar con la propia Roma según el famoso soneto de Cervantes escrito años después.

La primera vuelta al mundo

Los viajes de los portugueses a la India por el cabo de Buena Esperanza, y de los españoles hasta la costa del Pacífico americana habían demostrado, teóricamente, la redondez de la Tierra. Pero faltaba una demostración práctica de «darle la vuelta».

Esta demostración se la propuso el navegante español Fernando de Magallanes (español porque en esta época Portugal y España estaban unidos), para lo cual preparó una flotilla de nueve barcos con una dotación de trescientos hombres, y llevando como segundo jefe a Vázquez Souso. El tercero de los jefes de la expedición era el capitán de la nao *Victoria* llamado Juan Sebastián Elcano, natural de Guetaria, Guipúzcoa.

La expedición se organizó en Sevilla, y los navegantes acudieron a la capilla donde estaba expuesta la Virgen de la Antigua (no en la catedral, que se encontraba en obras), para pedirle éxito en su empresa.

La navegación se hizo por el Atlántico Sur, pasando por el borde inferior de América, dándole nombre de «Estrecho de Magallanes» al paso encontrado. Siguieron por el Pacífico, cruzaron Oceanía, y llegaron por fin a la India, donde tras algunas dificultades, pudieron seguir su expedición por el océano Índico, dando la vuelta por el cabo de Buena Esperanza para regresar a Sevilla. Pero las penalidades habían sido tales, que de los 300 hombres sólo regresaron 18. Magallanes había sido capturado y comido por los caníbales polinesios al bajar a una isla para recoger agua potable. Su segundo había muerto de escorbuto. Juan Sebastián Elcano se quedó al mando de la diezmada tropilla de espectros y abandonando barcos ya sin gente para tripularlos y luchando contra el hambre, la sed, la avitaminosis y las tempestades, consiguió rendir viaje en Sevilla amarrando la gloriosa nave *Victoria* en el muelle de las Mulas que estaba donde ahora la Plaza de Cuba.

Una pequeña iglesia, la capilla Hispanoamericana, en dicha Plaza, y una lápida en el muro en la bajada hacia las instalaciones deportivas del Real Círculo de Labradores, recuerda esta tremenda hazaña.

El Emperador Carlos I concedió a Juan Sebastián Elcano un título de nobleza, y un escudo con una leyenda que rodeando el globo del mundo dice: «Tu primus circundedisti me». Tú fuiste quien primero me circundó.

Catalina de Ribera y el conde de Barajas

La ilustre dama sevillana doña Catalina y su hijo don Fadrique Henríquez de Ribera, marqueses de Tarifa, realizaron en esta época la obra de caridad más insigne y de mayor coste que jamás se haya hecho en Sevilla. Existían desde la época de la Reconquista hasta estos años del siglo XVI, numerososo hospitales para los pobres, fundados por los distintos gremios laborales, cada uno de los cuales, constituido en Hermandad o Cofradía, mantenía su propio hospital para asistencia de sus agremiados. Cerca de cien hospitales gremiales, según registra el erudito y puntual historiador don Santiago Montoto, se esparcían por las distintas collaciones de la ciudad, siendo los más importantes el Hospital Real fundado por Alfonso *el Sabio* para soldados lisiados en la guerra, el de San Lázaro debido al mismo rey para malatos o leprosos, el Hospital de los Locos fundado por don Marcos Sánchez Contreras, el de la Misericordia, el de San Jorge, etc.

Cada cual de los minúsculos hospitales gremiales tenía que sostener su personal sanitario y subalterno y como a veces el gremio era de escaso número de oficiales (por ejemplo tiradores de oro, batihojas, charolistas) resultaba que entre esos pocos tenían que sostener la onerosa carga de un hospital, y era frecuente que en el mismo hubiera más enfermeros que enfermos. Contra este absurdo estado de cosas venían lanzándose clamores para llegar a la unificación o «reducción» de los hospitales de Sevilla con el propósito de que reunidas sus rentas o bienes, se constituyese un solo hospital suficiente para atender las necesidades sanitarias de todo el vecindario pobre y en donde al hacer conjuntos los servicios se ahorraría gran parte de lo que por separado se despilfarraba.

A poner remedio a esta situación desdichada vino la caritativa dama doña Catalina de Ribera, que entregó cuantísimos caudales para construir frente al Arco de la Macarena un gran hospital bajo el título de Hospital de las Cinco Llagas, cuya construcción se inicia en 1546 por el arquitecto Martín de Gaínza y que concluye en 1598 el arquitecto Asensio de Maeda. La fábrica del edificio de grandiosas dimensiones y de gran belleza arquitectónica plenamente renacentista, de fachada de orden grecorromano, es sin duda el mejor hospital de toda España y aun de Europa en su época, según autorizada opinión de quienes vieron los hospitales de Roma y éste de Sevilla. Algunos críticos de arte, como Amador de los Ríos, afirman que el Hospital de las Cinco Llagas es, después de la catedral, la joya arquitectónica más importante de Sevilla. (Después de cuatro siglos se ha cerrado en abril de 1972.) El hospital se construyó en terrenos propiedad de la Hermandad del Silencio, a la que se los compró doña Catalina Ribera.

Construcción de la Alameda

La otra gran mejora fue debida al insigne Asistente de la ciudad don Francisco de Zapata, conde de Barajas, el más preclaro de nuestros gobernantes locales.

Ya hemos dicho cómo aquel brazo de río que en tiempos anteriores a los árabes entraba por lo que hoy es casco de la ciudad lamiendo con sus aguas la muralla que bajaba por la calle Feria hacia San Martín, había quedado, con la desviación del río, convertido en un simple brazo de aguas muertas y más tarde en una charca al cerrarse su entrada por la parte de la Barqueta. Es decir, quedaba una hondonada llena de agua y de juncos y cañas que nunca acababa de cerrarse porque la acrecentaban las lluvias y las aguas residuales del barrio de la Feria y de collación de San Lorenzo. Llamábase por esta causa la Laguna y era sitio insalubre y pestilencial.

Con el fin de acabar con las incomodidades que para la salud pública representaba esta laguna, el conde de Barajas determinó sanearla para lo cual mandó hacer zanjas en sus lodos, por las cuales se fue achicando el agua y una vez desecada la rellenó de tierra, la recubrió de albero, puso en ella profusión de álamos, y ello dio lugar a que el paseo o jardín así nacido se denominase la Alameda. Más tarde, con el fin de hermosear aquel paseo, tuvo la idea de colocar en él dos columnas que estaban abandonadas en una calle próxima al Alcázar. Pertenecieron estas columnas al gran templo romano de la calle Mármoles, donde hoy todavía quedan tres columnas gemelas. Don Pedro I quiso llevar estas dos y otras más al Alcázar, pero una de ellas se rompió por el camino cuando se transportaban y las dejaron abandonadas en el trayecto, junto al convento de Santa Marta. El conde de Barajas las hizo llevar, pues, a la Alameda, donde se colocaron sobre dos pedestales y se encargó al escultor Diego de Pesquera labrar dos estatuas, la una de Hércules, fabuloso y legendario fundador de la ciudad y la otra de Julio César, su benefactor y que la rodeó de murallas. Éstas fueron las dos primitivas columnas de la Alameda, y sólo dos siglos más tarde se añadieron las otras dos en el extremo opuesto, las cuales ni son romanas ni tienen la grandiosidad de la que hay en la cabecera del paseo. Las estatuas retratan a Carlos I y Felipe II, en indumento de Hércules y de César en lo alto de las Columnas. La Alameda se inauguró el 15 de agosto de 1574.

Se debieron también al conde Barajas otras muchas mejoras de la ciudad y en este tiempo se concluyó por el arquitecto Fernando Ruiz el campanario agregado a la torre de la Giralda. En sustitución del cupulino y las bolas que se habían caído en el terremoto del siglo XIV se había puesto una espadaña con una campana. Ahora lo que se hizo fue la totalidad del cuerpo de carambolas y un cupulino que soporta un globo sobre el que está de pie la estatua de bronce de 1.288 kilos de peso, obra del fundidor Bartolomé Morell. Esta estatua que representa la victoria de la Fe sirve de veleta, y porque gira a impulsos del viento se llama Giraldillo la estatua y por extensión Giralda la torre (1568).

Vía Crucis a la Cruz del Campo

La piedad de los sevillanos comenzaba a manifestarse en la organización de Cofradías de penitencia que hacían estación en Semana Santa a la Catedral, y que participaban en el Vía Crucis de los disciplinantes sobre el itinerario que el Adelantado don Fadrique Henríquez de Ribera había trazado con las medidas que trajo de Jerusalén donde fue peregrino el 4 de agosto de 1519; itinerario que iba desde la puerta de su palacio, Casa de Pilatos, hasta el templete que existía ya de antiguo en la Cruz del Campo. La primera fue la del Silencio, fundada en 1340, y la de la Vera Cruz en 1370. Una de las Cofradías fundada en el siglo XVI fue la Hermandad de Monte Sión, constituida por patrones de barcos y que tenía su capilla en el Hospital de las Cinco Llagas. Su primera denominación fue Hermandad de la Oración en el Huerto y Virgen del Rosario, estaba formada por los barqueros y gentes del barrio de la Puerta de la Barqueta; las reglas fueron aprobadas en 1588. Estos patrones de barco en sus viajes a Indias traían ricos presentes para la Hermandad, de ahí la riqueza e importancia que llegó a contar. (Luis Joaquín Pedregal en *Archivo Hispalense*, núm. 98, página 317 y siguientes.)

Llegada de los jesuitas

La Compañía de Jesús hizo su entrada en Sevilla en 1554 en el mes de mayo. La primera noche que pasaron en la ciudad dos religiosos ignacianos durmieron en un banco de piedra por no encontrar posada. Su primera casa fue en la Pajería (calle Zaragoza) y frente a la portería de Santa María de Gracia en el barrio de San Miguel la segunda. En 1557 tuvieron por fin los terrenos para edificar la Escuela y Casa Profesa (calle Laraña). En 1580 tenían terminado el edificio de San Hermenegildo y pasan a él las escuelas, quedando la Casa Profesa donde estaba, de manera que separan a los estudiantes para desenvolver mejor sus enseñanzas. (Discurso de don José Sebastián Bandarán para su ingreso en la Academia de Buenas Letras y contestación de don Luis Montoto el 25 de octubre de 1916.)

Terminaremos la enumeración de hechos de la época de Carlos I, señalando que desde 1533 empezaron a instalarse en el nuevo Ayuntamiento las dependencias municipales, y que en 1550 estaba totalmente instalado.

Sevilla bajo Felipe II. Rigores de la Inquisición

Abdicado el trono por Carlos I a su hijo (abdicación de la que el Emperador se arrepintió luego el resto de su vida), fue proclamado Felipe II en 1556. E inmediatamente se intensificó el rigor de la Inquisición en todo el reino y principalmente en Sevilla.

Al llegar a este punto conviene aclarar algo sobre la Inquisición o Tribunal de la Suprema y cuál fue la causa de su inmenso poder.

Al fundarlo en 11 de febrero de 1481 los Reyes Católicos que habían obtenido una bula del Papa Sixto IV, no estaban en buenas relaciones con la autoridad eclesiástica. El trono había tenido constantes choques con los prelados. Por esta razón, los Reyes Católicos no queriendo que los prelados pudieran intervenir en la Inquisición y manejarla a su conveniencia, pidieron y obtuvieron del Papa el privilegio de que el Tribunal de la Inquisición estuviera independiente de la Jurisdicción Episcopal.

Esto significa nada menos que crear una Iglesia dentro de la Iglesia. Pero al mismo tiempo, dado que los asuntos de que había de entender la Inquisición eran asuntos espirituales, tampoco podían obedecer a la Autoridad Civil, y por definición la Inquisición no estaba sometida al Poder Real.

Entonces, ocurrió el hecho insólito de que hubiera en España un tribunal, con capacidad para condenar a tormento, a prisión, y a muerte a los españoles, pero Tribunal que no dependía ni de los Reyes de España, ni de los prelados de España. Teóricamente el Tribunal de la Inquisición dependía de Roma, pero Roma estaba muy lejos en aquel tiempo y en la práctica los inquisidores actuaban como autoridad totalmente independiente. El funesto error de los Reyes Católicos de crear un tribunal de estas características, significó meter en el país una autoridad sin freno, que muy pronto no solamente persiguió a los herejes y judeizantes, sino a todo aquel que pudiera representar un mínimo peligro para el afán de dominio de la Inquisición.

Así, en Sevilla concretamente, la Inquisición presentó batalla en toda la línea contra el Cabildo catedralicio, y contra las principales comunidades religiosas.

En primer lugar, con diversas y no muy claras habilidades, la Inquisición acusó de ideas luteranas al canónigo magistral de la catedral, doctor Juan Gil, cuyo nombre latinizado ha pasado a la historia como el doctor Egidio. Tras dos años de prisión en las mazmorras del castillo de Triana, que quebrantaron su salud y su resistencia, Egidio se vio obligado a reconocer cuanto le pidieron, y entonces la Inquisición, con base en su declaración, le condenó a otro año más de prisión en el castillo de Triana, de donde no salió sino para morir.

Sucedió al doctor Egidio en el cargo de magistral de la catedral hispalense el doctor Constantino Ponce de la Fuente, insigne teólogo y predicador, que dominaba las lenguas latina, hebrea y griega, siendo asombrosa su erudición. El doctor Constantino había sido confesor personal de Carlos I durante varios años, y amigo del Papa Adriano de Utrech.

Los inquisidores, con el temor de que su valimiento cerca del rey y del Papa pudiera hacer disminuir su poderío, no vacilaron en acusarle de simpatizar con las ideas protestantes, lo mismo que a su antecesor el doctor Egidio. La denuncia contra Constantino fue suscrita por don Pedro Mexia, que había sido cronista de Carlos I.

Prendido por la noche, se le condujo a Triana, donde se le dio tormento hasta la muerte. Más tarde, se dio la explicación de que se había suicidado en la mazmorra tragándose unos trozos de vidrio, de un vaso, explicación que nadie creyó.

Seguidamente la Inquisición prendió a cuantos sevillanos habían tenido amistad o relación con el magistral de la catedral, lo mismo canónigos, que particulares, aristócratas, monjas, y hasta sirvientes.

Algunas de estas detenciones se hacían basándolas en supuestas tertulias en las que «se hablaba con sabor de luteranismo». Una de las más ruidosas detenciones fue la de doña Isabel de Baena, acusada de que en su casa se había leído un evangelio sin notas traído del extranjero por el arriero Julianillo Hernández. Con base en esta acusación fueron detenidas junto a doña Isabel de Baena, doña María Virués, doña María Coronel (de la misma familia que la doña María

Coronel del siglo XIV), y doña María Bohórquez. Todas fueron condenadas a muerte.

La lucha contra los religiosos de San Isidoro del Campo fue también encarnizada por parte de la Inquisición, que acusó al superior y a los religiosos de ideas luteranas. Fueron condenados a muerte y quemados vivos el superior de San Isidoro del Campo fray Juan González; y los religiosos fray García Arias, fray Cristóbal de Arellano, fray Juan Crisóstomo, fray Juan de León, fray Casiodoro, y el rector de la doctrina don Fernando Sanjuán; y en un segundo proceso fueron condenados fray Diego López, fray Bernardino Valdés, fray Domingo Churruca, fray Gaspar de Porres y el lego fray Bernardo. Consiguieron huir Cipriano de Valera y Casiodoro de Reina, ilustres traductores de la Biblia, y después personajes del luteranismo europeo.

Otro convento contra el que la Inquisición mostró especial animosidad fue contra el de franciscanas de Santa Isabel, del que se encarceló en Triana a la monja doña Francisca Chaves, de ilustre familia sevillana, siendo también condenada a la hoguera, junto con doña Ana Ribera y Francisca Ruiz, esposa del alguacil Durán.

Otros sevillanos condenados por su amistad o relación con el magistral de la catedral, o con la comunidad de San Isidoro del Campo fueron los médicos don Cristóbal de Losada y don Juan Pérez; las señoras doña Catalina Sarmiento, viuda de don Fernando Ponce de León; doña Luisa y doña María Manuel, de la ilustre familia de los Manueles, y doña Juana de Bohórquez. De esta última hay un triste y sarcástico detalle: en el Auto de Fe de 22 de diciembre de 1560 se declara absuelta y sin culpa a doña Juana Bohórquez, «la cual desdichadamente había perecido en el tormento que se le dio cuando estaba recién parida». Estas palabras entrecomilladas están tomadas literalmente de la *Historia de los Heterodoxos Españoles* de don Marcelino Menéndez y Pelayo, autor católico y nada sospechoso de fomentar la leyenda negra.

Los Autos de Fe eran solemnísimos actos públicos que se realizaban en la plaza de San Francisco. Los presos eran llevados desde el castillo de Triana, y se les vestía con ropas nuevas muy lucidas, para dar más solemnidad y rango al acto. Los que eran condenados a morir en garrote, o los sentenciados a prisión de por vida, iban vestidos con trajes proporcionados a su rango social, y las mujeres con encajes y adornos. Los condenados a morir en la hoguera iban con túnicas blancas, en las que se habían cosido llamas imitadas en raso color carmesí.

La comitiva de los presos, acompañados de música, y presidida por los inquisidores en hábito de ceremonia, desfilaban lúcidamente por las calles, hasta la plaza de San Francisco donde se había alzado un tablado, con asientos cubiertos de paños de terciopelo, y allí se sentaban los reos durante la lectura de las sentencias. Después se pronunciaba un sermón, y finalmente los condenados a muerte eran conducidos en un nuevo desfile, con músicas y llevando velas encendidas, hasta el quemadero, que primeramente estuvo en Tablada, y que después se hizo en el Prado de san Sebastián; este quemadero era de piedra y ladrillo, con cuatro estatuas en las esquinas, y con las columnas que se trajeron del palacio del pueblo de Villafranca donde solían ir a cazar los reyes en tiempos anteriores.

El Quemadero, según el historiador sevillano Francisco de Borja Palomo «era una mesa cuadrada como de treinta varas, y dos de altura, cóncava en el centro donde se encendía la hoguera». Justino Matute también historiador, describe el Quemadero, que fue derribado en 1809 y cuyos cimientos están todavía enterrados bajo el relleno por frente a la muralla en el lado este de la Fábrica de Tabacos, casi exactamente donde está la estatua del Cid.

La Inquisición, entre los años 1482 y 1489 quemó en Sevilla 700 reos, según el historiador Francisco Bernáldez, cura de Los Palacios. Jerónimo Zurita dice que para el año 1520 iban ya quemados 4.000 reos. Y el padre Mariana señala que en un solo año se condenaron a muerte en la hoguera en Sevilla a 2.000 personas.

Nos parecerían increíbles estas cosas, si no las encontrásemos detalladamente escritas en autores como Lafuente, Mariana, Menéndez y Pelayo, Ballesteros y otros autores de máxima seriedad y erudición.

Los colegios de ingleses e irlandeses

En la Sevilla del reinado de Felipe II existen varios colegios o seminarios religiosos para ingleses, irlandeses y escoceses con el propósito de educar jóvenes de aquella nación y convertirlos en sacerdotes católicos que pudieran realizar una labor de apostolado en aquellas tierra protestantes para volverlos a la obediencia de Roma. Uno de estos colegios estaba en la calle Jesús del Gran Poder, otro en la calle actual de Alfonso XII, donde ahora está la Escuela de Estudios Hispanoamericanos y la capilla de aquel colegio era la iglesia de San Gregorio. Sin embargo no tuvo gran éxito práctico este empeño, ya que los sacerdotes que llegaban a Inglaterra eran allí acusados de traición, no por motivos religiosos sino por motivos políticos por haber estado en contacto con la monarquía española, por lo cual los condenaban a muerte. Sobre estos colegios existe un interesante discurso del señor Bandarán pronunciado en la Academia Sevillana.

La literatura en Sevilla

Existían por este tiempo en nuestra ciudad numerosos y muy lúcidos escritores que dan lugar en la historia de la literatura española a una de las más considerables manifestaciones con personalidad propia: la Escuela Sevillana.

Pertenecen a ella Juan de Mal-Lara, doctorado en Salamanca, aunque nacido en Sevilla, y que abrió una célebre cátedra de Gramática y Humanidades en su casa, junto a la Alameda de Hércules. Su importante biblioteca la compraron, cuando él murió, Cristóbal Mora de Figueroa, el licenciado Pineda, Hernán López de Gibraleón, Fernando de Herrera, Francisco de Vergara y otros. Concuñado de Mal-Lara y sucesor de su cargo de maestro de la Trinidad fue Diego de Girón.

El más importante de los escritores de esta época es Fernando de Herrera llamado *el Divino*, que vivió de 1534 a 1579. Escritor también ilustre, pero más aún protector de poetas fue don Álvaro Colón y Portugal, bisnieto de Cristóbal Colón y segundo conde de Gelves a quien se debe la creación de la primera academia que existió en Sevilla, ya que en su propio palacio reunía a Mal-Lara, a Francisco Pacheco, Baltasar del Alcázar, Argote de Molina, el comediógrafo Juan de la Cueva y otros literatos.

Destaca también por entonces Pablo de Céspedes; y es curioso señalar que hubo dos Francisco Pacheco, el uno canónigo hispalense y capellón mayor de la capilla real, de tan alto sentido crítico que Herrera *el Divino* consultaba con él y le sometía sus poesías a censura. El otro es el poeta y biógrafo Francisco de Pacheco, cuya obra literaria quedó oscurecida por su alta significación en el arte pictórico, ya que fue excelso pintor y maestro y suegro de Velázquez.

Corrales de comedias

Durante el siglo XVI y primera mitad del XVII hubo en Sevilla numerosos «corrales de comedias». Se llamaban «corrales» porque eran locales sin techo, a causa de que en aquella época no había luz artificial adecuada, y las comedias habían de representarse en pleno día y a la luz del sol.

Por este mismo motivo de no tener techo, el centro del teatro se llamaba «patio» nombre que todavía hoy usamos cuando decimos «patio de butacas».

Los «Corrales de Comedias» tenían en un extremo el escenario, y los otros tres lados estaban ocupados por las «gradas» donde se sentaban los hombres. Estas gradas eran de madera como hoy son en los circos.

Por encima de las gradas había un segundo piso, como los que hoy llamamos «butacas de entresuelo». Este piso estaba destinado exclusivamente a las mujeres y se le llamaba «la cazuela».

Además había palcos para las personas más distinguidas, cuyos palcos se llamaban «aposentos». Tenían puerta con llave, y podían cerrarse por delante con una celosía, con lo cual las personas que estaban en los «aposentos» podían ver la comedia a través de las celosías sin ser ellas vistas por el público.

Finalmente, por encima de «la cazuela» había aún otro piso o dos, llamados oficialmente «desvanes», aunque el vulgo les llamaba «palomares» o «gallineros», donde iba la gente menuda, chiquillos, y esclavos negros y mulatos de los que había tantos en Sevilla.

La separación entre hombres y mujeres era rigurosa, hasta el punto de que entraban y salían por distinta puerta, y se promulgaron muchas disposiciones para evitar que los hombres «se estacionasen en la calle a la entrada y salida de las mujeres».

Los principales corrales de comedias que hubo en nuestra ciudad fueron:

CORRAL DE DOÑA ELVIRA. Llamado así por haberse construido en terrenos propiedad de la familia Ayala, que habían sido de doña Elvira Ayala hija del canciller don Pedro López de Ayala. Este corral se cerró en 1631 y se construyó por último en su terreno el hermoso edificio del Hospicio de Venerables, hoy museo de las Cofradías.

CORRAL DE DON JUAN. Llamado así por ser propiedad de don Juan Ortiz de Guzmán alrededor del año 1600. Sobre su solar en la calle Borceguinería, hoy Mateos Gago, se edificó más tarde la actual parroquia de Santa Cruz.

CORRAL DE LA MONTERÍA. Inaugurado el 25 de mayo de 1626, estaba situado en el patio de la Montería, frente a la fachada principal del Alcázar, y en terrenos que por ser del Alcázar eran de administración municipal. Se dice que la idea de construir este teatro partió del rey Felipe IV, para poder asistir a las representaciones teatrales sin salir de su palacio. Fue un edificio bien construido y hasta lujoso, de tres plantas, de ladrillo y con barandales de hierro en sus dos pisos altos.

CORRAL DE LA HIGUERA. Estaba situado en terrenos propiedad del duque de Medinasidonia, detrás de su palacio, en la Huerta de la Higuera, que correspondía a lo que hoy es la plaza de la Gavidia.

CORRAL DE LAS ATARAZANAS. Estuvo situado en terrenos de las Atarazanas donde anteriormente se habían construido los barcos para la Flota Real en tiempos de la Edad Media. Este Corral duró poco tiempo, puesto que se inauguró en 1575 y se cerró, trece años más tarde, en 1588, edificándose en su solar la Real Casa de la Moneda que todavía hoy existe a la entrada de la calle Santander. También se llamó CORRAL DEL ARENAL.

CORRAL DE LA ALCOBA. Al cerrarse el Corral de las Atarazanas, la compañía de teatro que lo tenía contratado se trasladó a un teatro nuevo construido en la Huerta de la Alcoba, cerca de la Puerta de Jerez.

CORRAL DE SAN PEDRO. Estuvo situado frente a la iglesia de San Pedro, y tuvo muy corta duración, que no pasó de diez años.

EL COLISEO. Este teatro fue construido por el Ayuntamiento aprovechando un terreno llamado Corral de los Alcaldes Ordinarios, cuyo terreno estaba delimitado por las actuales calles Sor Ángela de la Cruz, Alcázares, plaza de la Encarnación y calle Imagen. Conviene aclarar que la calle Sor Ángela de la Cruz se llamaba antes calle Alcázares, y la actual calle Alcázares se llamaba calle Coliseo, precisamente por estar situada en ella la puerta principal de dicho teatro.

Este Coliseo fue lujosísimo, pues tenía barandales dorados, columnas de mármol con capiteles de estilo dórico, y suntuosas pinturas murales. Sufrió un incendio en 25 de julio de 1620, cuando se representaba la comedia *San Onofre, rey de los desiertos* por la compañía de Andrés de Claramonte, lo que motivó que resultasen muertos y heridos no pocos espectadores, principalmente mujeres y niños, y se dio el risible suceso en medio de la catástrofe, de que el actor que hacía el papel de san Onofre, haciendo penitencia en el desierto, desnudo sin más que un lienzo por recato, hubo de huir del escenario incendiado, y ganó la calle, pero perdió el lienzo, y así huyó hacia su posada que estaba lejos, y la gente que le veía, sin saber que había fuego en el teatro, le tomaron por loco y le persiguieron arrojándole pellas de barro como a orate.

En estos corrales se representaron las obras de Lope de Rueda, Juan de la Cueva, y otros autores sevillanos, y atraídos por el aplauso y el provecho que estos teatros proporcionaban, por ser los mejores de España, acudieron célebres escritores de otros lugares, entre ellos Lope de Vega y Cervantes, que estrenaron aquí sus mejores comedias.

El teatro desaparece en Sevilla el año 1679 en que el Ayuntamiento formula el solemne voto de que jamás vuelva a haber comedias en esta ciudad, por ser cosa pecaminosa y perniciosa para la moral y la religión. Solamente un siglo más tarde el Asistente don Pablo de Olavide volvería a restaurar hacia 1771 las representaciones teatrales en Sevilla.

La guerra y las armas

En el desastre de la Armada Invencible tuvo mucho que llorar la ciudad de Sevilla, por cuanto muchos barcos y caballeros de esta ciudad se perdieron en aquella catástrofe. Sin embargo, la empresa de la conquista de Indias daba a Sevilla satisfacciones, honra y provecho. Para armar los buques que cruzaban el océano protegiendo los convoyes de la plata, en constantes luchas contra los ingleses, irlandeses y piratas, edificó Felipe II en nuestra ciudad el año 1565 la Fábrica de Artillería donde se fundieron los mejores cañones de su época.

Por cierto que Felipe II andaba tan mal de dinero con las obras de este edificio, la construcción del Escorial que consumía él solo la totalidad de las rentas anuales del reino, y con las guerras de Europa y de América, que aunque perseguía a los hechiceros y castigaba rigurosamente las supersticiones y brujerías, contrata secretamente por mediación de su secretario Pedro del Hoyo a varios alquimistas con el utópico propósito de que lleguen a convertir el alatrón en oro. (*Felipe II y la Alquimia,* por Francisco Rodríguez Marín; Real Academia de Jurisprudencia).

En 1572, el Sínodo Diocesano reunido el 15 de enero, declaró la conclusión del antiquísimo rito hispalense propio de esta catedral que se sustituyó desde 31 de diciembre de 1574 por el oficio romano. Sólo quedan del rito hispalense, ceremonias de ostentación de la Sagrada Bandera que todavía hoy se hacen en los días de Semana Santa.

Suplicio de don Alonso Téllez de Girón

Termina el siglo XVI en Sevilla con un lamentable y vergonzoso episodio que enlutó a la ciudad. El Alguacil Mayor de Sevilla, don Alonso Téllez de Girón, hermano del duque de Osuna y Alcalá, personalidad la más ilustre de la vida ciudadana de su tiempo, marchó a Madrid para defender personalmente ante el rey, su administración de los bienes de sus sobrinos, huérfanos, a quienes servía de tutor, por haber denunciado irregularidades en las cuentas de tutoría otro pariente, fray Juan de Ribera, patriarca a la sazón de Valencia.

Mientras don Alonso Téllez de Girón se encontraba en Madrid, sus enemigos denunciaron a la Inquisición que sospechaban de él, el delito entonces gravísimo de la homosexualidad, que por ser pecado nefando y contranatural, estaba condenado con pena de muerte. Para asegurarse de la veracidad de la denuncia los inquisidores prendieron a un paje de 12 ó 13 años de edad, el cual sometido a tormento acabó confesando lo que quisieron, esto es, que sí había existido tal delito. Al regresar don Alonso Téllez de Girón, fue preso y conducido al castillo de Triana. Dictada la sentencia capital el 29 de abril, fue sacado de la cárcel y llevado a la plaza de San Francisco donde se ejecutó su muerte, así como la del paje. El vecindario de Sevilla, y principalmente el Estado Hidalgo y la nobleza, en señal de protesta por lo que se hacía con don Alonso Téllez de Girón a quien todo el mundo consideraba inocente, cerraron puertas y ventanas, quedando la ciudad como desierta, en un silencio impresionante, y aún hubo familias que se atrevieron a colgar lienzos negros enlutando sus balcones. Produjéronse como consecuencia muchas asonadas, escándalos públicos y reyertas entre los defensores del desgraciado Téllez de Girón y los oficiales de la Autoridad, a consecuencia de lo cual el Inquisidor Mayor decretó excomuniones e incluso llegó a la cesación del oficio divino en las iglesias. Estas revueltas y las reclamaciones de los Téllez de Girón cuyo apellido se había deshonrado, llegaron ante el rey quien ordenó revisar el caso; y como se llegase a comprobar que el alcalde del crimen don Pedro de Velarde había actuado con influencia y con parcialidad, se le destituyó.

Las riquezas de Sevilla

Con el oro que venía de Indias y que los soldados, mercaderes y marinos gastaban a manos llenas, la ciudad se enriqueció, lo que se reflejaba en la mejora de sus casas particulares, en la construcción de edificios públicos como la Casa Lonja de Mercaderes, proyectada por Herrera, el arquitecto de El Escorial, obra iniciada en 1584 por el arquitecto Juan de Minjares y terminada en 1598, con lo que terminó el espectáculo de contratarse las mercaderías en la catedral; pero además se advierte esta riqueza en el vestido de las gentes que llega a alcanzar un tono de lujo superior a cualquier otro lugar de Europa. Los trajes de las damas, tal como los vcmos en los cuadros de esta época, superan en vistosidad a los del Renacimiento italiano. Un cronista dice: «Ninguna mujer de Sevilla cubre manto de paño; todo es buratos de seda, tafetán, marañas (encajes), soplillo y por lo menos anascote. Usan mucho en el vestido la seda, telas bordadas, colchados, recamados y telillas. El uso de sombrerillos las agracia mucho; las ciudadanas (no digo ya las señoras), las más ricas traen muy ricos ceñidores y cintas y collares y cuentas y cadenas y patenas y medallas de todo de oro y pedrería, ajorcas, anillos y manillas de oro y esmalte con ricas pedrerías.» (Luis de Peraza, *Historia de la Imperial ciudad de Sevilla.*)

Cervantes y Sevilla

En el año 1585 se aparta de las letras el escritor Miguel de Cervantes Saavedra, que a sus 38 años de edad solamente había conseguido ganar con la pluma veinte ducados que le regalaron por *La Confusa, La Galatea* y *El Trato de Constantinopla.* Renegando de la profesión de escritor se mete a hombre de negocios y viene a Sevilla traficando en cartas de pago y cobranzas. El año siguiente gestiona un cargo de Comisario de Intendencia para abastecer a la Armada Invencible, obteniéndolo en 1587 y comienza a dedicarse a visitar los pueblos de la provincia de Sevilla haciendo requisa y acopio de víveres. Su primer tropiezo es una excomunión que formula contra él el Cabildo de Sevilla por haber tomado cierto trigo y cebada de las rentas de la catedral en Écija sin las debidas formalidades. Terminada su comisión al marcharse los buques por él abastecidos, pretende un cargo en las Indias sin obtenerlo. Como se descubriera algunas irregularidades ocurridas en la requisa de trigo efectuado en Teba de las que resultaba un déficit o desfalco de 27.000 maravedises, aunque el alcance era de uno de sus empleados subalternos, tuvo él que reponerlos de su bolsillo. Continuó el pobre Cervantes dando bandazos por los pueblos sevillanos pasando calor y malviviendo en las posadas, convertido ahora en recaudador de contribuciones. Con tan mala suerte, que al depositar cierto dinero recaudado en un Banco para desde allí consignarlo a la Hacienda Pública, el banquero dio en quiebra y los dineros de la Hacienda se perdieron, por cuyo motivo Cervantes fue a la cárcel. El banquero se llamaba Simón Freire, debió vivir por el Postigo del Aceite y era natural de Lima. A los tres meses de estar en la cárcel «donde toda incomodidad tiene su asiento», salió libre bajo fianza en 1597, pero tres años más tarde una nueva revisión de cuentas advierte que hay unos atrasos sin pagar a la Hacienda y vuelve a la cárcel de Sevilla por otra temporada en 1602. De estas estancias en nuestra ciudad en el momento más duro de su vida, adquirió valiosísimas experiencias ya que no dineros. Le sirvieron para escribir algunas de las novelas ejemplares, entre ellas *Las dos Doncellas* y *Rinconete y Cortadillo* donde alude a la perfecta organización o Cofradía que tenían creada los ladrones y rateros de toda clase en nuestra ciudad, los cuales pagaban un impuesto al jefe o rey de ellos, el cual sobornaba a alguaciles y carceleros cuando alguno de los malhechores de la cofradía caía preso. También de serie sevillana son los *Entremeses* y otras obras literarias cervantinas; y muchos de los episodios del *Quijote,* casi más que en las ventas y posadas de La Mancha, los documentó o ambientó en sus recorridos por las posadas de la provincia de Sevilla.

El túmulo de Felipe II

Con motivo de la muerte de Felipe II escribe Cervantes su famoso soneto en el que alude festiva y embozadamente a la riña que se planteó entre la Audiencia, los Inquisidores, el Cabildo y el Ayuntamiento por los honores que habían de tener y el sitio que habían de ocupar en los asientos de la catedral en dichos funerales. Episodio altamente pintoresco, ya que los Concejales, por no perder su derecho, abandonaron la iglesia, se escondieron debajo del monumento funerario que se había armado con maderas, y allí comieron salchichas y ocho panecillos que fue a buscar al matadero un alguacil.

El funeral por Felipe II se interrumpió entre excomuniones que fulminaron los Inquisidores contra los canónigos y éstos contra aquéllos, y al cabo de tres meses, pudo llegarse a concordia solamente, cuando el rey amenazó con privarles a unos y otros de sus oficios y sus beneficios. El Ayuntamiento quedó tan enojado con el asunto que el gran monumento de madera diseñado y construido por el insigne ingeniero Juan de Oviedo, lo mandó destruir y vender por piezas a voces de pregonero, aunque el Cabildo catedralicio quería quedárselo por su precio para monumento del Jueves Santo. De aquí las frases de Cervantes, «porque a quién no sorprende y maravilla esta máquina insigne (se refiere al monumento) y, es gran mancilla que éste no dure un siglo (se refiere al deseo del Cabildo de que el monumento quedase para in aeternum)».

Cuando Cervantes abandonó Sevilla volvió a dedicarse a la literatura, renegando para siempre de los oficios de recaudador de alcábalas.

Reinado de Felipe III

En 1598, el 30 de noviembre, Sevilla tremoló en sus murallas la bandera que proclamaba rey a Felipe III y el 4 de enero de 1599 hubo solemnes festejos para celebrar la coronación del nuevo monarca.

La primera ley de importancia que dictó fue la expulsión de los moriscos, descendientes de los musulmanes que continuaban viviendo en Andalucía y en Levante. Gichot en su *Historia de Andalucía* señala que los buenos deseos del clero de mejorar la situación religiosa del país, donde tales vestigios de musulmanismo quedaban, fueron torcidamente aprovechados por algunas personas influyentes de la Corte, que aconsejaron al rey la expulsión de los moriscos para lucrarse con los despojos de la hacienda de estos desgraciados. «El duque de Lerma y su hijo recibieron del monarca 350.000 ducados procedentes de los bienes confiscados a los moriscos y el conde y la condesa de Lemos 150.000 ducados.»

Algunos autores hacen subir el número de los expulsados a 900.000 almas. Se les embarcó en Denia y otros puertos, no sin alguna resistencia de los vecinos católicos que protestaban «viendo embarcar criaturas que movían en lástima y compasión». La opinión pública en general estaba en contra de la expulsión de los moriscos ocultando a muchos de ellos, y en el *Quijote* de Cervantes vemos cómo pasado algún tiempo regresa Ricote, y su amigo le protege y le ayuda a buscar el dinero que había dejado escondido.

Los moriscos fueron conducidos en barco a la costa de Marruecos donde se les dejó para que se reunieran a los mahometanos. Pero como hacía ya dos siglos que ellos hablaban español y no moro, no se entendían con los marroquíes, muchos desconocían la religión de Mahoma y en general no tenían nada de común con los africanos. Por ejemplo los moriscos de Alicante llevaban bajo el dominio de Castilla desde el año 1245, y naturalmente para 1600 no conservaban vestigios de su ascendencia musulmana. Los marroquíes, en lugar de protegerles y acogerles, les recibieron como a indeseables acusándolos de no haber conservado su religión, por lo que mataron a muchos de ellos y redujeron a los más a la triste condición de esclavos.

Sucesos memorables

Uno, el 14 de noviembre de 1613, la explosión terrible de los molinos de la pólvora en el barrio de Triana, junto a Los Remedios, que destruyó gran parte de los edificios trianeros y causó gravísimos daños en toda la ciudad, incluso en el Alcázar y rompió todas las vidrieras de la catedral. El número de muertos fue muy elevado y los heridos incalculables.

El otro episodio es la llegada a Sevilla del Franciscano Recoleto Fray Luis Sotelo, que llevaba largos años en el Japón donde había conseguido ser muy bien visto del rey Vojú, quien deseoso de entrar en relaciones con la patria de su amigo el misionero, envió con él una embajada presidida por el noble Fachekura Rokuyemon. Se celebró un brillantísimo recibimiento recibiendo a los embajadores japoneses que quedaron asombrados de la grandeza de nuestra ciudad, llamándoles sobremanera la atención los edificios monumentales de piedra, ya que en su país las construcciones, para defenderse de los terremotos, solían ser de cañas de bambú, madera o papel. El príncipe Fachekura traía una carta firmada por el rey Maxmune Malekundaira Muteku Nokami y viene dirigida de esta curiosa manera: «Entre las naciones del mundo a la más conocida e ilustre ciudad de Sevilla.» El documento, escrito en elegante caligrafía japonesa, existe todavía conservado en el Ayuntamiento donde puede verse. Está fechado «en la Corte de Tonday a los 14 de la luna nona del decimooctavo de la Era de Edro, que son a 26 de octubre de 1613».

La conservación de la muralla

Se había terminado la Reconquista en 1492, ¿por qué se seguía conservando la muralla de Sevilla, y por qué siguió en pie hasta finales del siglo XIX?

He aquí una cuestión que conviene reseñar. La ciudad de Sevilla estaba mucho más baja que ahora. Baste con observar que todavía muchas casas de la calle Baños, la Resolana, u otras calles, están a nivel más bajo que las calles. Esto significa que dichas casas estaban a nivel con las calles antiguas, aunque años después, a fuerza de echar tierra, escombros, y poner capas de pavimento, haya crecido el nivel de la ciudad.

Estando tan bajo como estaba, el río se entraba en la ciudad fácilmente. Y para evitarlo se conservaron las murallas, a modo de protección. Las puertas, cuando crecía el río, se tapaban con tablas. Todavía hoy en las jambas de piedra del Postigo del Aceite, vemos dos ranuras para colocar en ellas las tablas, que se calafateaban con trapos embreados, y así el río no podía entrar en la ciudad.

Sin embargo, y como algunas veces se metía el agua a través del alcantarillado, se hicieron obras para evitarlo, poniendo compuertas en el husillo real, que incomunicaban la red de alcantarillado con el río, evitándose así la entrada de agua del Guadalquivir a la ciudad por dichas alcantarillas. Y aún más, se hizo en la Barqueta y en la Puerta de San Juan, un sistema de norias, que achicaban el agua que hubiera entrado en la ciudad, que solía remansarse en la Alameda, y la arrojaban por encima de la muralla al río.

Con motivo de grandes inundaciones en el siglo XVI, envió el emperador Carlos I a su ingeniero mayor, el comendador Spanoqui, para que estudiase el problema, y éste en un «parecer» o «informe» que emitió dijo que debía prohibirse que nadie construyese casas pegando a la muralla, porque agujereaban ésta o la deterioraban, con que perdía su solidez para preservar de las inundaciones.

Sevilla concepcionista

A finales del XVI y principios del XVII Sevilla vive una polémica en torno a la devoción a María Inmaculada. Mientras los jesuitas y otras órdenes, así como las Hermandades, defienden que María fue concebida sin Pecado Original, los dominicos esgrimiendo un argumento de santo Tomás, se oponen. Un predicador apellidado *el Padre Molina*, es abucheado por el público al oponerse a esta devoción. Por las calles los muchachos, soliviantados por el arcediano de Carmona don Mateo Vázquez de Leca, y por Bernardo de Toro, cantan:

Aunque se oponga Molina
y los frailes de Regina
con su Padre Provincial,
María fue concebida
sin pecado original.

El poeta Miguel del Cid, y otros ingenios escriben y divulgan versos defendiendo la devoción concepcionista. El Ayuntamiento formula el Voto Solemne de defender la devoción concepcionista como dogma de fe, y envía a Roma a Mateo Vázquez de Leca, el padre Bernardo del Toro, y otros diputados para que soliciten del Papa la proclamación Dogmática formalmente. Después de dos años de espera son recibidos por el Pontífice, el 8 de diciembre de 1616 y Paulo V manifiesta simpatía, pero no promete nada. Un año más tarde, a fines de agosto de 1617 el Papa les ofrece un Breve, en el que se hace una simple declaración devota, pero no se proclama como Dogma de Fe, porque los dominicos y los Cardenales Inquisidores han podido más. Tardaría dos siglos en proclamarse el Dogma cuando ya la Orden Dominicana ha perdido fuerza en Roma.

Reinado de Felipe IV

Tan pronto como se proclamó el nuevo rey y puso en orden los asuntos de Europa, y las responsabilidades del reinado anterior, liquidadas injustamente con la condena a muerte de don Rodrigo Calderón, marqués de Siete Iglesias (quien pese al refrán, ni murió con orgullo ni en la horca, sino piadosamente y degollado), pensó don Felipe IV visitar Andalucía para conocer las defensas de sus costas. Aprovechó la oportunidad el duque de Medinasidonia don Manuel de Guzmán, para congraciarse con el rey, y con su pariente el conde duque de Olivares, don Gaspar de Guzmán, para lo cual dispuso en el famoso Coto de Doñana (que entonces se llamaba Bosques de Oñana), un fastuosísimo alojamiento tanto para el rey como para su séquito. Baste un detalle para dar indicio del boato que se desplegó y del despilfarro con que se servían las mesas. Solamente para traer nieve de Ronda se utilizaban diariamente 46 acémilas. Otro detalle pintoresco es que se celebró una fiesta de toros y el rey prometió que él mismo mataría uno; los caballeros rejonearon gallardamente, pero el rey, cuando le tocó el turno, más precavido y menos audaz, se conformó con matar su toro a tiros de arcabuz desde la barrera.

Los robos de agua

El agua también se roba. A los Caños de Carmona en su trayecto subterráneo los campesinos de Alcalá de Guadaira les hacen clandestinas sangrías. Se pierde tal cantidad de agua que el Municipio sevillano llega a preocuparse y hay que encargar al Maestro Mayor de la ciudad, que hoy diríamos Ingeniero Municipal de la Sección de Aguas, que estudie el modo de evitar esos robos de agua, cegando las tomas clandestinas. Se hace un presupuesto de muchos miles de reales, pero el Maestro Mayor es hombre hábil, se mete en la gran tubería de conducción de agua y con dos criados suyos remienda las piteras que han hecho los campesinos sin mayor coste. La ciudad se ahorra todo aquel presupuesto. Se conoce que el Maestro Oviedo era un ingeniero «de artesanía».

Hospitales en el siglo XVI y siguientes

En la Edad Media cada gremio había tenido su hospital, lo que determinó que en Sevilla hubiera hasta tres y cuatro hospitales en cada parroquia. En 1488 ocurría que, habiendo tantos hospitales, ninguno funcionaba, pues el gasto de administración se llevaba sus rentas y no quedaba materialmente para atender a los enfermos. Esto determinó que el arzobispo don Diego Hurtado de Mendoza obtuviese una Bula del Papa para reducir estos hospitales a sólo tres o cuatro, pero la cosa no fue fácil porque los patronos empleados, capellanes y los propios gremios defendían celosamente sus privilegios, así que no fue posible hacer la reducción hasta el año 1587, en que tras un siglo de forcejeo, el cardenal don Rodrigo de Castro impuso la autoridad pontificia y redujo los hospitales de Sevilla a sólo éstos: Hospital General del Espíritu Santo en calle Colcheros (hoy calle Tetuán, edificio del Teatro San Fernando), y Hospital del Amor de Dios, calle Amor de Dios, adjudicando a estos dos todas las rentas y bienes de los suprimidos.

Además de estos gremiales quedaron, subsistiendo porque tenían medios para ello, el de San Lázaro (para leprosos); el Hospital Real (para soldados); el de San Antonio Abad (para la enfermedad llamada Fuego de San Antonio, hoy llamada erisipela); Hospital de San Cosme y San Damián, llamado de las Bubas, para enfermedades epidérmicas, y después para enfermedades venéreas; Hospital de San Hermenegildo, o del Cardenal, para heridos y fracturados; Hospital de Inocentes, fundado por Enrique IV, para locos; y además existieron los Asilos siguientes: Casa Hospital de la Misericordia, para mendigos; San Bernardo, o de los Viejos, para ancianos; Pozo Santo, para ancianas; san José o de la Cuna, para niños expósitos; Buen Suceso, para convalecientes de otros hospitales; de la Caridad, o Santa Caridad, fundado por don Miguel de Mañara, para ancianos e incurables; y Hospital de la Sangre, magnífico edificio construido y dotado por doña Catalina Ribera, llamado hoy Hospital Central. También existió, después, el Hospicio o colegio de Niños Toribios, fundado por un pobre montañés llamado Toribio Velasco, en el año 1721. Este establecimiento sólo duró cumpliendo su finalidad de recoger chiquillos huérfanos abandonados y educarlos, el tiempo que vivió el hermano Toribio, pues más tarde se burocratizó y desvirtuó sus funciones, convirtiéndose de hogar amoroso en un triste correccional, que acabó por ser odiado del pueblo sevillano y hubo que cerrarlo en el siglo XIX.

La economía sevillana

Es interesante reseñar que, mientras en los graneros de España, Castilla y León, escaseaba el trigo, Sevilla lo tenía muy abundante; así se da el caso de que el Ayuntamiento de Burgos no encontrando grano para remediar el hambre que había en aquella comarca, ni intentando comprarlo en Salamanca y Palencia, acudió a Sevilla en 1630 y en 1649 donde pudo adquirirlo en cantidad suficiente y a precio moderado, según documentos que ha publicado recientemente el Boletín de la Academia burguense «Fernán González».

Se construye en este siglo XVII la iglesia parroquial del Sagrario, proyecto del arquitecto Zumárraga y realización de Fernando de Oviedo y de Lorenzo Fernández Iglesias. Se terminó en 1662, pero como poco después hubiera temor de que la obra no fuese suficientemente sólida se efectuaron reparaciones desde 1692 a 1694. La construcción de la iglesia del Sagrario puede considerarse como una verdadera calamidad que estropeó gran parte de la belleza arquitectónica de la fachada catedralicia que miraba hacia la ciudad, y la destrucción de los escasos vestigios de la antigua mezquita. Pese a su coronamiento calado y flamígero, es una masa arquitectónica pesada de feas proporciones y de pésimo gusto.

Del mismo tiempo, pero con proporciones más armoniosas, es el Palacio Arzobispal, que se salva sobre todo por su hermosa portada, hecha, no en el XVII, sino a principios del XVIII.

También a mediados del XVII vivió don Miguel de Mañara a quien aludimos al hablar del teatro, quien dedicó sus bienes a crear el Hospital de la Caridad, que se edificó sobre el solar de cuatro de las dieciséis naves de las antiguas Atarazanas, y no sobre la casa palacio de Mañara, como suele creer el vulgo. El edificio del Hospital de la Caridad fue trazado por el arquitecto Bernardo Simón de Pineda, concluyéndose en 1674. Su exterior es sobrio y su patio, salas e iglesias de un castizo sabor sevillano, sin las grandes pretensiones de la iglesia del Sagrario, pero con mucha más belleza y armonía.

Estamos en pleno barroco (barroco significa en portugués perla defectuosa «baroco»).

Al desaparecer las comedias, el antiguo teatro denominado Corral de Doña Elvira, se demolió y se construyó en su solar el Hospital y Hospicio de Venerables Sacerdotes, estupendo edificio, una de las mejores realizaciones del barroco sevillano, alegrado por azulejos y yeserías que dan al orden grecorromano una pincelada de alegre mudejarismo.

En 1667 surge en Sevilla la necesidad de crear una escuela de navegación para formar pilotos y capitanes ya que nuestro puerto, por sus relaciones monopolistas en el tráfico de Indias, era el más importante de España. En 1682 comenzaron las obras del Seminario de Mareantes o Colegio de San Telmo, en cuya construcción se turnan Leonardo de Figueroa, su hijo Matías y finalmente su nieto Antonio. La construcción duró más de un siglo y en cambio las enseñanzas de náutica solamente 51 años, ya que en 1847 se suprimió el Colegio de Navegantes y en 1894 compraron el edificio los duques de Montpensier.

Fue Sevilla en el siglo XVI la ciudad de mayor riqueza del mundo. Por habérsele concedido la exclusiva de los embarques y desembarcos de Indias, entraba aquí un increíble río de oro. Pagaban impuestos al Ayuntamiento las mercancías, los barcos y los pasajeros. Pero además los soldados, mercaderes y oficiales civiles que volvían ricos del Perú, de Nueva España y de Nueva Granada, con las maletas atestadas de monedas de oro y de plata (la cual se acuñaba en los propios barcos para que siendo moneda pagase menos impuesto que si entraba la plata en barras o el oro en pepitas), se gastaban parte de sus caudales y a veces todo en las tiendas, en las casas de juego y en las mancebías de que Sevilla estaba llena como todo puerto cosmopolita. El Ayuntamiento ingresaba en sus cajas (también este dato es de don Santiago Montoto), un millón y medio de ducados. Algunos cargos públicos cobraban tres mil maravedises al año, y el cargo de Alférez Mayor lo daba el rey a don Juan Gutiérrez Tello a cambio de que éste le pagase nueve mil ducados. En esta época un aperador de un cortijo ganaba treinta y ocho ducados anuales.

Termina aquí el siglo XVI, el Siglo Imperial de España y el Siglo de Oro de la vida sevillana en cuanto a los muchos caudales que entraron en la ciudad. Siglo de Oro también para las letras hispalenses. Sin embargo, será la centuria siguiente, el Siglo de Oro de las Artes, el glorioso barroco siglo XVII.

Las calles de la ciudad. Población

Durante esta época, las calles de Sevilla experimentan un importante cambio: los antiguos nombres del medievo son en muchos casos desplazados por nombres religiosos, de acuerdo con la preponderancia que va alcanzando la religiosidad en plena Contrarreforma.

Así, por ejemplo, la Plaza del Baño pasa a llamarse Plaza de San Juan de la Palma; la calle de la Carrera de Caballos se pasa a denominar San Lorenzo; el Barrio de los Gallegos cambia a ser San Laureano; Concejo se nombra San Miguel; la Pergaminería va a denominarse San Pedro, etc.

Se conservan no obstante algunos nombres antiguos como Jamerdana que significa Mercado de Tripas y Mondongos, y que data de época árabe. Asimismo persisten dos Alcaicerías, una la actual Alcaicería de la Loza y otra la actual calle Hernando Colón, ambas que fueron Alcaicerías en tiempo de los árabes. Igualmente en el XVI abundan los nombres gremiales, como calle de las Armas, la actual Alfonso XII; Espaderos, la actual Sierpes; Triperas, la actual Velázquez; Borceguinería, la actual Mateos Gago; Moro, la actual Jerónimo Hernández, algunas tan curiosas como calle Rascaviejas llamada así porque se rascaban y limpiaban las espadas viejas, que hoy es la calle Hiniesta.

Del mismo libro tomamos el dato relativo a la población. En la época de Felipe II había en Sevilla 12.121 casas habitadas por 66.244 adultos y 12.967 niños, a más de 6.325 esclavos, lo que significa 85.536 habitantes, y de ellos casi el diez por ciento esclavos.

Este capítulo procede de un censo eclesiástico mandado hacer por el arzobispo en 1565. Sin embargo, en el libro *Recibimiento de Felipe II*, Mal-Lara refieren que «se halló los años pasados número de 40.000 hombres y 90.000 mujeres sin contar los niños, viejos y criados que quedaban en casa. Estas dos cifras al parecer discrepantes las explica Montoto con los altibajos que de un año a otro experimentaba la población por las grandes calamidades y epidemias, de las cuales, el hambre y la peste en 1521 costaron 50.000 muertes en nuestra capital.

Las casas señoriales de Sevilla

Durante los siglos XVI y XVII, y aún más, hasta principios del XIX, Sevilla estaba ocupada en una gran parte de su superficie por las que se llamaban Casas Principales, pertenecientes a ilustres familias de títulos del reino, o de linajes de caballeros. Estas «casas principales» eran edificios grandiosos, con jardines, caballerizas, y viviendas para los sirvientes, palafreneros y demás criados. He aquí la lista de las más conocidas:

Condes de Águila, en la Plaza de Maldonados, que llevaba este nombre por el apellido de dichos condes; marqueses de la Algaba, del linaje de los Dávalos, en la Plaza de la Feria; duques de Alba, en el palacio de la calle Dueñas; duques de Medinaceli, y marqueses de Tarifa, en la Casa de Pilatos; duques de Arcos, en la Plaza de la Paja; marqueses de Ayamonte, en la Plaza de Regina; condes de Castellar, en la calle Arquillo de San Martín; otra casa de los mismos, en la calle Castellar. Esta casa perteneció a sus antepasados los Guzmán, y en ella vivió la célebre doña Leonor de Guzmán, y allí nació el bastardo don Enrique de Trastámara, su hijo, que fue rey.

Condes de Cantillana, en la Plaza de la Universidad (hoy Cine Coliseo); Caballeros del linaje de los Levantos, en San Juan de la Palma, casa que después se ha llamado Casa de los Artistas. Duques de Medina Sidonia, después casa de los Marqueses de Alcañiz, en la Plaza de la parroquia de San Miguel. Duques del Infantado, linaje de los Roelas, en el Arquillo de Roelas; marqueses de Monsalud en la Plaza de San Vicente.

Marqueses de Sortes, en la calle de los Dados; condes de Peñaflor, en la Plaza de las Cocheras de Pineda, hoy Plaza de Villasís; marqueses de Moscosos y señores de Pineda, en la Plaza de la Encarnación. Caballeros del Linaje de Pumarejo en la Plaza del Pumarejo; Linaje de Quirós en la Plaza de la Gavidia, linaje tan rancio e ilustre que de ellos se dijo «Después de Dios la Casa de Quirós». Conde de San Remi, o Rami, en calle Alcázares; condes de Santa Coloma y marqueses de Valle Hermoso, en la calle de Santa Clara. Linaje de Monsalves, en calle Monsalves; marqueses de Paradas, del linaje de los Téllez, en calle Gallegos.

Linaje de los Pinelos, en calle Abades (la Casa de los Pinelos donde nació el hijo bastardo del duque de Alcalá, Juan de Ribera, que después llegó a ser prelado, y santo, es actualmente edificio destinado para las Academias).

Linaje de los Tellos y los Solís, en la Plaza de San Miguel; marqueses de las Torres, en calle Santa Coloma; duques de Veragua, en calle Borceguinería. Duques de Altamira, del linaje de Villamanrique, en la Plaza de Santa María la Blanca. Y conde duque de Olivares, en la calle de San Pablo (edificio que después fue el «Hotel Madrid» y que hoy son las «Galerías Preciados»).

Lope de Vega en Sevilla

En el año 1602 llega a Sevilla la compañía de teatro de Baltasar de Pinedo en la que figuraba la bellísima cómica Micaela Luján, bellísima como mujer y menos que mediana cómica. La fecha de este viaje señala la primera estancia del Fénix de los Ingenios en Sevilla, según Federico Carlos Sáinz de Robles. Sin embargo, el erudito sevillano don Santiago Montoto afirma que Lope estuvo en nuestra ciudad ya antes de 1600.

La llegada de Lope a Sevilla constituyó una inyección de vitalidad para las letras sevillanas, pues su espíritu inquieto, bullicioso e increíblemente creador le llevó a participar de forma activa en las reuniones de Rodrigo Caro, Jáuregui, Rioja, Fernández de Andrade, Ximénez de Enciso, Medrano, Espinosa, Porras de la Cámara, Juan de la Cueva y Francisco Pacheco, reunión que presidía el ilustre caballero Veinticuatro de Sevilla, don Juan de Arguijo. Frente a esta Academia existía otra de tendencias literarias opuestas presidida por Juan de Ochoa Ibáñez, amigo de Cervantes y enemigo de Lope. Entre ambos grupos se cruzaban encarnizados epigramas.

Después de actuar en el Corpus, representando Autos Sacramentales, la compañía de Baltasar de Pinedo se marchó a Granada y Lope se fue detrás para continuar escandalizando a las ciudades andaluzas con sus genialidades de escritor y con sus liviandades de enamorado. Micaela Luján es la «Camila Lucinda» de los versos de Lope de Vega, casada con Diego Díaz, el cual se presentó inesperadamente en España, de regreso del Perú donde se encontraba. Lope de Vega tuvo que levantar el dulce campo de sus amores y trasladarse a Madrid donde escribió hermosos poemas llenos de nostalgia, aunque la tristeza le duró poco porque encontró sustitución a la dama perdida.

Lope volvió a Sevilla en otras ocasiones. Dedicó a la ciudad hermosas páginas en algunas de sus mejores comedias, y de entre estos versos destacan las famosas coplas:

Río de Sevilla / que bien pareces / lleno de velas blancas / y ramas verdes. / Río de Sevilla / quién te pasara / sin que la mi servilla se me mojara.

Obras íntegramente dedicadas a Sevilla por Lope son: *El Ruiseñor de Sevilla, La Estrella de Sevilla, El Arenal de Sevilla, Los Peligros de la Ausencia, La Esclava de su Galán, La Niña de Plata, Lo Cierto por lo Dudoso, El Amigo hasta la Muerte,* y otras. Sobre Lope de Vega y su estancia en Sevilla ha publicado en el diario *ABC* un documentado artículo el notable periodista Benigno González, el año 1960.

El jardín de Monardes

En el siglo XVI el famoso médico y botánico sevillano doctor Monardes tuvo un jardín de aclimatación (según unos en calle Sierpes donde ahora está el café Madrid y según otros en la calle Hernando Colón número 2) y en el cual aclimató infinidad de plantas traídas de América, introduciendo en Europa la patata, el tabaco y el maíz.

Ya estamos en épocas en que el arte tiene su mejor aposento en nuestra ciudad.

Los grandes artistas sevillanos

MONTAÑÉS. — Por los años 1588 había sido examinado en Sevilla un joven escultor llamado Juan Martínez Montañés, nacido en Alcalá la Real, y que había aprendido el oficio y arte junto a Pablo Rojas en Granada. Martínez Montañés fue declarado «hábil y suficiente para el ejercicio del arte de arquitecto, escultor y entallador de romano», siendo los examinadores Miguel Adam y Gaspar del Águila. Tenía veinte años de edad. Desde este momento, Martínez Montañés se convierte en artista sevillano, vecino de Sevilla, desarrolla aquí toda su actividad, llena con sus obras las iglesias y conventos de nuestra ciudad. Según Hernández Díaz, de Martínez Montañés existen documentados, San Cristóbal en la iglesia del Salvador, el Cristo de la Clemencia en la catedral, santo Domingo de Guzmán en el Museo, relieves del antiguo retablo de Portaceli en el Museo, Niño Jesús en la Parroquia del Sagrario, relieve de las dos trinidades en San Ildefonso, retablo en el Monasterio de San Isidoro del Campo, sepulcro de Guzmán *el Bueno* y doña María Coronel en el mismo Monasterio, retablo y relieves en el convento del Socorro, Cristo de los Desamparados en el Santo Ángel, retablo y relieves en el convento de San Leandro, esculturas y relieves del Retablo Mayor en Santa Clara, Santa Ana en el convento de Santa Ana, retablo de la Inmaculada en la catedral, retablo de san Juan Evangelista en San Leandro, Santa Ana en la iglesia del Buen Suceso, San Bruno en el Museo, San Juan Evangelista y San Juan Bautista en el convento de Santa Paula, San Ignacio de Loyola y San Francisco de Borja en la iglesia de la Universidad y Jesús de la Pasión en la iglesia del Salvador. Sobre Montañés existe un «Estudio iconográfico y técnico de la imaginería montañesina» por don José Hernández Díaz.

MESA. — Simultáneamente ejerce la escultura en Sevilla el eminente Juan de Mesa, autor de muchas imágenes sevillanas, entre ellas el Cristo del Amor, y el mundialmente conocido Jesús del Gran Poder. Para la capilla de la Casa de Pilatos y como titular de la Hermandad del Vía Crucis, labró Mesa la imagen del Cristo de Medinaceli que hoy se venera en Madrid, en 1610.

CANO. — Alonso Cano, aunque nacido en Granada, estudió la pintura en Sevilla con Francisco Pacheco y la escultura con Martínez Montañés, y aquí realizó sus mejores obras.

ROLDÁN. — También artista eminente fue Pedro Roldán, autor de las imágenes del Cristo de la Exaltación de la Trinidad, Jesús de la Salud de San Nicolás, la Virgen de la Hermandad de los Panaderos, el San Juan de la Hermandad de la Lanzada, el Jesús de las Penas de la Parroquia de San Vicente, el Cristo de la Salud de San Bernardo, la Virgen del Rosario y el Señor Orando de la Hermandad de Montesión, la imagen de la Virgen de la Hermandad del Santo Entierro, el Señor del Silencio de San Juan de la Palma, el grupo de la Sagrada Mortaja de Santa Marina (este último solamente atribuido), el retablo mayor del Hospital de la Caridad.

LA ROLDANA. — Luisa Roldán de Mena, hija de Pedro, llamada *la Roldana,* hizo en esta época la Virgen de la Amargura de San Juan de la Palma, el Ángel de la Oración del Huerto de Montesión, las pequeñas esculturas de San Miguel, San Agustín y Santo Tomás de la Parroquia de San Bernardo y numerosísimas figuritas de Nacimiento para las que tenía especialísima habilidad y gusto, y que le encargaban a muy buen precio las familias más principales de Sevilla.

RUIZ GIJÓN. — Autor del Cristo de la Expiración llamado *El Cachorro.*

VELÁZQUEZ. — Mientras tanto, da sus primeros pasos en la pintura el insigne Diego de Velázquez, que nació en nuestra ciudad y se formó aquí aun cuando hacia 1620, con 19 años empiece a ausentarse de Sevilla y acabe instalándose como pintor del Palacio Real en Madrid.

MURILLO. — Murillo nace en 1617 y es discípulo del eminente pintor Juan del Castillo. Trabajó casi exclusivamente en Sevilla dejando aquí sus mejores obras, entre ellas la Santa Isabel de Hungría del Hospital de la Caridad, las famosísimas Inmaculada (La Niña, la del Padre Eterno y la Grande, que se conservan en el Museo Provincial); la graciosísima Virgen de la Servilleta; Jesús Crucificado abrazado a san Francisco; San Antonio de Padua; y obras que han ido al Museo del Prado como la Sagrada Familia del Pajarito, Rebeca y Eliezer y santa Isabel curando a los leprosos. Las obras de Murillo conservadas en Museos extranjeros, quizá las mejores sean La Abuela despiojando a su nieto, Niño comiendo melón y Muchachos comiendo fruta, que están en la Pinacoteca de Munich. Murillo se mató al caer de un andamio pintando la cúpula de una iglesia en Cádiz.

Junto a estas primeras figuras de las Bellas Artes, hubo numerosísimas firmas de segundo orden, y una verdadera artesanía de escultura en serie que realizaba copias de las obras de los grandes maestros para exportarlas a los conventos e iglesias que iban construyéndose en América.

Prohibición de las comedias

El teatro, como hemos visto anteriormente, desde Lope de Rueda tenía gran importancia y aunque Felipe II prohibió las comedias, volvieron a autorizarse, aun cuando para evitar nuevas prohibiciones se inclinaron los poetas por hacer comedias de santos. Según Agustín de Rojas:

Hizo Pedro Díaz entonces
la DEL ROSARIO y fue buena;
SAN ANTONIO Alonso Díaz,
y en fin no quedó poeta
en Sevilla que no hiciese
de algún santo su comedia.

El mayor enemigo del teatro fue don Miguel de Mañara, quien escribió cartas al Real Consejo, dirigida a don Carlos Ramírez para que no permitiese en Sevilla la representación de las comedias por considerarlas ofensas a Dios.

Habiéndose presentado una epidemia de peste en algunas ciudades de Andalucía, el misionero fray Tirso González consiguió que el Cabildo Municipal prohibiese las representaciones de comedias como medio de evitar la cólera de Dios; y aunque acababa de labrarse el edificio del Coliseo costeado por doña Laura de Herrera, famosa empresaria, quedó prohibida toda función teatral. Apeló doña Laura de Herrera al Consejo Real, por el mucho daño que se le hacía a sus intereses y porque en otras ciudades había teatros autorizados por el rey. El Consejo envió la autorización, pero el Cabildo Municipal se negó a acatarla y desde 1679 hasta mediados del siglo XVIII estuvo Sevilla sin comedias. (El Coliseo estaba en la actual calle Alcázares).

El año del diluvio

El año 1626 se llamó el año del Diluvio porque hubo tales lluvias que el río invadió toda la ciudad dañando más de ocho mil casas; las monjas tuvieron que abandonar sus clausuras, se anegaron las tahonas y quedó la ciudad sin pan. Se hundieron seiscientos edificios entre cuyas ruinas perecieron centenares de vecinos. El agua estropeó toda la mercancía llegada de Indias que estaba en los muelles, principalmente cajones de añil y de azúcar, palo del Brasil y Campeche y se ahogaron infinitos ganados y cabalgaduras. Los barcos del puerto fueron arrastrados y de ellos uno vino a quedar en seco en el Prado de San Sebastián, y ocho en San Telmo.

La secta de los alumbrados

Este mismo año volvió la Inquisición a descubrir una herejía que había cundido tan profusamente que «no hay duquesa ni marquesa, ni mujer alta ni baja, excepto las que se confiesan con frailes dominicos, que no tenga algo de que acusarse en este particular». (Menéndez y Pelayo. *Historia de los Heterodoxos Españoles.*) Se hizo acto público en 28 de febrero de 1626 en el cual salió condenada la beata Catalina de Jesús, mujer de santidad fingida, que había divulgado muchas falsas ideas y supersticiones, principalmente contra el matrimonio y contra la vida monástica, castigada con insignias de penitencia y condenada a seis años de reclusión en un convento. También se penitenció al presbítero Juan de Villalpando, cuya idea sobre el Sacramento de la Penitencia era que para que sus confesados no pecasen, debían quedarse encerrados en su casa donde los tenían secuestrados.

Esta secta se caracteriza por considerar el Sacramento del Matrimonio como «zahúrda o cenegal de puercos», pero al mismo tiempo rechazar también la vida monástica. Propugnaban un llamado Estado de Perfección o beaterio, sin reglamentos ni ordenanzas canónicas, mezcla de contemplativa y de licenciosa.

No cita Menéndez y Pelayo, ni tampoco Guichot, que en este asunto de la beata Catalina y sus devotos seguidores aplicase la Inquisición ningún castigo grave; ello hace más vehemente nuestra idea de que por tratarse de asunto que no afecta a la política, no se procedió con el rigor que se había tenido en tiempos de Felipe III para con los luteranos, ya que aquéllos sí podían ser peligrosos por su inteligencia con los ingleses y con los rebeldes alemanes.

La gran traición de dos sevillanos

En el año 1640 habíamos perdido la plaza fuerte de Arras, principal baluarte español en los Países Bajos. Se inició de repente la decadencia del imperio español, y cunde el desaliento en el interior de nuestra patria. Luchamos simultáneamente contra los rebeldes holandeses y flamencos, contra la Francia de Richelieu y contra media Europa.

Por si fuera poco, se produce la sublevación de Cataluña donde es muerto el virrey conde de Santa Coloma, y con la ayuda de los franceses se incorpora Cataluña al reino de Luis XIII. Casi al mismo tiempo una mujer sevillana, doña Luisa Pérez de Guzmán *el Bueno*, hija del duque de Medinasidonia, comete la gran traición contra España, estimulando a su marido el duque de Braganza, con quien se había casado en Sanlúcar de Barrameda en 1632, para que subleve las provincias portuguesas contra la corona de España y se erija rey de Portugal. Don Juan, duque de Braganza era un hombre apocado y temía tanto a su mujer, que le dio más miedo de ella que de todos los Ejércitos de España, con lo cual, a pesar de su reconocida pusilanimidad, autorizó a su mayordomo Pintos Riveiro para levantar al pueblo y a los nobles portugueses contra la virreina de Portugal doña Margarita de Saboya.

Un grupo de hidalgos portugueses, a las 9 de la mañana del sábado 1 de diciembre, llegaron a palacio y dieron muerte al secretario, don Miguel de Vasconcelos, cuyo cadáver arrojaron por la ventana al populacho que se encargó de arrastrarlo y descuartizarlo. Seguidamente, amenazando con la pistola a Su Alteza la virreina, la obligaron a firmar una orden para que se entregase el castillo de Lisboa y las galeras castellanas que estaban en el puerto. Seguidamente nombraron un gobierno provisional, mandando aviso al duque de Braganza quien el día 6 de enero de 1641 entró en Lisboa y se coronó rey en la Iglesia Mayor el día 15 tomando el nombre de don Juan IV. Doña Luisa Pérez de Guzmán había conseguido un trono pero los portugueses no salieron ganando con el cambio si hemos de creer una copla, recogida por Guichot, y que dice:

Bom rey temos
boa reina e boms infantes
mais o governo
pior que de antes.

No fue ésta la única traición contra la corona de España. Todavía otro sevillano intentó una traición semejante. El duque de Medinasidonia, don Gaspar Alonso Pérez de Guzmán, animado por el éxito que había tenido su hermana doña Luisa en hacerse reina de Portugal, quiso intentar la empresa de sublevarse en Andalucía para hacer con ella un nuevo reino. Al efecto, a través de su cuñado el rey don Juan, entabló negociaciones con Inglaterra y con Francia para que le reconocieran como rey legítimo en el momento en que se alzara contra el rey de España. Tenía don Gaspar el señorío de Sanlúcar de Barrameda, y un ejército propio compuesto de cientos de criados y escuderos bien armados, y abundante tren de artillería.

Ocurrió, sin embargo, que un fraile llamado Nicolás de Velasco, religioso franciscano, que era quien servía de agente de enlace entre el de Portugal y el duque de Medinasidonia, confió unas cartas a un criado llamado Sancho, el cual que sospechaba la intriga que se estaba fraguando, en lugar de traer las cartas a Sanlúcar de Barrameda, se marchó a Madrid y las entregó al conde duque de Olivares, el cual reunió el Consejo de Castilla y el de Estado, ante los que hizo comparecer al duque de Medinasidonia antes de que le diera tiempo a sublevarse.

El castigo de la intentona no fue tan ejemplar como merecía, pues si bien el marqués de Ayamonte, pariente de don Gaspar, fue condenado a muerte y degollado en el Alcázar de Segovia, en cambio el duque de Medinasidonia, aspirante a rey, no se atrevió Felipe IV a someterle a pena capital, quizá por temor de que los reyes de Portugal movieran a Inglaterra a una guerra de invasión de España. Se conformó, pues, don Felipe, con incorporar Sanlúcar de Barrameda a la corona guarneciéndola con tropas reales, confiscándole una parte de sus bienes al duque de Medinasidonia y obligándole a residir en Madrid.

La gran epidemia

En 1646 y llegada también de Oriente a través de Italia, hace su aparición en Andalucía una terrible epidemia de peste bubónica, acrecentada con el mal estado sanitario derivado de los encharcamientos producidos por las inundaciones de aquella primavera. En los arrabales y en Triana donde la aglomeración de gentes era mayor y había más charcas pestilentes, prendió la enfermedad con mayor virulencia y muy pronto se extendió a toda la ciudad, que casi exterminó. Durante todo aquel verano el número de muertos pasó de 500 diarios hasta

2.500. Las iglesias ya no eran bastantes para contener en sus criptas tantos cuerpos difuntos. Fue necesario abrir en las plazas grandes zanjas o carneros, donde se arrojaban los muertos y se cubrían con cal viva. Delante del Hospital de las Cinco Llagas se abrió una profunda excavación de más de siete estados de hombre, o sea, alrededor de diez metros. Allí se arrojaron miles de cadáveres. Los presos que eran sacados de la cárcel para estos trabajos, murieron contagiados o se escaparon. Venían gentes de los pueblos para saquear las casas donde habían muerto la totalidad de los vecinos. Enfermeros y sepultureros iban en carros por las calles y desde lo alto de ellos metían ganchos para pescar a los difuntos que estaban en las habitaciones y así los sacaban por el balcón y los echaban al carro para transportarlos al osario. Incluso se echaron muchísimos al foso de la muralla delante de la Puerta de Triana cuando ya no hubo quien cavase más zanjas.

No es posible calcular la mortalidad en aquella época. Se calcula en 200.000 almas de las 300.000 escasas que había llegado a tener la ciudad. Los que no habían enfermado andaban como locos por las calles entregados a la desesperación de haber fallecido todos sus parientes, o bien perdida ya la fe por el horrendo espectáculo, se dedicaban a toda clase de delitos y de pecados. Pululaban las mujerzuelas y los hombres por los mismos lugares donde se amontonaban los muertos, viéndose una mezcla de luto, de pánico, de lujuria y de rapiña.

Las milicias se disolvieron, quedaron sin obreros las fábricas, y no habiendo a quien cobrar impuestos se arruinaron las arcas municipales y la Hacienda Pública. Esta epidemia ha sido casi la mayor calamidad que experimentó Sevilla.

La epidemia castigó Andalucía desde 1646 a 1650, pero la destrucción de Sevilla se verificó entre los meses de abril a julio de 1649. Murió en ella gran parte de la nobleza, miles de religiosos y muchos artistas, entre ellos Martínez Montañés, de quien se dice que está enterrado en la Plaza de la Magdalena, ya que se le dio sepultura en la iglesia que ocupaba entonces dicha plaza. Sin embargo, el diligente periodista don Fernando López Grosso, me ha contado repetidas veces haber leído una carta de la época, en la que afirmaba que el cuerpo de Martínez Montañés lo vio en un carro de muertos que llevaban a arrojar al foso de la muralla por la Puerta de Triana, «y lo conocí muy bien en la cara».

Quedó en fin la ciudad tan despoblada, que en muchas calles creció la hierba hasta la altura de un hombre, por el barrio de San Vicente y Santa Clara, ya que por haberse muerto la totalidad de los vecinos de estas calles estaban despobladas y al no transitar nadie por ellas se llenaron en los meses siguientes de jaramagos y otra vegetación. (Se distinguió en estudiar y combatir esta epidemia el célebre médico Francisco Franco.)

El primer bibliógrafo del mundo

Por estos años vive en Sevilla, donde había nacido, el famosísimo erudito Nicolás Antonio, el primero de los bibliógrafos que han existido en este mundo. Su obra *Bibliotheca Hispana Vetus* es el índice bibliográfico de los escritores españoles desde la época de Augusto hasta el año 1500, y la *Bibliotheca Hispana Nova* reúne prácticamente el total de lo impreso en nuestra patria desde 1500 a 1670.

No solamente reseñó los libros sino que los estudió, contrastando la autenticidad o falsedad de muchos de los cronicones medievales que se daban como verdaderos. Nicolás Antonio es una de las primeras glorias de Sevilla.

Tal vez indujo a Nicolás Antonio a emprender su actividad bibliográfica, el ejemplo de Hernando Colón, aun cuando aquél no puede considerarse más que como bibliófilo, y éste, en cambio, resulta ser ya bibliógrafo y crítico.

El folklore musical

A la terminación del siglo XVI se puede afirmar que en Sevilla adquieren su forma definitiva ciertas corrientes de folklore musical, el canto y la danza. Si hasta el siglo XV o principios del XVI, el folklore andaluz no es más que una prolongación de lo traído por los castellanos y leoneses de la Reconquista, o alguna escasa supervivencia del folklore musulmán, muy empobrecido por las circunstancias sociales en que se desenvuelve la minoría morisca, es en el siglo XVI cuando la pujanza económica, y el crecimiento de la población, dan a Sevilla una circunstancia adecuada para crear su propio folklore.

Así aparecen la Zarabanda, el Polvillo, y la Chacona, los tres bailes sevillanos, que pasarán no sólo a toda España, sino a otros países. Así encontraremos «sarabande» en las obras de los compositores alemanes, incluso Juan Sebastián Bach, por haber llegado hasta allí estos bailes sevillanos.

Parece ser que el nombre de Zarabanda se debió al nombre o apellido de una célebre bailarina sevillana, según consta en un manuscrito de la época, existente en la Biblioteca Nacional, de donde lo tomó Pellicer.

Una academia o Escuela de Baile, Canto y Guitarra, existió a principios del siglo XVII en la calle Harinas, donde enseñaba un famoso maestro llamado José Tirado.

Otra rebelión de los «ferianos»

Consecuencia de la gran epidemia fueron el quedar los campos baldíos en la comarca con la consiguiente disminución de productos agrícolas y por lo tanto elevación de precios de los víveres.

El 19 de mayo de 1652, cuando el precio del pan había llegado a 5 y 6 reales la hogaza (hemos de tener en cuenta que un cavador ganaba 3 y 4 reales al día sin comida, un oficial de obra prima 4 y 5 reales, y un maestro de albañil 8 reales al día), se produjo en la calle de la Feria un alboroto de las mujeres que acudían a la compra contra los panaderos de Alcalá de Guadaira y el Viso, por el alto precio que habían puesto al pan. Tomaron parte en el alboroto muchos de los hombres sin trabajo que habían acudido a buscarlo en la capital, y se llegó a quitarles el pan a los panaderos, quienes se defendieron con las espadas (en aquella época llevaban espada hasta los panaderos). Hubo algunas muertes y quedaron los ánimos tan excitados que el día 22 algunos grupos que estaban estacionados alrededor de la parroquia de Omnium Sanctorum, irritados porque aquel día habían entrado menos pan en Sevilla, pues los de Alcalá por el temor no se habían decidido a venir a la capital, acometieron a los pocos panaderos que habían llegado, les arrebataron el pan que traían, y no bastándoles con tan escasa cantidad, estos grupos de gente, capitaneados por dos tejedores llamados Isidro de Torres y Francisco Hurtado, se dieron a recorrer la ciudad con el propósito de asaltar las casas de algunos nobles a las que, según se decía, habían entrado pan en gran cantidad. Los amotinados fueron aumentando hasta constituir una multitud hambrienta que se dirigió en protesta hacia el palacio del Arzobispo y hacia las casas del Asistente y de los Regidores.

Salió el Asistente a su encuentro, pero no pudo aplacarlos, sino que lo cogieron entre ellos y le obligaron a formar parte de la manifestación para con su autoridad hacer registrar algunas casas donde se decía que había trigo. La multitud se dirigió a la mayoría de almacenes de grano de la ciudad, que saquearon y asimismo abrieron las puertas de la armería llevándose cuantas armas encontraron. Un grupo intentó romper las puertas de la Casa de la Moneda, pero un fraile les disuadió diciéndoles que nadie osase robar allí porque el dinero era del rey y sería un gran desacato a Su Majestad. Los revoltosos se dieron por convencidos y gritando «Viva el Rey» y «Muera el mal gobierno» se marcharon a otros lugares.

Entraron en casa del marqués de Algaba la que convirtieron en cuartel general de la insurrección y en donde instalaron el almacén donde llevaban el trigo y el tocino que encontraban en otras casas. De la reseña de esta insurrección escrita por Ortiz de Zúñiga se puede deducir que la revuelta o motín de la calle Feria, en la que participaban gentes de todos los demás barrios, incluso Triana, fue simplemente un motín de hambrientos, y aunque en él se causaron algunas muertes fue por reyertas entre ellos mismos. Pero quedó de manifiesto la moderación con que procedían; el respetar a los religiosos; el tener en sus manos al Asistente, al Arzobispo y al Regente de la Audiencia y no hacerles daño; el entrar en las casas principales sin ocasionar muertes ni mayores ultrajes a los señores y señoras principales, limitándose a robarles el tocino y el trigo de sus despensas.

Hubo en este motín, como en todo alboroto popular, las escenas acostumbradas de libertar los presos, quemar los papeles de los Juzgados Criminales, pasearse las mujeres públicas en desvergonzada exhibición mezcladas con los manifestantes, y el obligar al Asistente a echar un pregón declarando suprimidos los impuestos sobre los alimentos, con el fin de que pudieran entrar libremente en la ciudad los víveres necesarios. (Quedaban alzados los «millones» que era como se denominaba la contribución sobre el consumo de las «seis especies», carne, vino, vinagre, aceite, jabón y velas de sebo).

Es muy digno de mencionarse que los «ferianos» dirigieron a varios caballeros el ofrecimiento de nombrarles sus capitanes, aceptando este nombramiento don Juan de Villasís, caballero de la Orden de Calatrava y hermano del conde de Peñaflor, el cual antes de aceptarlo consultó con las autoridades legítimas, las que encontraron muy oportuno y conveniente que un caballero se erigiese en jefe de la plebe, pues de este modo podría canalizar y disminuir la virulencia de la rebelión.

También conviene resaltar el que los «ferianos» hicieron su alboroto sin que en ningún momento pronunciasen palabra alguna ni realizasen ningún acto contra el rey.

Don Juan de Villasís organizó cuerpos de guardia en los barrios, sin dejar de estar en inteligencia con las autoridades. Éstas y la nobleza prepararon un cuerpo de caballería de más de trescientos señores principales, para intentar sofocar la sedición.

El sábado día 29, enviaron las autoridades a varios religiosos y personas de respeto, para que entrasen en la calle Feria y tratasen de apaciguar los ánimos de la plebe, aconsejándoles al mismo tiempo que abandonasen las armas y solicitasen el perdón de las autoridades, las cuales, si el arrepentimiento era sincero, se lo concedería. «Dejóse convencer un gran tropel de amotinados que se encaminan a la Plaza de San Francisco a solicitar el perdón llevando a su cabeza a don Juan de Villasís y a los religiosos.» Llegados ante los balcones de la Audiencia, el Padre Guardián de los Capuchinos, en nombre de la plebe solicitó el perdón, contestándole desde un balcón el Regente de la Audiencia, que presidía la Junta de Gobierno de la ciudad, quien en nombre de Su Majestad el rey, otorgó el perdón solicitado. Quedaron sin embargo algunos grupos en armas y éstos, cuando regresaron los que habían ido a solicitar el perdón, los recibieron con burlas diciéndoles que aquello se había hecho para engañarles y desarmarlos, pero que ya verían cómo había castigo tan pronto como la Junta de Gobierno tuviese tropas para dominar la ciudad. El tiempo les dio la razón.

Volvieron a constituirse en armas los «ferianos», por lo que el Asistente, el Arzobispo y el Regente de la Audiencia marcharon a la calle Feria a parlamentar reiterando las promesas de perdón. Habló entonces un parlamentario de los sublevados pidiéndoles seguridad de que se quedarían suprimidos los impuestos de consumo o «millones», a lo que respondieron las autoridades que de ello habría que esperar la confirmación que enviase Su Majestad. Entonces los «ferianos» dijeron que conservarían las armas hasta que viniese tal confirmación de Madrid suprimiendo el impuesto, y que esperaban que el rey no dejaría de cumplir lo que en su nombre había pregonado el Asistente de la ciudad. Planteadas así las cosas y en la certidumbre de que tales impuestos no iban a ser suprimidos por tratarse de cargas públicas, volviéronse las autoridades a los sediciosos puesto que ya se contaba con los trescientos caballeros armados que había reunido el maestre de campo don Francisco Tello.

Al despuntar el alba del día 30, don Francisco Tello, don Diego Caballero y don Alonso Pinto de León, cada uno al frente de un escuadrón, atacaron por diversos puntos consiguiendo ocupar el barrio de la Feria. Los rebeldes que estaban de guardia en los diversos retenes y con las piezas de artillería que habían tomado en la casa del conde Gerena y de la Alhóndiga, abandonaron las armas y se dieron a huir por la calle de Lineros hasta la muralla, en cuya puerta más próxima ya había orden de tenerla abierta para que los rebeldes pudieran huir al campo, evitándose así mayor efusión de sangre.

Adueñadas las autoridades de toda la ciudad, se procedió a prender a los principales alborotadores, de los cuales, cinco fueron ajusticiados la misma mañana del día 30, y algunos días después se aplicó la misma pena a otros de los que habían escapado al campo y que fueron habidos. Finalmente algunos otros fueron sentenciados a galeras con lo que se restableció el orden y quedaron las cosas en su mismo ser.

Para evitar nuevos alborotos se hicieron cuantiosos repartos de trigo, principalmente por cuenta de los duques de Arcos y de Medinasidonia, las dos casas más ricas de la ciudad, con lo que se remediaron los pobres, y más tarde la cosecha fue buena, desapareciendo la carestía.

El 26 de setiembre de 1665 murió en Madrid Felipe IV, rey el más desdichado de la casa de Austria, ya que él solo perdió la mayor parte de lo que habían legado a la corona de España sus predecesores, quedando nuestra patria arruinada por las guerras y privada de Portugal,

Holanda, el Rosellón, el Artois, la Alsacia, los estados de Italia y Jamaica.

Fundación del Pozo Santo

En el año 1666 dos mujeres pertenecientes a la Orden Tercera de san Francisco, o sea seglares, no monjas, llamadas María de Jesús y Beatriz Concepción, acordaron fundar un hospital para mujeres ancianas, enfermas e impedidas, a semejanza del que existía para los ancianos varones, en la collación de San Juan de la Palma.

A tal efecto consiguieron adquirir una casa en una plazuela del mismo barrio, al final de la calle Amparo, y a espaldas del convento de Regina.

El hospital para mujeres ancianas enfermas e impedidas, fue puesto bajo la advocación de Nuestra Señora de los Dolores, aunque el vulgo le llamó y sigue llamándole Hospital del Pozo Santo.

En la actualidad es sostenido por el fondo de beneficencia de la Diputación Provincial.

Reinado de Carlos II

Proclamado rey el 3 de mayo de 1666 don Carlos II, se celebró tres fechas más tarde una solemne función religiosa dentro del programa de las fiestas de proclamación, en la que se inauguró la iglesia del Convento de Nuestra Señora del Pópulo (donde hoy está la oficina municipal, calle Pastor y Landero).

Firmada la paz por la que se reconocía la independencia de Portugal en este año dañóse mucho la situación económica de Sevilla pues que para mantener las tropas en la frontera portuguesa, se utilizaba el trigo sevillano, y ello determinaba que escasease en la capital y se elevasen los precios.

Descubrimiento del cuerpo de San Fernando

En 1668 y con motivo de la beatificación del rey Fernando III *el Santo,* se procedió a la apertura de su sepulcro en la Capilla Real de la catedral, el 17 de marzo, encontrándose el cuerpo incorrupto vestido de ricas telas adamascadas con adorno de castillos y leones. En el ataúd había un bastón o cetro, una sortija con una piedra azul y la espada con puño de plata.

Levantóse el Acta de estar el cuerpo incorrupto y de no aparecer señal de haber sido embalsamado, lo que certificaron los médicos don

Gaspar Caldera (autor de importantes libros de medicina, usados en las Universidades europeas durante más de un siglo), y don Pedro de Herrera, y el erudito don Cristóbal Báez, hombre muy entendido en antigüedades.

El 3 de marzo de 1671 llegó por fin a Sevilla el Breve Pontificio por el que se canonizaba a San Fernando, causando gran alegría en la ciudad, con cuyo motivo se hicieron vistosas fiestas tanto religiosas como profanas y se corrieron toros en la Plaza de San Francisco.

El viaje de la condesa d'Aulnoy

En 1679 viene a España la condesa d'Aulnoy, para tratar las bodas del rey Carlos II con la princesa María Luisa de Borbón, sobrina de Luis XIV. La condesa recorre los principales caminos de España visitando varias ciudades y publica un interesantísimo libro titulado *Un viaje por España en 1679*. De éste tomamos algunos datos que indican cuál era la mentalidad de Sevilla en la época.

«El príncipe Seigliano tiene derecho a dar oficios y comisiones en en la Casa de Contratación de Sevilla por valor de treinta mil escudos anuales, y prefiere perder esta fortuna considerable a firmar de su puño y letra los documentos necesarios porque dice que no es propio de un caballero como él tomarse la molestia de poner su nombre para tan poca cosa. El rey aprovecha lo que rechaza el príncipe, provee la plaza y se sirve de su rendimiento. Esto basta para indicar hasta qué punto entre los españoles domina la locura de la grandeza.»

«El duque de Arcos pretende que el rey de Portugal ha usurpado la corona que le correspondía a él por derecho propio y aunque tiene cuarenta mil escudos de renta en Portugal no los disfruta, porque no quiere someterse a besar la mano del rey, cuyo imperio no reconoce ni a rendirle homenaje.»

«No se ve a ningún tendero que no vista ropa de terciopelo, de raso o de seda como el rey; que no sea dueño de una descomunal espada, la cual cuelga de la pared junto al puñal y la guitarra.»

El arte de las rejas

Tiene en Sevilla especialísima importancia en esta época de finales del barroco el arte del hierro forjado. Así destaca Juan Bautista de Valencia como uno de los grandes maestros del ramo.

En muchas de las plazas donde habían sido enterrados los muertos de la gran epidemia, se erigen cruces de hierro y asimismo algunas Hermandades quieren testimoniar su devoción a la Santa Cruz alzando estas obras de arte y de religiosidad. La Hermandad del Rosario, establecida en las Gradas de la catedral, encarga en 1692 al gran artista del hierro, Sebastián Conde, la construcción de una cruz que había de ser colocada en la esquina de la calle Cerrajería con la calle de Sierpes. El maestro hizo un verdadero primor de hierro afiligranado que más parecía obra de orfebre que de herrero. El primero de noviembre de este año se condujo procesionalmente en una carroza la cruz para colocarla sobre su basamento y por el lugar donde se emplazó se llama Cruz de la Cerrajería. Más tarde y por ser un estorbo en lugar tan céntrico, sobre todo para los desfiles procesionales de la Semana Santa, y para las comitivas oficiales cuando los reyes visitaban la ciudad, hubo que trasladarla al compás del Convento de las Mínimas, en la misma calle Sierpes (en el lugar donde hoy está el establecimiento Casa Philips, según localiza dicho convento el estudioso sevillano don Joaquín Albarracín y Arias de Saavedra).

Volvió a reponerse en la esquina de la Cerrajería de donde se volvió a quitar; pasó a mediados del siglo XIX al Museo Arqueológico y por último, ya en nuestro siglo, ha sido colocada en la plaza de Santa Cruz, como bellísimo exorno de su castizo jardincillo.

Un sacerdote excepcional

Por este tiempo (1680), murió Ortiz de Zúñiga, excelente historiador que había escrito los *Anales de Sevilla,* obra a la que hay que acudir para conocer cuanto se relacione con nuestro Siglo de Oro. Don Diego Ortiz de Zúñiga fue enterrado en la iglesia parroquial de San Martín.

También murió poco antes (seguimos a Guichot), el cura de San Lorenzo, don Juan de Bustamante, quien, después de haberse casado cinco veces, teniendo cuarenta y dos hijos legítimos y nueve «de ganancia», se ordenó sacerdote a los noventa y nueve años de edad. Parecía que iba a ejercer el sagrado ministerio por poco tiempo, dada su ancianidad. Sin embargo, todavía vivió veintidós años sin dejar de cumplir sus obligaciones con juvenil energía y vigor. Hubiera vivido aún mucho tiempo, si no le sorprendiera prematuramente la muerte a los 121 años de edad a consecuencia de una caída que sufrió cuando estaba en lo alto de una escalera. Se enterró en la parroquia de San Lorenzo. Había sido notable navegante que recorrió los siete mares, participó en diversas batallas y hablaba muchas lenguas de indios.

Heroína sevillana

También de este tiempo es una heroína sevillana llamada doña Mariana de Velasco, que estaba con su marido, el marqués de la Algaba, en Orán, donde era gobernador. Cercada la ciudad por los moros murió el marqués en una salida, apoderándose de su cadáver los enemigos. Doña Mariana les compró a peso de oro la cabeza de su esposo que habían cortado y clavado en una lanza. Después, tomó el mando de las tropas y gobierno de la ciudad, y mantuvo la plaza hasta que llegó nuevo gobernador. Terminado esto, se vino a Sevilla y entró en un convento, donde acabó sus días.

El 1.º de noviembre de 1700, muere Carlos II y comienza la Guerra de Sucesión, que terminó tras más de cuatro años de penosa guerra. El hambre que ésta produjo fue tal que morían las gentes por las calles, y un testigo cuenta que cada mañana se recogían más de cincuenta cadáveres de los que habían muerto durante la noche de inanición en los alrededores de los mercados donde buscaban desperdicios para comerlos.

CAPÍTULO XI

REINADO DE FELIPE V

El mismo año 1700 se había terminado de construir la iglesia de San Luis, valiosísima obra arquitectónica del arte barroco, cuya fachada es casi la más hermosa en su género en nuestra ciudad.

No tuvo Sevilla intervención armada en la Guerra de Sucesión aun cuando contribuyó con dineros y con algunas tropas expedicionarias enviadas al norte. Salieron también de Sevilla algunos barcos para evitar que la flota inglesa se apoderase de Sanlúcar de Barrameda, como ya había ocupado el Puerto de Santa María. Contribuyeron el Arzobispo, la Audiencia, la casa de Misericordia, el Consulado y el Convento de la Merced con 17.300 pesos y 2.000 doblones y 36.000 reales, y abundante trigo y mantenimientos. De aquella guerra, la mayor expedición sevillana fue mandada por el marqués de Villadarias contra el sur de Portugal, mientras Felipe V atacaba por el centro y dos divisiones iban guiadas por el marqués de las Minas y el general Tilly. En 1704 se terminó la campaña pero lamentándose la pérdida definitiva de Gibraltar.

Volvió a reproducirse la guerra en 1705, continuando varios años con diversas vicisitudes. Los portugueses llegaron hasta Jerez de los Caballeros, mientras los castellanos conquistaban Serpa, y Mora en el Algarve.

Para festejar estas victorias hubo en Sevilla corrida de toros en la Resolana. En fin, en 1709, a consecuencia de la guerra, la crisis alimenticia se dejó sentir y entre los numerosos fugitivos de Extremadura que se habían refugiado y mal albergado en nuestra ciudad, se declaró una epidemia de fiebres infecciosas en la que murieron trece mil personas. Finalmente, en 1713, se dio por terminada la Guerra de Sucesión, consolidándose en el trono de España don Felipe V a costa de perderse Gibraltar, Menorca y Terranova, que quedaron en poder de Inglaterra, la pérdida de los Países Bajos, Nápoles, Milán y Cerdeña, cedidos al emperador de Austria y entrega de la isla de Sicilia a la casa de Saboya.

No es muy beneficioso para Sevilla el cambio de dinastía, puesto que a pesar de los grandes sacrificios económicos que nuestra ciudad había hecho en favor de la causa de Felipe V, trasladó éste la Casa de Contratación y Consulado del Mar desde Sevilla a Cádiz, lo que levantó un clamor de protestas que duró desde 1717 hasta 1727, y a pesar de los numerosos pliegos e informes favorables a Sevilla, quedó en Cádiz el monopolio del comercio con Indias.

En 1729 viene Felipe V con la reina Isabel de Farnesio a pasar una temporada en nuestra capital. Se hospedaron en el Alcázar y durante este tiempo otorgó importantes privilegios a la Real Maestranza de Caballería, entre ellos el de poder celebrar todos los años dos corridas de toros, y dio a la Academia de Medicina el derecho de trescientas toneladas de la primera flota que viniese de América para con su producto fundar la biblioteca, creándose además las plazas de profesor de Anatomía y profesor de Botánica.

En 17 de noviembre la reina dio a luz en el Alcázar una infanta. Permaneció aquí la Corte más de un año, y el rey Felipe V se extrañaba de que sus antecesores no hubieran dejado para siempre la Corte en Sevilla.

Ya desde 1728 se venía construyendo el grandioso edificio de la Fábrica de Tabacos con planos del arquitecto Wanderbourg, para sustituir el edificio de la fábrica interior que estaba en la plazuela de los Trinitarios Descalzos, y que con más de mil operarios y setenta y cuatro molinos producía una renta de más de doscientos millones de maravedises, cuya cuantía animó a emprender la edificación del soberbio edificio frente al Alcázar.

Antonio de Ulloa

Durante la época de Felipe V alcanzó el máximo renombre en las ciencias, en las matemáticas, en la cosmografía, en el arte de navegar y en la ingeniería un eminente sevillano llamado don Antonio de Ulloa. Había nacido en 1716, y en su adolescencia fue enviado por su familia a Cádiz para seguir la carrera naval. Encontrábase como guardia marina en San Fernando cuando trabó amistad con otro joven cadete llamado Jorge Juan de Santa Cicilia, siendo ambos los únicos de entre sus compañeros que se aficionaron al cultivo de las matemáticas y de la astronomía. Era lo corriente en aquella época que los marinos se interesasen más por el tiro de artillería y por la navegación práctica.

Ocurrió que en 1734 la Academia de Ciencias de París quiso efectuar la medición de un grado de arco del meridiano terrestre con el fin de determinar su longitud y deducir el volumen exacto de la esfera terrestre. Siendo el único lugar del mundo civilizado donde podía encontrarse un territorio adecuado para esta medición el de América del Sur, Francia hubo de pedir a España permiso para que una delegación científica entrase en nuestras colonias americanas, y por ser su mayor parte marinos y militares los científicos franceses, no pareció razonable dejarles entrar sin que los acompañase algún militar español. Se buscó la fórmula para cubrir estas razones de seguridad, de que invitasen oficialmente a algún científico español a participar en las mediciones. Cursada la invitación no se encontró en España un matemático con preparación suficiente para que no hiciese mal papel junto a tan eminentes científicos como los académicos de París. Sin embargo, el Comendador de San Juan dijo al rey que un sobrino suyo llamado Jorge Juan, aunque muy joven, era capaz de cualquier empeño matemático y astronómico por difícil que fuese. Le escribió en nombre del rey y el muchacho aseguró que sí estaba preparado y que haría buen papel. Ponía como condición, sin embargo, que se le dejase escoger un ayudante. Autorizado esto por el rey, eligió a su amigo y compañero Antonio de Ulloa. Encontrando delicado el problema de que los dos eran adolescentes y con objeto de que los franceses no considerasen como una burla el darles estos compañeros para sus serios trabajos, se promovió a Jorge Juan al grado de teniente coronel y a Antonio Ulloa al grado de comandante de la Armada «para darles con el grado la autoridad que les faltaba por los años».

Trasladáronse los dos a América con cartas reales en las que se ordenaba que los gobernadores y otras autoridades les diesen cuantas facilidades, dineros, acémilas y soldados necesitasen para su trabajo y su seguridad. Los dos jóvenes tuvieron grandes dificultades porque a los gobernadores les molestaba tener que ponerse a las órdenes de ambos barbilampiños. En cierta ocasión discutieron Jorge Juan y el Regente de la Audiencia de Quito, en términos tan violentos que aquél expidió un mandamiento de prisión por insolencia y desacato. Se agravaron las cosas cuando don Antonio de Ulloa y Jorge Juan, que iban a ser detenidos, acuchillaron a un alguacil hiriéndole malamente y pusieron en fuga a sus compañeros teniendo que refugiarse en sagrado en un convento. A consecuencia de esto hubo un larguísimo proceso que duró varios años y que llegó hasta las propias manos del rey quien lo sustanció dándole carpetazo.

Resultó en las operaciones de medición del meridiano, que los dos jóvenes españoles sabían más astronomía que los venerables académicos franceses y los datos que obtuvieron resultaron más ciertos, prevaleciendo su criterio. Esto les valió el respeto y la admiración de la Academia Francesa que les nombró sus miembros y asimismo otras corporaciones.

Volvieron cada uno por separado ante el temor de que un naufragio hiciera desaparecer todos sus papeles, los cuales en dos copias embarcaron en buques distintos. Don Antonio de Ulloa tuvo la mala suerte de que su barco cayese en manos de una flota inglesa enemiga. Conducido como prisionero a Inglaterra, al saberse quién era, se le recibió no como prisionero, sino como a hombre ilustre, dándosele toda clase de honores y la Academia de Londres lo recibió en su seno.

Don Antonio de Ulloa fue un cerebro privilegiado y abarcó increíble amplitud en todos los ramos científicos. Se le debe nada menos que el descubrimiento del platino; introdujo en España la electricidad; creó nuevos sistemas para la explotación de minas y beneficio de los minerales; estableció y dirigió el Observatorio Astronómico de Cádiz; creó el primer gabinete de Historia Natural de España; aplicó la mecánica a la fabricación de paños; diseñó un nuevo tipo de buque de vela que fue declarado de utilidad, construyéndose en serie para la Armada; al mismo tiempo, perfeccionó los relojes, creó en Madrid la Escuela Nacional de Imprenta y personalmente intervino en la impresión de libros y de mapas por sistema tipográfico inventado por él. Como ingeniero de construcciones realizó obras insignes ampliando los canales de Castilla y Aragón. Sevilla le debe además de toda esta gloria, el haber construido el malecón de defensa contra el Guadalquivir, que va desde San Jerónimo hasta Tablada.

Fundación de la Academia Sevillana

Existía desde el siglo XVI, como hemos visto al hablar de Lope, un ambiente literario de gran pujanza en nuestra ciudad. En varias casas principales se reunían los poetas y eruditos formando tertulias que se denominaban academias. Sin embargo no existía una organización de carácter oficial, y que por ello pueda tener neutralidad entre los distintos grupos o tendencias. En realidad cada tertulia o academia de las que se reunían, atendía solamente al lucimiento de sus miembros, a costa, muchas veces, de denigrar a los poetas que no pertenecían a ella. En este estado de cosas, don Luis Germán y Ribón, notable hombre de letras, intentó constituir una academia de carácter oficial para lo cual consiguió apoyo valiosísimo en Madrid. Sin embargo solamente pudo hacerse realidad este deseo durante el reinado siguiente, celebrando su primera sesión la Academia Sevillana de Buenas Letras, en 16 de abril de 1751 y de la cual fue primer presidente o director el propio Germán y Ribón, en su casa en calle Abades núm. 47.

Reinado de Fernando VI

El 9 de julio de 1746 murió don Felipe V que había reinado dos veces, ya que abdicó en su hijo don Luis que murió meses más tarde volviendo al trono don Felipe.

Exaltado al trono don Fernando VI se organizó para festejarlo una mascarada y desfile de carrozas tan lucido y brillante como no se había visto otra cosa en nuestra ciudad. Existen varios cuadros en el patio de nuestro Museo Provincial, que reproducen fidelísimamente aquella procesión cívica. Las carrozas son lujosísimas y el acompañamiento de ellas lo formaban comparsas de caballeros, y además gentes de los gremios, los unos disfrazados de indios, los otros, de chinos, los otros de turcos, de pastores, etc. Costeó, según me dice don José Sebastián Bandarán, los gastos de este festejo, la Real Fábrica de Tabacos que tenía abundantes fondos y autonomía económica suficiente para gastarlos. En la carroza principal iban los retratos del rey y de la reina que llevaron al Ayuntamiento, donde aún están. Hay publicado un libro con la «Descripción de esta Procesión Cívica y Mascarada».

Al comenzar el reinado de Fernando VI, Sevilla tenía 65.555 habitantes mayores de siete años de edad, o sea, menos de cien mil almas, cifra muy inferior a la del siglo XV y XVI.

Muchas mejoras debe Sevilla al rey Fernando VI. Las principales, además de la fundación de la Academia Sevillana de Buenas Letras, el haber creado el depósito de trigo para facilitar a precio moderado simiente a los labradores y harina a los panaderos, librando a aquél de la usura, y al pueblo de las oscilaciones que la especulación imponía en el precio del pan; la lápida conmemorativa de la fundación de este pósito está en el Museo Municipal.

En 1747 autorizó el rey la constitución de una llamada Compañía de san Fernando, sociedad comercial para la fabricación de tejidos de lino, lana, seda y brocado, con un capital inicial de tres millones de duros.

En 1755 sufrió Sevilla un espantoso terremoto que desplomó el barandaje de piedra de la catedral, y que causó grandes daños en las iglesias del Salvador, Santa Ana, San Julián, San Martín, San Isidoro, el colegio de Regina, San Francisco, la Trinidad, San Alberto, San Juan de Dios, la Casa Profesa de los jesuitas, la Alhóndiga, la muralla y otros muchos edificios. Es éste el tristemente célebre terremoto de Lisboa que destruyó la capital portuguesa. Ocurrió el día 1.º de noviembre, fiesta de Todos los Santos, a las 10 de la mañana. De los edificios dañados hubo que cerrar las parroquias de San Julián y San Martín; la torre del convento de Santa Ana se desplomó aplastando su iglesia y también se hundieron totalmente las torres de la Trinidad, de la Casa Profesa de los jesuitas y las de la iglesia de San Juan de Dios. A pesar de todos estos destrozos y de los cientos de casas que sufrieron daños, no hubo en Sevilla más que seis muertos y diez heridos, cifra que contrasta con los veintidós mil muertos que ocasionó en Lisboa. En señal de agradecimiento por no haber habido el número de muertes que de la magnitud del desastre cabía esperar, erigióse en la plaza inmediata a la catedral un monumento de muy bellas líneas donde todavía en la actualidad todos los años se canta un Te Deum de acción de gracias.

La última gran mejora en favor de Sevilla fue en 1758 al ordenar el rey a instancias del marqués de Monterreal que se rellenase la Laguna de Arenal, entrante de agua en las crecidas del río que infeccionaba el aire con miasmas y mosquitos durante todo el verano. Para arbitrar recursos con que hacer esta obra pública, el marqués de Monterreal cedió el terreno que resultase al gremio de paños y lancerías, con lo que este gremio construyó sobre la rellenada laguna sus casas y almacenes, naciendo así una de las más hermosas barriadas de entonces, calles Adriano y Molviedro, y las hoy llamadas Gamazo, Castelar y doña Guiomar, donde antes estuvo la Mancebía.

En 10 de agosto de 1759 y a consecuencia de la pena que le había producido la muerte de su esposa, doña Bárbara de Braganza, murió, dicen que de hambre porque se negaba a comer, el rey don Fernando VI.

Reinado de Carlos III

Muchas son las mejoras de todo orden que se ejecutaron en Sevilla bajo el reinado del más culto y progresista de los reyes de la casa de Borbón. Entre ellas, la construcción de la calle y Puerta de San Fernando en 1760; la de la Plaza de Toros de la Real Maestranza en el cerro del Baratillo; la creación de la primera perrera municipal, que estaba a cargo de la Real Academia de Medicina y en donde al mismo tiempo que se recogían los perros vagabundos para evitar «que muriesen en la calle perjudicando la salud pública», sirvió para que se pudieran hacer estudios sobre algunas enfermedades de los perros y su posible contagio a las personas. Se construyó la traída de aguas de la Fuente del Arzobispo; se erigieron dos nuevas columnas con dos estatuas de leones en la Alameda de Hércules; y se estableció en el Colegio de San Hermenegildo el Hospicio Provincial dotado con máquinas y talleres para enseñanza laboral. En la catedral se restauró el Giraldillo que estaba torcido desde el terremoto anterior; y se instaló el reloj que hoy subsiste, magnífica obra de relojería, construida por el fraile franciscano José Cordero, del convento de Sevilla.

Se terminó el foso de la Fábrica de Tabacos; se dio domicilio en lo que había sido edificio del Colegio de Ingleses, en la calle de las Armas (hoy Alfonso XII), a la Facultad de Medicina o Academia; se creó la Escuela de Pintura y Dibujo dándosele carácter oficial al alojarla en algunos salones del Alcázar.

Se restauraron los teatros que estaban suspendidos desde el siglo anterior, gracias a la diligencia del Asistente Olavide; se ensanchó la plaza del Altozano, rellenándose y elevándose el terreno en lo que hoy es calle Betis, con los escombros del antiguo castillo árabe de dicha calle; algunas mejoras en el orden social fueron a dotar de uniforme que aumentó su relieve social a la Corporación de Caballeros Maestrantes; el crear la orden civil que lleva el nombre del rey, para premiar méritos y recompensas a servicios militares; se suspendieron la salida de la Tarasca y de los enanos y gigantones, ridícula comparsa que afeaba la procesión del Corpus quitándole devoción y solemnidad. También se suspendieron las procesiones «de sangre y de empalados», en las que los penitentes iban disciplinándose desnudos de medio cuerpo arriba y que habían llegado a ser un espectáculo poco edificante a pesar de su originaria significación fervorosa.

Carlos III en 1767 ordenó la creación en Sevilla de una gran Atahona o fábrica de harinas, que pudiera moler el trigo en invierno incluso en la época en que las crecidas del río imposibilitaban de funcionar los molinos del Guadaira y del Guadalquivir. A cuyo efecto se instaló la maquinaria en un gran edificio de la Plaza del Pumarejo, esquina a calle San Luis, consistente en más de veinte piedras de moler movidas por mulas. Esta Atahona debería abastecer, no sólo a la ciudad cuando faltase harina de los molinos fluviales, sino también suministrar al ejército de la frontera de Portugal, y embarcar para los presidios o guarniciones defensivas del norte de África.

Una lápida, conmemorativa de la inauguración de estas atahonas puesta en su fachada principal, y que estaba cubierta por sucesivas capas de cal de blanquear, ha sido encontrada por el autor de este libro en 1972, y trasladada al Museo Municipal de la Torre de don Fadrique para su conservación.

Expulsión de los jesuitas

En 1767, Carlos III, previa consulta con el Papa, decretó la expulsión de los jesuitas de todos sus reinos. Medida que ha sido muy discutida por los historiadores, y que se achacó a que se excedieron éstos en la autoridad que ejercían en el Paraguay.

Los numerosos edificios que los jesuitas tenían en Sevilla fueron destinados a diversos usos civiles, el de la calle Laraña, a Universidad, las Becas a tribunal de la Inquisición, San Hermenegildo a asilo de niños, los Chiquitos a correccional de mujeres, y el de Alfonso XII a Academias.

El Asistente Olavide

Vivió en este tiempo en Sevilla y ocupó el más elevado cargo gubernativo, el Asistente Olavide, hombre de altas prendas intelectuales. Se llamaba don Pedro Antonio de Olavide y Jáuregui. Había nacido en el Perú y comenzó su carrera política como oidor en la Audiencia de Lima. Más tarde se le nombró Intendente de los Cuatro Reinos de Andalucía. Su máxima preocupación fue mejorar la cultura de esta región, la más atrasada de España. Hizo increíbles esfuerzos para mejorar la enseñanza, para acabar con las supersticiones y con añejos usos que ya resultaban inadmisibles en el culto siglo XVIII. Hizo venir a Melchor Gaspar de Jovellanos a ocupar un cargo de magistrado de nuestra Audiencia, encargándole que prescindiese de la ridícula peluca blanca rizada que usaban los jueces; lo que promovió un escándalo en el ambiente mojigato de la Sevilla de entonces. La gente creía que no podría subsistir la Ley sin peluca como si del peluquero y no del legislador emanase la autoridad. Jovellanos se mantuvo firme y la peluca acabó por desaparecer.

Formuló Olavide un plan de enseñanza verdaderamente revolucionario. Con el fin de acabar con el bandolerismo de Sierra Morena era necesario poblar dicha comarca, ya que mientras permaneciera desierta, sería el refugio de todos los delincuentes fugitivos de las ciudades andaluzas. No encontrándose gente andaluza dispuesta a arrostrar los peligros de establecerse en Sierra Morena, se trajeron numerosas familias alemanas que fundaron los poblados de La Carolina, Linares, La Carlota, La Luisiana y otras siete más, no sin oposición de los grandes terratenientes de la nobleza andaluza, que deseaban impedir el cultivo y parcelación de Sierra Morena. Gran urbanista, hizo Olavide el primer plano a escala de la ciudad de Sevilla. Caído en desgracia su amigo y protector el conde de Aranda, Olavide hubo de expatriarse sin que le reconocieran sus grandes méritos por la reforma cultural y económica de Andalucía, y fue procesado por la Inquisición.

Los primeros periódicos sevillanos

Aun cuando la imprenta se había introducido en Sevilla en los años centrales del siglo XV, no hubo periódicos hasta la mediación del siglo XVIII, puesto que las clases populares no tenían participación en la cultura.

En 1774 aparece el primer periódico, que era semanal, titulado *Gaceta de San Hermenegildo* que se significó por sus acusaciones políticas contra los jesuitas, y que sin duda influyó en la expulsión de la Compañía de Jesús.

En 1758 aparece el *Hebdomadario útil sevillano* en cuya primera página se incluía el santoral, actos piadosos para la semana siguiente, y ventas y compras. Este periódico duró hasta 1767.

En 1781 aparece el *Correo de Sevilla* impreso en la imprenta Mayor de la Ciudad, propiedad del impresor Castilla, pero que disfrutaba de la categoría de imprenta Oficial del Ayuntamiento.

Un periódico cuya existencia se ignoraba y que había sido recientemente descubierto por el profesor don Francisco Aguilar Piñal en la Hemeroteca Municipal de Madrid, es el *Semanario de Sevilla* que aparecía en 1788, y que este profesor cita en un artículo publicado en el diario *ABC*.

Por último citaremos en este siglo el primer periódico diario aparecido en nuestra ciudad, que salió el día 1.º de setiembre de 1792, en el que colaboraron escritores de tanta categoría como Meléndez Valdés, Alberto Lista, Justino Matute, el poeta José María Roldán, y el político don Nicolás Tap y Núñez Rodón, del que volveremos a hablar en la época de la Guerra de la Independencia.

Reinado de Carlos IV

En 1789 murió Carlos III, siendo proclamado su hijo Carlos IV, quien ya se encontraba en edad madura. Continuó éste la política de su padre, sin que pueda decirse que hubiera interrupción entre la labor de progreso realizada por uno y otro monarca. Así vemos en Sevilla que la recogida y ordenación de documentos del archivo de la Casa de Contratación, iniciada bajo Carlos III por don Juan Bautista Muñoz, se completa bajo Carlos IV con la fundación del Archivo de Indias, en el edificio de la Casa Lonja, adaptada por el arquitecto Lucas Cintora bajo la dirección del canónigo de San Ildefonso, Antonio de Lara, en 1787. La Universidad Literaria se trasladó en 1761 a la Casa Profeta de los jesuitas, vacía por la expulsión de los Padres de la Compañía. Fue recibido como doctor honoris causa en la Universidad, el prelado don Antonio Llanes.

Se terminaron las obras del edificio de la Aduana y se restauraron las murallas de la Macarena.

Varias desgracias ocurrieron en este reinado, siendo la más importante la guerra contra Francia a la que marchó el Regimiento Provincial de Sevilla, al cual el ejército revolucionario francés causó la muerte del coronel y 52 oficiales y soldados, lo que cubrió de luto a muchas familias sevillanas.

Otra desgracia fue la gran inundación ocurrida en 28 de diciembre en que la Puerta de la Barqueta y la de Córdoba, por el empuje de las aguas, reventaron entre torrentes que inundaron la Alameda de Hércules y el barrio de San Julián. También entró el agua rompiendo la

Puerta del Sol y por los husillos de la Puerta de Jerez, se elevó en las calles el nivel de las aguas a una altura que nunca se había conocido y de ello han quedado en algunas casas de la Alameda inscripciones en azulejos que recuerdan la magnitud de esta calamidad.

Tan pronto como terminó de realizarse el trabajo que había dejado planeado Carlos III, se acabó la etapa constructiva del reinado de Carlos IV.

La influencia de la Revolución francesa se deja notar en Sevilla a partir de 1789. Abundan los alborotos populares como el ocurrido el 30 de abril de 1789 en que por haberse suspendido una corrida de toros, una masa popular destrozó los asientos de la Plaza de la Maestranza, y arrojó al río los carros del riego y el coche del asentista de la plaza. Mayor trascendencia política suvieron algunos intentos, no populares sino de clase media y de hidalgos, que formaron partidas sediciosas, por lo que, apresados, fueron condenados a muerte y ejecutados en la Plaza de San Francisco, José Téllez, Francisco Matheos Pontón, Pedro Guillén Barco, Juan González Rasgado y Lázaro de Mena, de un grupo revolucionario formado en Mairena y por otra parte se condenó a muerte al sevillano don Francisco de la Huerta y Eslava, por otros hechos similares.

En setiembre de 1800 hubo en Sevilla una peste o epidemia de fiebre amarilla traída sin duda de alguna de nuestras colonias. Alcanzó tales proporciones que en la ciudad y sus arrabales, incluida Triana, murieron 14.658 personas, de una población de 80.500, lo que representó el 19 por ciento de la población; aunque no falta un escrito de un contemporáneo que asegure que la cifra de muertos se elevó a treinta mil. En todo caso, perdió Sevilla una gran parte de sus habitantes.

Sevillanos ilustres de la época

Aliadas España y Francia contra Inglaterra, la flota conjunta mandada por el almirante Villenueve se enfrentó en aguas de Trafalgar con la poderosa armada inglesa. Han sido glorificados como máximos héroes de aquella memorable batalla: Gravina, Churruca y Alcalá Galiano. Sin embargo es deplorable que se haya olvidado a Cayetano Valdés que mandaba el *Neptuno*, quien combatió solo contra cuatro buques ingleses. Recibió Valdés 117 heridas de metralla salpicadas por todo su cuerpo, pese a lo cual, continuó en el puente de mando hasta el final de la batalla. Valdés había nacido en Sevilla.

Superviviente a sus heridas continuó su brillante carrera alcanzando el grado de almirante, con el que participó en la guerra de la Independencia volviendo a ser herido en la batalla de Espinosa de los Monteros. Murió de capitán general de la Armada en 1834. Don Ca-

Don Antonio de Ulloa, científico sevillano de renombre universal en el siglo XVIII.

Sevilla en el siglo XVII según un pintor de la época.

Pablo de Olavide y José María Blanco-Withe son los dos renovadores de Sevilla en la época de la Ilustración.

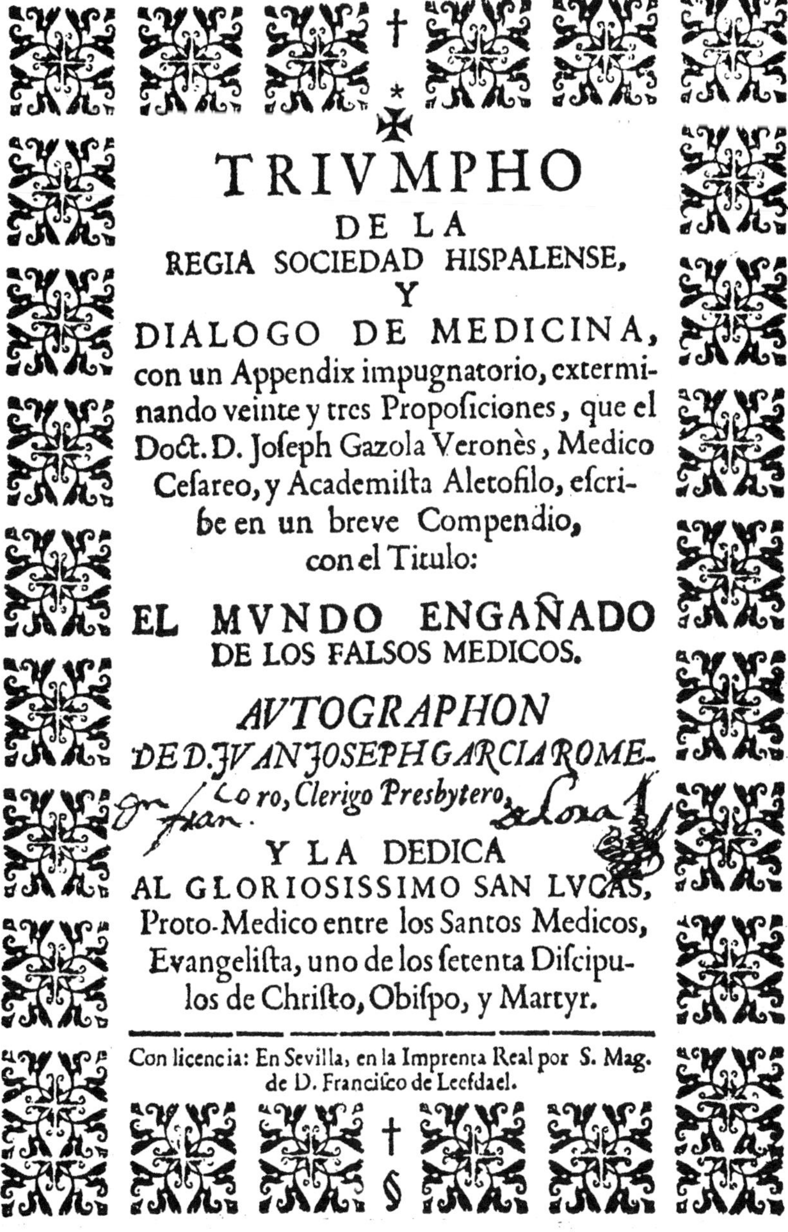

TRIVMPHO
DE LA
REGIA SOCIEDAD HISPALENSE,
Y
DIALOGO DE MEDICINA,

con un Appendix impugnatorio, exterminando veinte y tres Proposiciones, que el Doct. D. Joseph Gazola Veronès, Medico Cesareo, y Academista Aletofilo, escribe en un breve Compendio, con el Titulo:

EL MVNDO ENGAÑADO DE LOS FALSOS MEDICOS.

AVTOGRAPHON DE D. JVAN JOSEPH GARCIA ROMERO, Clerigo Presbytero,

Y LA DEDICA AL GLORIOSISSIMO SAN LVCAS, Proto-Medico entre los Santos Medicos, Evangelista, uno de los setenta Discipulos de Christo, Obispo, y Martyr.

Con licencia: En Sevilla, en la Imprenta Real por S. Mag. de D. Francisco de Leefdael.

Las Reales Academias dieron un cambio a la vida cultural. La de Medicina de Sevilla fue la primera que se fundó en España.

Lápida Sepulcral de los héroes de la independencia González Cuadrado y Palacios Malaver en el Patio de los Naranjos de la Catedral.

En esta humilde casa de la calle Abades que aún existe, fundó Germán y Ribón la Academia Sevillana de Buenas Letras, en el siglo XVIII.

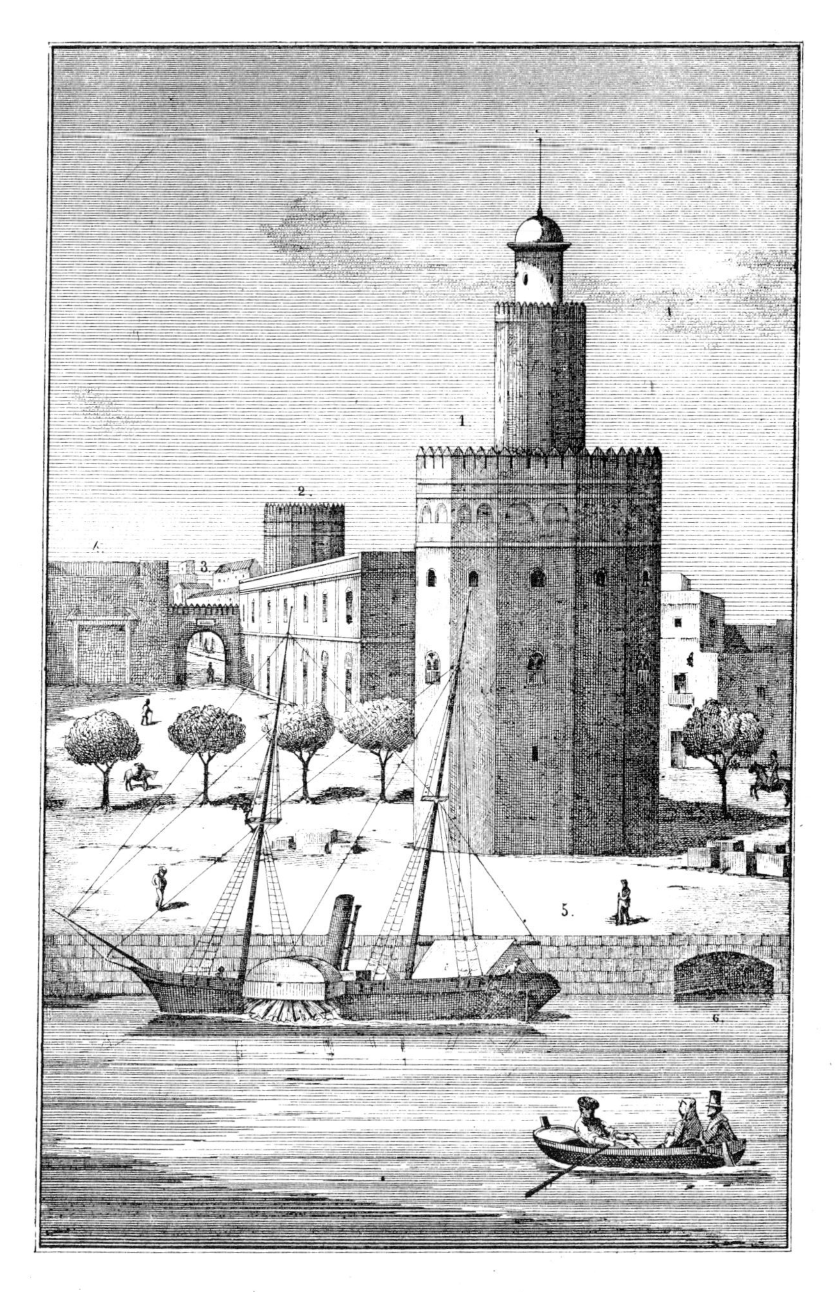

1, Torre del Oro. 2, Torre de la Plata. 3, Postigo del Carbon, antes de los Azacanes. 4, Atarazanas de los Azogues. 5, Muelle moderno del Guadalquivir. 6, Desembocadura del Tagarete.

En el siglo XIX el comienzo de los barcos de vapor dio definitivo impulso al puerto de Sevilla (grabado de la época).

El general Antonio van-Halen que al frente del ejército de Espartero bombardeó Sevilla en 1843, sin poder ocuparla.

El bandolerismo andaluz del XIX alcanza su culminación con José María *el Tempranillo* (grabado de la época).

Narciso Bonaplata y Curiol, catalán que curiosamente fue promotor de la Feria de abril de Sevilla.

La «Pasarela», paso aéreo de hierro, obra artística al gusto del siglo XIX hoy desaparecida.

Con la pérdida de las colonias, España repatrió los restos de Cristóbal Colón, que quedaron definitivamente depositados en este mausoleo de la Catedral.

Esta Sevilla provinciana de principios del siglo XX, cambió radicalmente su fisonomía con ensanches y nuevos edificios, gracias a la Exposición de 1929.

La Exposición Iberoamericana de 1929 dotó a Sevilla de bellísimos edificios como el Pabellón Mudéjar de la Plaza de América.

Alfonso Grosso, máxima figura de la pintura sevillana de los años 1930 a 1960.

La plaza de toros Monumental de Sevilla, célebre por el misterio de su derribo. Estaba en la Avenida de Eduardo Dato en la urbanización Óscar Caravallo.

Blas Infante y el general Queipo de Llano representan las ideologías opuestas en la Sevilla de 1936. Infante fue fusilado y pasó a ser una figura mítica del andalucismo.

Barriadas modernas y espaciosas en sustitución de los viejos corrales de vecindad, y espléndidas residencias en la Ciudad Sanitaria, en sustitución del arcaico Hospital de la Macarena, constituyen los logros sociales más positivos que obtuvo sevilla durante el régimen de Franco.

El Puente del Alamillo obra audaz de ingeniería en la Expo-92.

Expo-92. El Puente de la Barqueta.

Expo-92. Pabellones ante el lago artificial.

Expo-92. Pabellón del Japón, el mayor edificio de madera del mundo.

Expo-92. El tren aéreo monocarril.

Expo-92. El mayor auditórium de España.

Expo-92. La Torre inclinada.

yetano Valdés y Flores de Bazán es una de las glorias sevillanas tanto como patriota y héroe, cuanto como navegante y cosmógrafo. Su mayor fama en este aspecto de su vida fue la expedición para explorar el estrecho de Juan Fuca.

Por esta época acaba de inaugurarse en su aspecto actual el convento de San Jacinto en Triana, en el antiguo Hospital de la Candelaria. El tono de renovación que a la vida sevillana había impreso en su aspecto cultural el reinado de Fernando VI y más tarde el de Carlos III, cuajó en nuestra ciudad una vigorosa floración de escritores, en su mayor parte en torno a la Sociedad Económica de Amigos del País, y a la Real Academia de Buenas Letras.

Tenemos en este tiempo como figuras a don Alberto Lista, sacerdote, poeta y crítico eminente al par que notable matemático. El padre Lista en su juventud fue tejedor de seda, y con increíbles sacrificios cursó sus estudios en la Universidad hispalense. Fue catedrático de Retórica y Poética de nuestra Universidad. Dirigió aquí el movimiento literario de los primeros años del 800 y pasó a Madrid donde fundó el famosísimo colegio en el que se formaron escritores ilustres como Pepe Espronceda.

También brilló en este tiempo José María Roldán, poeta y dramaturgo de alta inspiración, autor del drama pastoril *Danilo,* que fue leído en 1799 en la Academia de Letras Humanas. (De la vida y obra de Roldán se ha publicado, en la revista *Archivo Hispalense,* un interesantísimo estudio crítico en 1959 por el escritor gaditano don Jesús de las Cuevas.

Coexisten con José María Roldán y con don Alberto Lista, Reinoso, Arona y Matute, y Albino Blanco *el Albino.*

Nacido en Sevilla en 1775 José María Blanco y Crespo es uno de los sevillanos más universales que han existido. Estudió en el Colegio de Santo Tomás, y más tarde en la Universidad, graduándose en Letras y en Teología. Fue amigo de los poetas Lista, Mármol y Reinoso y fundó con ellos la Academia de Letras Humanas.

Su vida sacerdotal le llevó a ocupar el cargo de Magistral de la Capilla Real de la Catedral.

Influido por las ideas religiosas y políticas de la Europa de fines del siglo XVIII y principios del XIX, abandonó la religión católica haciéndose pastor evangelista, y fijó su residencia en Inglaterra.

Publicó entre otras obras un libro titulado *Cartas de España* donde describe magistralmente la vida sevillana de los años 1800, las fiestas, el folklore, los toros, la vida de sociedad, la Semana Santa, etc.

Blanco es más conocido por las ediciones de la Biblia que dirigió, en lengua inglesa y española, firmadas con su nuevo nombre *Blanco White* con el que se le conoce en el mundo entero. Y por el periódico *El Español* que dirigió en Londres.

Murió en Liverpool en 1841.

CAPÍTULO XII

LA GUERRA DE LA INDEPENDENCIA

La influencia que las noticias de la Revolución francesa había ejercido sobre la vida sevillana, ya hemos visto anteriormente que fue grande y dio lugar a diversos motines. El 22 de marzo de 1808 llega a Sevilla la noticia de la caída de don Manuel Godoy, primer ministro y favorito de Carlos IV. Los muchos descontentos que venían murmurando contra la política del Valido aprovecharon ahora la coyuntura para manifestar públicamente su descontento y su resentimiento. Un grupo de éstos se dirigió al café llamado de la Paz, y arrancaron la muestra del establecimiento destrozándola. Se reunió gran multitud de vagos y curiosos, los cuales movidos por aquellos enemigos de Godoy, organizaron una manifestación ruidosa que por la calle de la Sierpes se dirigió hacia San Juan de Dios, de cuya Orden Hospitalaria era protector y patrono Godoy. Rompieron la puerta de la iglesia y tumultuariamente entraron en el sagrado recinto donde arrancaron un cuadro con el retrato del ministro que estaba en la capilla mayor y lo hicieron pedazos. Es curioso que este acto sacrílego de forzar un templo e irrumpir en él violentamente se hizo precisamente en nombre de defender la pureza de la religión, ya que según testimonio de un escritor del siglo XIX, la fobia contra Godoy se derivaba de que había herido los sentimientos religiosos del pueblo quitando la censura de libros y periódicos de manos del Tribunal del Santo Oficio y confiándolo al poder civil a través de un juez especial de imprenta.

Se regocijó el pueblo sevillano con la noticia de la abdicación de Carlos IV, ocurrida el 19 de marzo en Aranjuez, y el 29 repicaron las campanas en Sevilla y se pusieron colgaduras en los balcones y retratos del «adorado Fernando que entraba a reinar» (Guichot). Sin embargo, muy pronto los sucesos políticos de mayo hubieron de cambiar el regocijo en duelo y en temor. La primera noticia oficial del alzamiento del pueblo de Madrid, y la mantaza de franceses con que se inició la Guerra de la Independencia, llegó a Sevilla el día 7, fecha en que vino un correo extraordinario trayendo una comunicación de la Junta Suprema de Gobierno que condenaba la insurrección popular y mandaba a las autoridades que evitasen cualquier demostración de patriotismo mal entendido contra nuestros aliados los franceses cuyo ejército estaba en España para prevenir la invasión que se temía, de los ingleses, a través de Portugal. Sin embargo, ya había llegado por conductores particulares la noticia de los sucesos del 2 de mayo, y el manifiesto del alcalde de Móstoles, habiéndose producido una manifestación del pueblo de Sevilla que se dirigió al Ayuntamiento para protestar contra los franceses. El día 8, el Ayuntamiento constituyó un banderín de voluntarios para formar algunos batallones y se procedió a la jura de Fernando VII como rey de España. El día 11 (seguimos a Guichot), el general Murat, duque de Berg, envía desde Madrid un manifiesto en el que se recomendaba a los españoles mantener el orden y la obediencia a los poderes legítimos. El día 16 se supo en Sevilla que los Borbón, padre e hijo, habían entregado la corona en manos de Napoleón en la ciudad de Bayona, y poco después, que había sido designado rey de España José I. Estas nuevas, interpretadas de muy distinto modo, escindieron la opinión pública en dos bandos, los patriotas, partidarios incondicionales de Fernando VII, a pesar de la sumisión que había tenido para con el emperador francés, y de la traición que significaba para con la nación española y para con sus deberes de monarca, el abdicar sin resistencia; y el bando de los afrancesados que esperaban en la nueva dinastía (que empezaría en José I Bonaparte), un impulso renovador que modernizase la vida española, lo que salvaría nuestro Imperio de la destrucción que ya se veía venir desde que la independencia de los Estados Unidos había comenzado a excitar a los criollos de Centro y Sur de América a imitar a los antiguos colonos norteamericanos.

«El Incógnito»

En la mañana del 26 de mayo de 1808, el pueblo de Sevilla, instigado por un misterioso personaje a quien en los primeros momentos se llamó *el Incógnito* y que más tarde se supo que era don Nicolás Tap y Núñez, quien había venido a nuestra ciudad, provisto de abundante oro, facilitado por Inglaterra, con el único y expreso designio de excitar los ánimos populares a la rebelión contra la Junta de Gobierno de Madrid y oponerse al cambio de dinastía, se manifestó tumultuariamente consiguiendo que las fuerzas de la guarnición, en número de nueve mil soldados con sus jefes, ocupasen la Plaza de San Francisco. Ocurrió esto durante la noche, y al amanecer, el centro de la ciudad estaba totalmente lleno de tropas y de grupos civiles, muchos de ellos armados. Se emplazó artillería frente al Ayuntamiento, donde estaba reunido en sesión extraordinaria el Cabildo Municipal, presidido por el Asistente. *El Incógnito* dirigió la palabra al Asistente exhortándole a disolver el Cabildo Municipal como ilegítimo, y seguidamente volverlo a reunir, ya como representativo del nuevo régimen y, reconociendo por rey legítimo a don Fernando VII, crear en Sevilla una Junta Suprema de Gobierno de la Nación, al margen de la autoridad de Madrid, y con el carácter y título de Gobierno Verdadero de la Nación Española, declarar la guerra a Francia, establecer una alianza con Inglaterra y entregar armas al pueblo para luchar contra los franceses acantonados en Andalucía, cuyo cuartel general estaba en Andújar mandado por el general Dupont.

Se hizo todo como mandó *el Incógnito*, el cual mantuvo por entonces en riguroso secreto su nombre. Colaboraron con *el Incógnito* los patriotas sevillanos don Antonio Esquivel y don Juan Ayús, ambos notarios del Cabildo Eclesiástico, y prestaron su apoyo, aunque sin formar parte del triunvirato de gobierno, el deán de la catedral don Fabián Miranda, el superior del Colegio de Clérigos Menores padre Manuel Gil, el procurador municipal don Joaquín de Goyeneta.

La bandera en que se encabezaron los grupos de patriotas sevillanos era de una rica colcha encarnada que dio don Antonio de Esquivel, y sobre la que cosió una estampa con la imagen de Jesucristo y unas letras formando este lema: «Religión y patriotismo triunfarán del francesismo.» (*Apuntes para la Historia de España*, por *Mirtilo Sicuritano*, seudónimo de Nicolás Tap y Núñez.)

Quedó pues constituida la Junta General de Gobierno cuya presidencia se dio a don Francisco Arias de Saavedra que había sido ministro en el Gobierno anterior a Godoy. La Junta o Gabinete Ministerial, reunía personas de las distintas clases sociales. Eclesiásticos: el arzobispo de Laodicea, el deán Miranda, el canónigo Cienfuegos, el padre Manuel Gil y fray José Ramírez. Por la nobleza: el conde de Tilly, el marqués de la Grañina, el marqués de las Torres, don Andrés Miñano y don Antonio Zambrana Carrillo de Albornoz. Por la Autoridad Civil, el asistente Flores y Dávila, el regente de la Audiencia por el Municipio, don Ángel de Cosa, don José de Checa, don Antonio Zambrano y don Manuel Peroso. Por el comercio: don Víctor Soret y don Celedonio Alonso. Por el vecindario: don José Morales Gallego, y por el ejército, los generales don Eusebio Herrera, don Adrián Jácome, el teniente de Artillería don Juan Bautista Estelleri, secretario 1.º y el ayudante de Caballería don Juan Pardo, secretario 2.º.

La Junta se trasladó desde el Ayuntamiento al Alcázar, desde donde comenzó a gobernar ordenando la movilización en toda Andalucía, requisa de caballos, fortificaciones defensivas y dictó las normas de combate sobre la base de guerrillas para hostilizar a los franceses con el menor número de bajas propias.

Muerte del conde del Águila

Muy pronto, a medida que se excitaban más los ánimos, comenzaron a producirse incidentes dentro de la ciudad. Así el 27 de mayo una turba popular detuvo en la calle al conde del Águila, procurador del Ayuntamiento que se dirigía en aquel momento a entrevistarse con la Junta General para deslindar las jurisdicciones entre dicha autoridad nacional y la autoridad municipal, a fin de que la primera no impidiese las facultades propias de la segunda. Interpretado quizás este justo propósito como una falta de patriotismo, aunque no lo era, es posible admitir que aquella turba popular estuviera azuzada por los elementos más exaltados del grupo patriótico. Fue ello que sacaron violentamente al conde del Águila de su coche, acusándole de afrancesado y le arrastraron hasta las Casas Capitulares donde se encontraba en aquel momento la Junta Suprema. Enviado el conde del Águila a prisión al castillo o torre de la Puerta de Triana, se le envió custodiado solamente por dos alguaciles, quizá con ánimo de que las turbas fácilmente se apoderaran de él, como ocurrió en efecto y el conde del Águila fue muerto a tiros y su cadáver lo colgaron de la barandilla del balcón de la Puerta de Triana donde permaneció sirviendo de escarnio al populacho.

La Junta Suprema viene a Sevilla

Pasados estos primeros sucesos y ganada la batalla de Bailén el 19 de julio por las fuerzas anglo-españolas, llegaron el día 22 a Sevilla el ayudante del general Reading y el sobrino del general Castaños, dando la noticia del triunfo, que fue festejado grandemente en nuestra ciudad. En setiembre se organizó en Madrid, ya conquistada la capital de España por los ejércitos del general Castaños y del general Llamas, la Junta Suprema Central Gubernativa del Reino. Parecía resuelta la invasión de los franceses cuando vinieron durante el otoño más contingentes del ejército napoleónico y el 4 de diciembre el emperador en persona entraba en Madrid. Quedaba entonces sin domicilio la Junta Central, la cual, huyendo de Madrid vino a refugiarse en Sevilla, donde fue recibida por la Junta que se había constituido primeramente en nuestra ciudad, la que le dio hospitalidad decorosa. El conde de Floridablanca, presidente de la Central y gobernador del Reino, fue llevado en triunfo por la multitud, que quitó los caballos de su coche remolcándolo a brazos por las calles en señal de entusiasmo hasta el Alcázar, donde quedó hospedado. Sin embargo las penalidades del viaje desde Madrid habían afectado gravemente la salud del conde de Floridablanca, el cual murió en el Alcázar el 30 de diciembre, siendo enterrado en la Capilla Real de la Catedral.

Entrada de los franceses

La Junta tuvo como lugar de reuniones en este tiempo, el antiguo Colegio de San Hermenegildo pero en 1810 hubo de abandonar nuestra ciudad al aproximarse los franceses que habían ganado la batalla de Ocaña, marchándose el Gobierno Provisional Español a Cádiz el 17 de enero y el día 19 avanzó sobre Sevilla desde Sierra Morena el ejército napoleónico, mandado por el rey José Bonaparte con los mariscales Mortier y Víctor y el general Sebastiani. Entró el rey José el día 22 en Córdoba.

El día 1.º de febrero y después de haber salido de Sevilla las familias más acaudaladas para ponerse a salvo en otros lugares, entraron en nuestra ciudad las tropas francesas con el mariscal Solt duque de Dalmacia y a continuación el rey José I, que fue a hospedarse en el Alcázar. Se nombró gobernador de Sevilla al marqués de Riomilano y comisarios de palacio a don Miguel Ladrón de Guevara y don José Echevarría. Produjéronse durante el dominio de los franceses en nuestra ciudad, algunos graves incidentes, entre ellos en la iglesia de Triana de Señora Santa Ana, en la que cuando el predicador dedicaba una frase de elogio al rey José, se alzó una voz entre el público gritando: «Embustero, esto es profanar la cátedra del Espíritu Santo.»

Los héroes sevillanos

Se conspiraba activamente contra los franceses, y en 1811 la policía del comisario don Miguel Ladrón, sorprendió en la Cuesta de Castilleja a don José González Cuadrado, don Bernardo Palacios Malaver y la esposa de éste doña Ana Gutiérrez, quienes llevaban consigo varios papeles cifrados. Al conocerse en Sevilla la noticia cundió el pánico entre los patriotas, puesto que los dos detenidos conocían los nombres de todas las personas que participaban en la conspiración contra el rey José. Sometidos a interrogatorios repetidos, González Cuadrado y Palacios Malaver mantuvieron a pesar de todo el secreto de los nombres de sus compañeros de conspiración, siendo condenados a muerte. Su defensor, el abogado don Pablo Pérez Seoane, les visitó en capilla garantizándoles que si daban los nombres de los conjurados el fiscal les garantizaba el indulto, teniendo para ello autorización del mariscal Soult, pero Palacios Malaver no se dignó contestar y González Cuadrado pronunció estas viriles palabras:

«Dos hombres nada importan en el mundo y salvan a muchos buenos.» Llevados a la plaza de San Francisco el día 9 de enero de 1811, se ejecutó contra los dos valerosos e ilustres sevillanos la sentencia de muerte en el patíbulo instalado en la plaza de San Francisco. Se les enterró en las parroquias de San Ildefonso y de Omnium Sanctorum de las que eran feligreses, y más tarde, terminada la Guerra de la Independencia, se les trasladó a honrosa sepultura en una capilla del Patio de los Naranjos en el muro contiguo a la iglesia del Sagrario.

También fueron ajusticiados otros patriotas, entre ellos José Rufo, alcalde del pueblo del Ronquillo, por haber dado muerte a un húsar francés que transportaba pliegos con la noticia de la rendición de Badajoz.

Estos héroes sevillanos suman sus nombres a la lista de los gloriosos patriotas de nuestra ciudad que dieron su vida en la Guerra de la Independencia; lista encabezada el día 2 de mayo de 1808 con el nombre de don Luis Daoiz, capitán de Artillería, nacido en 1767 y que murió en la memorable defensa del Parque de Montelón en Madrid.

No todo fueron sin embargo desaciertos por parte de los franceses y de los afrancesados que obedecían a José Bonaparte, pues hay que reconocer honradamente que se hicieron mejoras públicas de importancia, entre ellas, la del derribo de la vieja e inservible iglesia de la Magdalena, en cuyo amplio solar se construyó la plaza de Magdalena, que hoy lleva el nombre del General Franco.

Éste y otros derribos dieron a la ciudad amplios espacios abiertos para respirar, con lo que cambió su fisonomía moruna de calles estrechas y apiñadas, y se ganó bastante en higiene, lo que repercutió en el estado sanitario de la ciudad entre los tiempos siguientes.

También se derribó el convento de la Encarnación, para hacer en su solar el actual Mercado de la Encarnación, que durante todo el siglo XIX y principios del XX prestó valioso servicio para el abasto de la ciudad, y que en la época en que fue construido significó un gran avance para la vida comercial, y para la policía sanitaria de abastos, pues antes de él las mercancías alimenticias se exponían en el suelo de la calle Feria y otros lugares, con grave perjuicio para la salud.

Fin de la guerra

En fin, continuaron los franceses en Sevilla hasta el 27 de agosto de 1812 en que después de haber azotado toda Andalucía una cruel hambre, se retiraron las tropas napoleónicas después de un terrible combate que se libró entre Triana y la Cartuja. Los últimos soldados franceses cruzaron la ciudad, unos disparando y otros arrojando las armas para huir, y tomaron el camino de Alcalá de Guadaira dejando la ciudad en manos de la división inglesa que mandaba el general Downie. El día 29, reorganizada la autoridad municipal por el general Cruz, se proclamó en la plaza de San Francisco la Constitución que había sido promulgada el 19 de marzo de 1812 por las Cortes de Cádiz. En diciembre entró el general Castaños a quien la ciudad tributó un agradecido y clamoroso recibimiento.

Perdió Sevilla en esta guerra muchos de sus más notables ciudadanos, muertos en la campaña los unos, fusilados por ambos bandos los otros y en fin, desterrados o exilados muchos de ellos.

También perdió Sevilla gran parte de su riqueza artística desapareciendo cuadros de Murillo del Hospital de la Caridad, Zurbaranes del convento de Dominicos y de la Cartuja de las Cuevas y otras obras ilustres que, robadas, están hoy en Francia e Inglaterra.

El último episodio de la Guerra de la Independencia, es el recibimiento en Sevilla, tributado al Generalísimo de los ejércitos españoles y aliados, que no era por cierto un español sino Lord Wellington, general británico.

CAPÍTULO XIII

SEVILLA BAJO FERNANDO VII

El día 3 de abril de 1814 llegó a Sevilla la noticia de que Fernando VII había entrado en España por la frontera de Gerona dirigiéndose a Valencia donde proclamó el nuevo régimen, declarando nula y sin efecto tanto la Constitución de Cádiz, como todos los decretos que habían promulgado las Cortes; «testimonio de la más negra ingratitud» este acto de Fernando VII a quienes habían gobernado el país durante los años de su ausencia intentando ponerlo en el nivel político que correspondía ya al siglo XIX. Ocurrieron en Sevilla algunos desórdenes entre los partidarios de la Constitución y los defensores del Manifiesto de Valencia, reuniéndose éstos el 6 de mayo en la plaza del Ayuntamiento dando vivas al rey absoluto y a la Inquisición. El pueblo amotinado obligó al procurador don Joaquín Goyeneta a ocupar el cargo de asistente, y presionado por la multitud hubo de enviar pliegos a Madrid, manifestando el deseo popular del establecimiento del absolutismo. En efecto, el miércoles 15 se publicó en Sevilla un Real Decreto venido de Madrid, en el que se devolvían a las comunidades religiosas las fincas que habían sido enajenadas a resultas de las leyes de desamortización.

Continuaron los desórdenes durante todo el mes de julio, y las represalias contra los que de algún modo hubieran sido partidarios lo mismo de los franceses que de los patriotas de Cádiz.

Quizás el más desagradable episodio de estos días fue desenterrar los restos del ministro de Hacienda del rey José, el conde de Cavarrús que había muerto en Sevilla, y que estuvo enterrado en la capilla de la Purísima Concepción de la catedral, para arrojarlo en la fosa común donde se enterraba a los criminales ajusticiados. Contra esta disposición del Cabildo, en la que se manifestaba una actitud rencorosa y desprovista de toda caridad cristiana, se alzó la voz del venerable deán Miranda, recordando que los franceses habían respetado durante su estancia en la ciudad los restos del conde de Floridablanca, ministro de la Junta Patriótica, a pesar de haber sido su mayor enemigo.

Desde 1815 hasta 1819 continuaron los desórdenes en Sevilla luchando encarnizadamente tanto en las columnas de la prensa como en algaradas callejeras el bando de los apostólicos, o partidarios del absolutismo absoluto, y el bando de los progresistas, quienes no estaban de acuerdo con que se hubiese establecido el mismo orden de cosas que existía antes de la invasión francesa como si no significase nada en la Historia de España los siete años transcurridos. El único episodio positivo de estos años es la construcción del primer barco de vapor, botado en los Astilleros de los Remedios el 30 de mayo de 1817.

Sublevación de Riego

El comandante del Batallón de Asturias acantonado en Las Cabezas de San Juan, don Rafael del Riego, uno de los más señalados descontentos del absolutismo, sublevó su batallón y consiguió que se le unieran los Batallones Aragón, España y La Corona el día 1 de noviembre de 1825. Desde Las Cabezas de San Juan inició un recorrido por Andalucía pero encontró la más absoluta indiferencia en los pueblos que estaban cansados de la Guerra de la Independencia y de los desórdenes y represalias subsiguientes. No sólo no se le unió el vecindario, sino que le desertaron poco a poco la mayor parte de los soldados y por último, cuando ya pensaba retirarse a Portugal, recibió nuevas de que en Sevilla el gobernador militar, general Odonojú, se le había unido al frente de un grupo de tendencias liberales. En esta sublevación o pronunciamiento se dirigió una multitud al ex colegio de las Becas, en la Alameda de Hércules, donde había ido a parar últimamente el tribunal o cárcel de la Inquisición, cuyo edificio abrieron por la fuerza, destruyendo los muebles y los instrumentos de tortura, y prendieron fuego a los procesos y papeles que allí encontraron.

Terminó todo tres años después con la muerte del general Riego, que fue ajusticiado y arrastrado en un serón, cuando el bando absolutista obtuvo la victoria. De esta época hay dos episodios que indican cuál era el cambio de ánimo del pueblo. Cuando el rey Fernando VII vino a Sevilla por primera vez, lo recibió al principio un absoluto silencio, pero cuando ya se acercaba a su alojamiento, le arrojaron algunos tomates y tronchos de berzas. Pasado el tiempo liberal y repuesta por entero la autoridad «absolutamente absoluta del rey», vino otra vez a Sevilla donde entró el 8 de octubre de 1823. El pueblo al entrar por la Puerta de Triana quitó los caballos de su carroza para conducirla tirando de ella y empujándola. Y como uno de los cortesanos le dijera al rey: «Dichosos los reyes que saben inspirar tanto amor a sus vasallos», contestó Fernando VII con desconfianza y sarcasmo: «Sí..., pero... éstos son los de los tronchos.»

Este mismo año, una muchedumbre compuesta por gentes levantiscas de los barrios bajos habían cometido el día 13 de junio increíbles desmanes, saqueando los muelles, asaltando las tiendas y destruyendo cuanto encontraban. Ese día la chusma ocasionó una catástrofe, pues habiendo invadido el antiguo colegio de las Becas, que muy antes fue tribunal de la Inquisición, pero que ya no lo era, buscando supuestos tesoros en los sótanos, alguien encendió una antorcha y accidentalmente se incendiaron unos barriles de pólvora que había allí depositados, sobrante del armamento de las milicias del distrito. La explosión fue horrible, ocasionando centenares de muertos y heridos y destruyendo los edificios de toda la calle.

El día 11 de junio de 1823 las Cortes, reunidas en el colegio de San Hermenegildo, acordaron declarar incapacitado para reinar, considerándolo legalmente loco, a Fernando VII. Poco después Fernando VII consigue ocupar nuevamente el poder, y reimplantar el absolutismo, entablando una violenta persecución no sólo contra los miembros de las Cortes sino contra todo el que fuera sospechoso de simpatizar con la Constitución. Un pronunciamiento encabezado por el general Manzanares, el general Torrijos y don Estanislao Fernández, es ahogado en sangre, haciendo fusilar a todos. Algo más tarde, en otra represión es ahorcado en la plaza de San Francisco el ilustre militar don Bernardo Márquez, de familia prócer sevillana, y que estaba condecorado con la Laureada de San Fernando, que ostentaba el grado de coronel. La ejecución fue el 9 de marzo de 1832. Está enterrado en el cementerio de San Fernando, conforme se entra, a mano derecha.

En 1836 el arzobispo de Sevilla monseñor Cienfuegos, es desterrado de esta diócesis y confinado por orden del Gobierno en Alicante.

En fin, el ánimo se resiste a seguir relatando sucesos lamentables y atrocidades de absolutistas y de liberales. La única ocurrencia constructiva y humanitaria de estos tristes años, es la creación de un hospicio para niños expósitos y ancianos desvalidos, en la calle San José, frente al convento de Madre de Dios, a iniciativa municipal.

El bandolerismo andaluz

La fragosidad de la Sierra Morena, la falta de comunicaciones, y la inadaptación de los antiguos guerrilleros de la Guerra de la Independencia a la vida civil, determinó que a partir de 1814 abundasen en Andalucía las partidas de bandoleros.

Truculenta celebridad adquirió la partida denominada «Los siete niños de Écija» que ni fueron siete ni ecijanos. Entre ellos se contaban un portugués, llamado José Martines; un criollo americano, Pablo Arosa, descendiente de gallegos; un vasco, el religioso fray Antonio de Legama, y andaluces de distintos puntos, José Alonso Rojo, Juan Antonio Gutiérrez, alias *el Cojo*, Francisco Naranjo, alias *Becerra*, Luis López, Antonio Fernández, y un sin nombre apodado *Mimos*. Mandaba esta partida como capitán un apellidado Padilla, al cual dio muerte el cosario de Lucena Antonio Lara cuando intentaba robarle. Los demás fueron ahorcados el 18 de agosto de 1817 en la plaza de San Francisco y de ellos *Ojitos, el Cojo, Becerra, el Portugués*, Rojo y fray Antonio de Legama, además de ahorcados, descuartizados, a pesar de las protestas de la Iglesia que no quería ver tan ignominiosamente ejecutado a un religioso ordenado.

Ya anteriormente en el XVIII otro bandido famoso, Diego Corrientes, había sido ahorcado y descuartizado en Sevilla, y precisamente uno de sus cuartos está enterrado en una pared de la iglesia de San Roque, cuyo cráneo se ha conservado hasta perderse en 1975.

En 1832 hubo otra partida famosa al mando del feroz *Veneno*, el cual fue también preso y ahorcado en San Francisco, siendo el primer reo a quien para subir al cadalso se vistió con ropa amarilla, el 13 de diciembre de dicho año.

El más célebre e inteligente de todos los bandoleros fue José Pelagio Hinojosa,* llamado José María *el Tempranillo*, quien en una época en que no había telégrafo, consiguió, mediante sobornos o amenazas, que los sacristanes de las iglesias y ermitas de los pueblos añadiesen ciertas campanadas en los toques de misa, con lo que él estaba informado de cuándo salían en su persecución las Fuerzas de Escopeteros Reales.

Tal fue el poder de José María *el Tempranillo*, que reunió más de quinientos bandidos a sus órdenes, y entre mesoneros, sacristanes, arrieros y otras gentes, alcanzó a tener varios miles de encubridores.

El Gobierno, ante el volumen del problema, envió a Sevilla al general Manso, quien ofreció al lugarteniente del *Tempranillo*, que se llamaba Juan Caballero, el indulto y un premio si entregaba vivo o muerto al *Tempranillo*, a lo que él contestó «que él era Caballero de apellido y de condición y que jamás traicionaría a su jefe», proponiendo como contraoferta que el Gobierno indultase a todas las partidas, y diese a José María y a Juan Caballero el nombramiento de comandante y capitán respectivamente de la Fuerza Pública y que ellos se encargarían de que no volviera a haber bandolerismo en Andalucía. Accedió el general Manso y se hicieron escrituras notariales, otorgando el indulto ge-

* Aunque el bandido José María *el Tempranillo* es tenido como el más importante del siglo XIX, estudios posteriores han puesto en claro que el verdaderamente más importante fue Juan Caballero (ver el libro *Memorias de Juan Caballero*, edición crítica realizada por José María de Mena, Editorial Turner. Madrid, 1976).

neral. Desde ese día no volvió a haber bandolerismo en la región. Pero pasado algún tiempo unos maleantes fugitivos de la cárcel de Córdoba se echaron al monte con las armas que habían quitado a sus guardianes. *El Tempranillo*, creyendo que su antigua fama serviría para rendirles se encaminó hacia donde estaban conminándoles a entregarse, y uno de ellos le disparó causándole la muerte, en las proximidades de la aldea de Alameda.

El bandolerismo acaba definitivamente al establecerse el telégrafo y los ferrocarriles en los años 1850.

La expedición de Gómez en 1836

El más importante episodio de las guerras carlistas, es la expedición del general Miguel Sancho Gómez de Damas, el más ilustre de los estrategas españoles del siglo XIX y a quien por ser carlista no se hizo justicia de reconocerle su talento en su época, y que después ha sido olvidado.

Miguel Gómez nació en el pueblo de Torredonjimeno el 5 de junio de 1785. Participó en la Guerra de la Independencia contra las tropas napoleónicas en Andalucía. Prisionero, fue conducido a Francia donde aprendió el idioma y adquirió una cierta cultura. Al volver se enroló en el partido de los absolutistas y en 1825 era capitán de Granaderos en el batallón que mandaba Zumalacárregui en Granada.

En el bando carlista alcanzó el grado de general y en 1836 realizó una expedición por la península con el propósito de alentar la sublevación de los partidarios de don Carlos en todas las regiones. No consiguió su objetivo político, pero en cambio realizó una marcha de casi cuatro mil kilómetros que es modelo de expediciones militares y que ha sido estudiada en las Academias de Estado Mayor de Alemania, Francia y Rusia.

Comenzó su recorrido Gómez en Álava, partiendo de Amurrio, desde donde se dirigió al valle de Mena, desde allí, por Espinosa de los Monteros pasó a Galicia, recorriendo Monforte de Lemos y los puertos de Mampodre. Por Lugo, Compostela y Orense, cruzó hacia León y otra vez a Palencia desde donde, cruzando Peñafiel, intentó bajar y apoderarse de Madrid. No lo consiguió y por Guadalajara pasó a Aragón, a Utiel, Albacete, Ciudad Real y remontó la Sierra Morena por Las Navas de Tolosa entrando en Andalucía. Se apoderó de Andújar y Córdoba ocupando esta capital en la que permaneció algún tiempo.

Desde Córdoba se dirigió a Sevilla conquistando Écija, Osuna, Marchena, pero encontrándose sin efectivos militares para conquistar Sevilla sigue hacia Jerez, Arcos, Algeciras y Tarifa, desde donde regresó a Alcaudete, Jaén y desde allí con apenas los restos de su ejército volvió a Orduña.

Esta fantástica marcha la hizo hostilizado por los ejércitos de Narváez, Alaix y los más capaces de los generales realistas, sin encontrar partidarios en ningún lugar y batiéndose en unas condiciones que nos hacen recordar bastante la retirada de los diez mil, tal como nos lo relata Jenofonte en la *Anábasis*. Fue ésta la única ocasión en que Sevilla estuvo seriamente amenazada por los carlistas.

La Escuela de Tauromaquia

En 1830 se construyó en terrenos ajenos al matadero de la Puerta de la Carne la famosa Escuela de Tauromaquia, fundada por el rey Fernando VII, y de la que fue nombrado director el famoso torero Pedro Romero, quien ya anciano de 76 años aún daba lecciones prácticas de matar recibiendo y al volapié; fue subdirector Jerónimo José Cándido, y se encargó como «juez privativo y protector de ella el asistente don José Manuel Arjona y diputados encargados de la obra don Francisco Martínez, caballero veinticuatro, don Manuel Ziguri, diputado del común, y don Juan Nepomuceno Fernand y Rozes, jurado» según reza una lápida que se conserva en el Museo Municipal de la Torre de don Fadrique.

Reducciones de conventos

El siglo XIX señala la reducción de conventos de Sevilla, y en general de España, si bien Sevilla fue la ciudad en que más se advirtieron las medidas del Gobierno.

Para un observador superficial, estas medidas adoptadas por Fernando VII y otros monarcas siguientes, obedecerían a sectarismo antirreligioso, pero no es así.

Sevilla, gracias a los primeros tiempos de la Reconquista, en que los Reyes hicieron merced de rentas a muchos conventos, se fue haciendo cada vez más numerosas de éstos, y cuando se acabaron las rentas procedentes de moros y judíos, sobrevino, con el descubrimiento de América, una fuerte corriente de ingresos para el país. Sevilla fue riquísima, ya que a este puerto venían todas las riquezas del Nuevo Mundo, y así llegaron a contar numerosísimos conventos e iglesias. Sin embargo en el siglo XIX, al perderse las colonias y empobrecerse España, ya no era posible sostener estos conventos tan nümerosos ni tan poblados (el convento de San Francisco, llamado Casa Grande de San Francisco, cuyo solar es hoy la plaza Nueva, tenía hasta trescientos religiosos).

La imposibilidad de sostenerse, fue lo que hizo que languidecieran, y lo que determinó al Estado a reducir su número. Véase la lista de conventos que existían en Sevilla:

DE RELIGIOSOS: San Benito, La Trinidad, San Pablo, San Francisco, San Agustín, Mercedarios, San Isidoro, Carmelitas, San Benito de Calatrava, La Cartuja, Santiago de la Espada, San Gerónimo, Santo Domingo, Nuestra Señora de la Victoria, Nuestra Señora del Valle, Los Remedios, San Diego, San Antonio, Nuestra Señora de Consolación, San Jacinto, San José, Trinitarios, Noviciado de San Luis, Nuestra Señora del Pópulo, Santa Teresa, Capuchinos, San Pedro de Alcántara, Casa Profesa de Jesuitas, Oratorio de San Felipe Neri; todos éstos eran conventos, aparte de los cuales hay que contar los seminarios y colegios, dedicados a obras misionales, como el Colegio de Ingleses y el de Irlandeses o de San Patricio, dedicados específicamente a labor misional contra el protestantismo británico. Asimismo y con carácter de noviciados existían el Colegio de Santo Tomás de Aquino, el de Regina, Monte Sión, San Hermenegildo, el Santo Ángel, San Francisco de Paúl, San Acasio, San Buenaventura, San Alberto, San Laureano, la Concepción y el Espíritu Santo, si bien estos últimos eran también colegios.

Respecto a conventos de religiosas había: San Clemente, Santa Clara, Dueñas, San Leandro, Santa Inés, Santa María la Real, Santa Paula, la Concepción, San Miguel, Madre de Dios, Santa Isabel, Belén, Santa María de Jesús, Nuestra Señora del Socorro, Santa María de Gracia, Espíritu Santo, Dulce Nombre de Jesús, Nuestra Señora de la Salud, Asunción, Nuestra Señora de la Paz, Santa Teresa, Pasión, Santas Justa y Rufina (éste llamado de las Vírgenes), la Encarnación, las Mínimas, Sancti Spíritu, Nuestra Señora de los Reyes, San José, Capuchinas y Santa Ana.

Muchos de estos conventos subsisten en la actualidad y sus monjas, o han tenido que crear pequeñas industrias de confitería, o de costura para subsistir, o pasan actualmente en 1975 grandes miserias y penalidades. En esta situación precisamente se encontraban en el siglo XIX muchas de tales comunidades, lo que determinó aquella medida de reducción, que si en su época fue muy discutida, hoy con la distancia de siglo y medio se puede enjuiciar serenamente, como una medida que fue necesaria, no sólo en interés general, sino muy principalmente en interés propio de muchas comunidades que se encontraban en situación tan menesterosa, que no podían humanamente subsistir en un país empobrecido por las guerras y la pérdida de las colonias.

Bombardeo de Sevilla

En 1843 Sevilla vive los efectos de la guerra civil. Habiéndose sublevado la guarnición, vino de Madrid un ejército de operaciones mandado por el general Van Allen quien emplazó alrededor de la ciudad artillería gruesa de sitio. El Regimiento de Aragón contuvo a los sitiadores en la calzada y en la Cruz del Campo, pero los cañones, batieron desde la

Huerta de Santa Teresa, el casco urbano cayendo granadas en los conventos de Santa Inés y Nuestra Señora de los Reyes, en la Casa de Pilatos, y en muchas casas de la ciudad.

El día 27 de julio llegó el general Espartero, regente del Reino, a Alcalá de Guadaira y comenzó a tomar posiciones para con sus tropas y las de Van Allen tomar por asalto la ciudad de Sevilla. Sin embargo, cuando se disponía a hacerlo, recibió noticias Espartero de que en Madrid el partido moderado se había hecho cargo del poder después del pronunciamiento de los generales de Torrejón de Ardoz, con lo que Espartero y Van Allen levantaron el sitio, y su ejército, aunque intentaron retirarlo con orden, se disolvió yéndose en desbandada cada soldado por su sitio. Renació en fin la calma en 1846 al casarse la reina doña Isabel II que había de dar, aunque fugazmente, orden y estabilidad a España.

Sevilla bajo Isabel II

Comienza a cundir en España en 1850 la fiebre del ferrocarril. Ya hemos visto las dificultades de transporte a causa del bandidaje y la lentitud de las diligencias. En 1835 se constituye en Sevilla una «Sociedad para la Construcción del Ferrocarril de Sevilla a Córdoba». Los trabajos se inauguran muy pronto.

Entre 1846 y 1852 se construye entre Sevilla y Triana un magnífico puente de hierro que sustituye al antiguo de tablones sobre barcas. La obra está a cargo de los ingenieros señores Steinacher y Rohault. A este puente se le da en honor de la reina el nombre de Puente de Isabel II. En 1854 está construyéndose la plaza Nueva, por iniciativa municipal y se proyecta la fundación de un «Banco de Andalucía». El Gobierno traslada a Sevilla la Escuela de Aplicación del Colegio de Artillería lo que produce alegría popular; sin embargo, no es más que una modesta compensación para quitarle importancia a la supresión de la Casa de la Moneda que queda cerrada este mismo año.

Con motivo de algunas de las obras que se vienen haciendo para mejoras y ensanches, habían sido encontrados diversos objetos de valor arqueológico y esto determinó la necesidad de organizar un Museo Arqueológico Provincial, idea que pudo realizarse con el apoyo de la Universidad Hispalense. En 1856 surge en Sevilla el primer proyecto de una exposición agrícola e industrial, primer antecedente de nuestra Feria de Muestras. La exposición se celebra en 1858 en el Alcázar.

Durante los siguientes años se realizan en Sevilla otras mejoras de alguna importancia entre ellas las de construcción de los muelles en el puerto, la erección de la estatua de Murillo con ocasión de su centenario y la inauguración del ferrocarril.

El Ayuntamiento, continuando su política de piqueta, derriba las puertas de San Fernando y Triana en 1865, y en 1873 se inaugura el ferrocarril de Sevilla a Alcalá de Guadaira.

En 1872 escribe sus primeros versos, a los diez años de edad, una niña que se llama Blanca de los Ríos. Andando el tiempo será la mayor escritora de España. También en estos años nacen Serafín y Joaquín Alvarez Quintero en Utrera en 1871 y 1873; escribe sus libros de árabe literal el erudito don Pascual de Gayangos, que tiene 52 años, y acaba de graduarse de bachiller el que para siempre se llamaría *El Bachiller de Osuna* don Francisco Rodríguez Marín.

En la política nacional destaca también un ministro sevillano, don Nicolás María Rivero, diputado, presidente del Congreso y uno de los mejores oradores de su tiempo.

Nocedal el monstruo

En la noche del 29 de junio de 1857, un grupo de jóvenes sevillanos, gran parte de ellos de familias burguesas, exaltados por las ideas del Romanticismo, entonces en auge, acordaron nada menos que proclamar la república en España, echándose al campo. Estos cien muchachos, de 14 a 19 años, escasamente armados con escopetas, y con armas blancas, no podían representar ningún peligro serio para el Gobierno de la nación, y menos haciendo un paseo militar por los pueblos de la comarca, sin ocasionar más que el regocijo propio de un espectáculo medio político, medio literario. Al frente de los jóvenes iba un muchacho, recién graduado de abogado, que se llamaba don Manuel Caro. Según parece, la idea había partido de dos políticos, don Joaquín Serra, coronel retirado, anciano, y don Cayetano Morales, hombre de letras, poeta y orador. Ambos idealistas sin base política práctica y que no estaban en sus cabales.

Un incendio, no se sabe si casual u ocasionado por alguien que no quería pagar los impuestos, destruyó por aquellos días el archivo del Ayuntamiento del Arahal, y el protocolo del registro de la propiedad y se les achacó.

El ministro Nocedal ordenó que salieran de Sevilla varios destacamentos compuestos por una compañía del Regimiento de Albuera, dos escuadrones de Caballería de Alcántara y una Batería de Artillería.

Los muchachos fueron alcanzados en Benaoján, cerca de Ronda, y del combate puede juzgarse por el hecho de que murieron a la primera descarga veinticinco jóvenes sevillanos sin que ellos ocasionasen a las tropas ni un solo herido. Los restantes fueron conducidos a Sevilla.

La noticia de la matanza horrorizó a la ciudad, pero más aún la sentencia de muerte sobre todos los supervivientes. De nada sirvió la petición de indulto, pues Nocedal, inflexible, destituyó al gobernador civil de Sevilla don Joaquín Auñón, y al capitán general don Anastasio Alesón, sustituyéndolos por un comisionado especial del Gobierno, don

Manuel Lassala y Solera, quien traía de Nocedal y de Narváez, instrucciones concretas de que se efectuasen las ejecuciones.

El 11 de julio fue un día de luto para Sevilla, pues no había calle en que no se oyeran gritos de alguna familia que lamentaba la inminente muerte de algún joven.

Los fusilamientos se realizaron en la plaza de Armas, lugar donde se hacían diariamente los ejercicios de instrucción de la tropa de la guarnición.

Solamente se salvó un niño, a quien el oficial que mandaba el piquete se negó a pasarlo por las armas, porque no tendría catorce años, edad mínima penal, y lo entregó a unos frailes de San Laureano.

El fusilamiento fue aún más horrible de lo previsto, porque habiéndose subido un grupo de chiquillos a unos árboles para presenciar el ajusticiamiento, una de las descargas disparadas más alto de lo previsto alcanzó a los espectadores, cayendo un racimo de ellos muertos.

El alcalde señor Vinuesa y el concejal señor Calzada, marcharon a Madrid a protestar ante la reina y pedir que no se ejecutase a algunos que habían sido curados en el hospital, procedentes del primer combate y que estaban presos en San Laureano. Pero el feroz comisionado Manuel Lassala, temiendo que la compasión de la reina frustrase los designios de Nocedal, que él había venido a cumplir, apresuró por su cuenta los fusilamientos, y pocos días después, hizo pasar por las armas a los jóvenes presos, a su jefe don Manuel Caro, al poeta don Cayetano Morales y hasta al anciano coronel retirado don Joaquín Serra.

El día 15 del mes siguiente caía el gabinete Narváez-Nocedal. Pero en Sevilla había quedado como triste recuerdo el luto de ochenta y dos familias, y como leyenda la Piedra Llorosa, piedra que está situada en la terminación de la tapia de San Laureano y donde, según es fama, se sentó el alcalde Vinuesa llorando mientras se decía: «Pobre ciudad, pobre ciudad», aquella mañana del 11 de julio de 1857. (Ver libro *Tradiciones y leyendas de Sevilla* por José María de Mena.)

Hombres ilustres de la Sevilla de 1850

En este tiempo cuenta Sevilla entre sus más preclaros hijos al novelista don Manuel Fernández y González, portento de fecundidad, quien escribió muchas y muy buenas novelas, siendo el maestro indiscutible de la novelística española de su siglo. Mariano de Cavia ha definido a Fernández y González con estas palabras: «Era la exuberancia meridional hecha hombre; era la turbulencia española con nervios y músculos; era el genio andaluz en carne y hueso; carácter apasionado y ardiente, fantasía verdaderamente enorme y una intuición formidable.» Había nacido en 1821 y murió en Madrid el año 1888.

Coexisten con él Roque García, erudito de increíble sabiduría en lo que se refiere al idioma español, autor del Diccionario Etimológico y del Diccionario de Sinónimos. Nació en 1823 y murió en 1885.

Periodista, poeta, político y sobre todo autor dramático fue también en estos mismos años don Alejandro López de Ayala, autor de las comedias *El tanto por ciento, Consuelo* y *El tejado de vidrio*, que obtuvieron miles de representaciones. López de Ayala había nacido en Guadalcanal en 1828, ejerció el periodismo en Sevilla hasta 1850 y murió en Madrid en el 1879.

Pertenecen a esta misma generación el eminente actor don José Valero que divulgó los tesoros de la dramática española por todos los países iberoamericanos, contribuyendo no poco su actuación teatral a devolver las simpatías hacia España que se habían perdido en aquellos países como consecuencia de las guerras mantenidas en 1815 para conseguir la independencia los antiguos virreinatos y convertirse en naciones soberanas. Don José Valero, nacido en 1807, llena con su serena personalidad teatral todo el siglo, pues alcanzó hasta 1891 en que le sorprendió la muerte cuando todavía trabajaba. La anécdota más emocionante de su vida es que visitando México, el presidente de aquella república quiso hacerle un espléndido regalo y mandó a un secretario a sondear el ánimo del artista para saber si le gustaría como obsequio un palacete o finca de recreo o si prefería una joya de gran valor. Valero contestó que el regalo que deseaba se lo comunicaría por carta al propio presidente. Y en efecto, aquella misma noche recibió el primer mandatario de México una carta en la que Valero le imploraba el perdón de un reo condenado a muerte que estaba en capilla.

Por este tiempo vivía la escritora Cecilia Böhl de Faber ya en edad madura pues había nacido en 1791. Utilizaba el seudónimo de Fernán Caballero que la hizo famosa en toda España. Su casa en Sevilla fue centro de reunión de los más acreditados ingenios literarios de la época.

Otra escritora, Gertrudis Gómez de Avellaneda, vivió en el palacio que había sido de los duques de Osuna y de Arcos, en la plaza de Ponce de León, palacio que pasó a poder de la célebre escritora Gertrudis Gómez de Avellaneda y de su esposo el coronel señor Verdugo, en 1883. En 1885 lo compró el comerciante don Saturnino Fernández de la Peña y en 1887 este edificio pasó a poder de los padres Escolapios que pusieron en él su colegio de San José de Calasanz, edificio que ha existido hasta 1973, derribándose en 1975.

Los hermanos artistas

Sin embargo nadie aventaja en gloria a los hermanos Gustavo Adolfo y Valeriano Bécquer nacidos en Sevilla en la calle Conde de Barajas, y a quienes puede considerarse como las dos figuras más representativas del romanticismo en su faceta sentimental.

Gustavo Adolfo Bécquer nació en Sevilla el 17 de febrero de 1836 con apenas dos años de diferencia de edad respecto a su hermano. Valeriano fue pintor y más que pintor dibujante, llenando las páginas de las revistas de mediados del siglo XIX con estupendos apuntes a lápiz y a la pluma, en los que copiaba con inimitable gracia y viveza rincones típicos y gentes de las clases populares.

Gustavo Adolfo Bécquer es el poeta del romanticismo, la delicadeza y el apasionamiento, superando a los grandes maestros del género, incluso a Enrique Heine. Sus «Rimas» todavía un siglo después de su muerte constituyen verdaderos monumentos literarios, aun cuando la dimensión de cada uno de estos poemas sea mínima.

Gustavo Adolfo Bécquer y su hermano marcharon a Madrid donde colaboraron en las revistas y periódicos más importantes. Enfermo Gustavo Adolfo, marchó a reponerse al campo y vivió algún tiempo en el monasterio de Veruela, donde escribió algunas de sus más hermosas leyendas. Muerto todavía en plena juventud el poeta, no pudo soportar el dolor su hermano Valeriano y murió de pena poco tiempo después. Ambos están enterrados en la iglesia de la Universidad de Sevilla.

Creación de la Feria de Abril

Con objeto de facilitar a los agricultores sevillanos la adquisición de ganados para las faenas agrícolas del verano sin que tuvieran que desplazarse a las ferias de otros lugares de la comarca, un ilustre regidor (concejal) de Sevilla, nacido en Cataluña, pero avecinado en nuestra ciudad, llamado don Narciso Bonaplata, tuvo la idea de crear una feria de ganados en Sevilla en el mes de abril.

Comunicó su idea a otro ilustre regidor, don José María Ibarra, primer conde de Ibarra, y habiendo redactado ambos el proyecto, fue aprobado y suscrito por el corregidor, que lo era el marqués de Montelirio, enviándolo seguidamente a Madrid, donde gracias a los buenos oficios del diputado don Fermín de la Puente y Apechea, amigos de Ibarra, se consiguió que la reina doña Isabel II ordenase su dictamen y firmase su aprobación. El primer escrito, germen de la Feria de Abril fue redactado en 1846 y la aprobación real vino en el siguiente año de 1847.

Hubo una fuerte oposición por parte de las ciudades que tenían ferias y que se consideraban perjudicadas, principalmente Carmona y Mairena. Esta oposición fue convertida en arma política por el diputado Iribarren, disputándose ambos que Sevilla tuviese o no tuviese feria. Por fin, Iribarren fue derrotado y la feria pudo celebrarse por primera vez en 1847.

Se le asignó como lugar de emplazamiento el Prado de San Sebastián, terrenos que estaban abandonados y donde nadie quería edificar por ser el lugar más lúgubre de Sevilla, dado que había en él dos cementerios, el de San Sebastián y el de los Pobres, y además donde había estado el quemadero de la Santa Inquisición, de triste recuerdo, y donde habían perecido muchos sevillanos.

Al principio el público se resistió a acudir a tan tétrico lugar, pero el segundo día la feria fue un éxito. Los chalanes, vendedores y corredores de ganado, para protegerse del sol hicieron emplazar tiendas de campaña de lona. Estas «tiendas» pasados unos años vinieron a llamarse «casetas».

La curiosidad empujó a acudir a la feria a numerosas damas sevillanas con sus coches de caballos; lo que se había iniciado como un simple mercado de caballerías, pasó a convertirse en una distracción, y en un punto de cita, pasando las «casetas» al rango de lugar para invitar a las amistades y para bailar.

La concurrencia de forasteros el primer año no bajó de 25.000 personas que dejaron en Sevilla 400.000 duros, cifra fabulosa para la época.

La vida pequeña en la ciudad

Comienza a producirse por esta época una gran calamidad en la vida sevillana: el Ayuntamiento con afán de excesivas novedades emprende en el año 1862 la destrucción de las murallas y puertas de la ciudad. Conviene salvar la memoria del ilustre munícipe don Francisco de Borja Palomo, quien mantuvo con energía, con razones, con amor, la defensa de aquellos monumentos. Francisco de Borja Palomo sostenía la idea de que las murallas constituían no sólo un exorno hermosísimo, reliquia de una arquitectura antigua y evocación de pasadas grandezas históricas, sino al mismo tiempo la mejor defensa contra las inundaciones que periódicamente azotaban a la ciudad.

Sin pertenecer al Ayuntamiento, pero también con semejantes razones, batalló en los periódicos en pro de la conservación de las murallas don Manuel Álvarez Benavides y López, piloto de la marina mercante, agrimensor y profesor de dibujo.

Fueron las primeras puertas que se derribaron la de la Carne, en 1864; la de Jerez, en el mismo año; la del Carbón, en 1865; la del Arenal, cuya demolición fue aprobada por el 64; la Puerta Real, la de San Juan y la de la Barqueta, salvándose por el momento la Puerta de Triana, la Puerta de San Fernando, el Postigo del Aceite, la Puerta de Carmona, la de Osario, la Puerta del Sol, la de Córdoba y la de la Macarena.

Como resultado de las polémicas empeñadas entre aquellos dos ilustres hombres y quienes regían el Ayuntamiento, imprimió Palomo su libro *Historia crítica de las riadas* y Benavides recopiló también en libro sus artículos que habían visto la luz en la Prensa y que forman un volumen titulado «Explicación del plano de Sevilla».

La destrucción de las murallas y puertas dio lugar al ensanche del casco urbano uniéndose con los barrios de extramuros. Hubiera sido un indudable acierto conservar como ciudad histórica los barrios de intramuros y haber hecho el ensanche en la pendiente que va desde la Calzada hasta la Torreblanca y el actual aeropuerto con lo que hubiese habido una ciudad nueva y otra vieja, sin que la parte moderna se hiciese a costa de destruir la antigua que hoy sería atractivo turístico de extraordinario valor, como ocurre en aquellas pocas ciudades que han sabido conservar su contorno de murallas: Ávila y Ciudad Rodrigo en España, y Carcassonne en Francia.

Leemos un periódico: *Diario de Sevilla de Comercio, Artes y Literatura* del año 1851, «Servicio de mensajerías» y diligencias. — Postas generales salen para Madrid los días pares a las 9 de la noche y entran los mismos días, a las 6 de la mañana. Su despacho plaza del Duque, Fonda de la Unión.

— Galeras mensajerías aceleradas de la «Empresa Navarro» y señores Ferrer para Madrid y su carretera. Salen de esta ciudad un día sí y otro no y sólo invierten en su viaje 9 días y medio. Se despachan en calle de Bayona número 6, casa de don Onofre Ferrer.

— Aproximándose la estación de los baños se anuncia al público para que las personas que pasen a dicha población de Cádiz y quieran les sean conducidos sus equipajes sin tener los dueños las molestias que ocasionan éstos en los viajes, pueden encargarlos seguros, que como tienen elementos precisos los precios serán arreglados. Igualmente los que necesiten se les traiga a ésta el agua de la Fuente Amarga, pueden encargarla y será tomada de la misma fuente y traída con esmero como requiere un medicamento tan útil. Tienen establecidas las oficinas en Sevilla, cocheras de Pineda número 2. Despacho de las galeras para Madrid y en Cádiz, plaza de las Nieves número 119.

Periódicos sevillanos en el siglo XIX

Además del curioso periódico que acabamos de citar, se publicaron en Sevilla durante el siglo XIX numerosos periódicos, que influyeron considerablemente en el desarrollo intelectual de la sociedad sevillana, en todas sus clases. Algunos de éstos fueron meramente informativos o recreativos mientras que otros fueron políticos de las dos principales tendencias de la época, liberales y conservadores. Muchos de estos periódicos se leían en voz alta en grupos de gente en la Alameda y otros paseos públicos y dieron lugar en más de una ocasión a motines callejeros.

Según el profesor Francisco Aguilar Piñal que ha estudiado ampliamente el tema, el primer periódico del siglo XIX es *El Correo Literario y Económico de Sevilla*, aparecido en 1803.

A continuación, en 1809 salió el *Correo Político y Literario de Sevilla* dedicado principalmente a comentar los sucesos de la guerra de la Independencia. Este periódico dejó de publicarse en 1809 al entrar en Sevilla el Ejército francés.

La misma guerra de la Independencia dio lugar a la fundación de otros periódicos como *La Linterna Mágica*, la *Gaceta Ministerial de Sevilla*, el *Semanario Patriótico*, *Variedades de Ciencias, Letras y Artes*, *El Espectador Sevillano* y *El Vencedor Católico*, todos ellos de tendencia antibonapartista.

Durante la ocupación francesa solamente se publicó un diario titulado *Gaceta de Sevilla.*

Tras la guerra de la Independencia vieron la luz otros periódicos, entre ellos *El Correo Político y Mercantil* en 1814; el *Correo General de Sevilla* en 1820, el *Diario Patriótico* y el *Diario Crítico de Sevilla.*

De tendencias polémicas fueron *El Tío Tremendo o los críticos de Malecón, Los fundamentos de la religión y las fuentes de la impiedad, La píldora, periódico antirreformista de Sevilla, Sevilla Libre, El antirregañón general, El Fanal* y el *Setabiense*, que defendieron ya agresivamente, ya burlescamente, a los partidos liberal y conservador, y anticlerical y clerical. Semanarios de poesía fueron *El Cisne* y *La Lira Andaluza.*

Inmigrantes extranjeros

La Sevilla de este tiempo, mediados del siglo XIX, ha recibido una inyección de nueva sangre al venir a residir en ella numerosos elementos procedentes de Italia, con motivo de las luchas civiles entabladas en aquel país en la época del Risorgimento.

Son estos emigrados los Mariani, Balbontín, Piazza, Graciani y otros, cuyos hombres van a dar a Sevilla nuevas fuentes de riqueza o van a proporcionarle nuevas glorias en las ciencias o las artes. Así los Mariani famosos músicos, ya en la segunda generación don Luis Mariani compositor castizo y a quien los críticos comparan con Albéniz en la inspiración. Los Piazza, creadores de una fábrica para la construcción de pianos e instrumentos de música. Los Balbontín a quienes se debe la instalación de importantes industrias metalúrgicas en nuestra ciudad y el haber salido de entre su familia arquitectos de gran renombre. Los Graciani, de notable prestigio en la vida médica y en la ingeniería. De Austria vienen los Conradi.

Quizá sin embargo el más relumbrante de los apellidos extranjeros que vienen a incorporarse a la vida sevillana, sea el de los Zbikowski. Fue el primero el coronel Zbikowski duque de Grieber, ayudante de campo del rey de Polonia y figura de las más ilustres de la milicia polaca. Exiliado por motivos políticos en la época del reparto de Polonia, cuando Federico Chopin escribe en París sus Polonesas, el coronel Zbikowski se viene a España y afinca en Sevilla, donde su presencia y su gallardía causó admiración. De él descienden los actuales médicos Zbikowski.

El transporte se moderniza con la creación de las líneas férreas que comenzaron con la firma de un convenio en 1856 entre el Ayuntamiento de Sevilla y la compañía constituida para crear el ferrocarril de Sevilla a Córdoba. En 1862 se inaugura la línea Osuna-Utrera, en 1874 Utrera-Morón; en 1877 la Diputación de Sevilla subvenciona la creación de un ferrocarril Sevilla-Málaga y en 1879 existían ya las líneas Sevilla-Málaga, Sevilla-Córdoba, Sevilla-Mérida, Sevilla-Jerez-Cádiz, y numerosos ramales entre pueblos de las provincias limítrofes y la de Sevilla. En los años siguientes se llega a enlazar Sevilla con Madrid, y se abre una nueva etapa histórica, pues la sustitución del transporte de sangre por el de vapor crea una forma de vida, industrial, cultural y social.

El «Agua de los ingleses» y la de Tomares

Siendo ya insuficiente el agua de los caños de Carmona (impropiamente llamados así, pues deberían llamarse de Guadaira, por venir el agua de Alcalá de Guadaira, del manantial de Santa Lucía), se hizo preciso estudiar una traída de aguas más caudalosa, puesto que la población había aumentado durante el siglo XIX. Así realizaron interesantes estudios, aforos de caudales de manantiales y otras diligencias técnicas los señores Coello, Barrau, don Joaquín Montero y el señor Font, todos ellos ingenieros muy capacitados. Por su parte el catedrático de Química señor Manjarrés hizo análisis de las aguas. Todo ello y tras numerosos planes, anteproyectos, reformas y aun discusiones, cristalizó en el convenio entre el Ayuntamiento y una sociedad encabezada por capitalistas ingleses, lo que dio lugar al nombre de «Agua de los ingleses» para el suministro de agua potable a Sevilla, convenio que se firmó en 1866 por un plazo de 99 años y que ha permitido en 1967 rescatar totalmente la concesión y constituir la actual empresa municipal de aguas.

Respecto a las aguas de Tomares, diremos que en 1850 don Juan de Dios Gobantes y Valdivia, que poseía una fábrica de tuberías de plomo, habiéndose encontrado con un excedente de esta mercancía que no podía vender, decidió aprovecharla él mismo, para lo cual suscribió un acuerdo con el Ayuntamiento del pueblo de Tomares, para tomar agua de un manantial de aquel pueblo y conducirla por tuberías a Triana, donde la vendía a los vecinos, siendo ésta la primera conducción de agua para el barrio trianero que antes había de beber la del Guadalquivir. Esa traída de aguas de Tomares se inauguró en 1825.

Ambas han sido precursoras del moderno sistema de aguas inaugurado en los años 1960, en que el agua viene ya desde el pantano de la Minilla y hace innecesarias esas tomas de caudal de lugares próximos a Sevilla.

La corte de Montpensier

Radicados en Sevilla los infantes duques de Montpensier, don Antonio de Orleáns y doña María Luisa de Borbón, que tenían su vivienda en el palacio de San Telmo, se rodean de una pequeña corte de brillantísima prestancia, que hace la competencia en lujo y en esplendor a la Corte Real de Madrid. Doña María Luisa es hermana de la reina Isabel II, conoce la inseguridad en que ésta se sostiene en el trono de España, y secretamente sueña con sucederla en el puesto real a merced de algún benéfico vaivén de fortuna. Son años en que se suceden, como hemos visto los pronunciamientos militares. Don Antonio de Orleáns pasea a caballo por los jardines de su palacio, jardines tan grandes como los de cualquier palacio real, y que más tarde serán el parque de la ciudad, conservando el nombre de la infanta. Alrededor de los Montpensier la aristocracia sevillana participa en recepciones y saraos. Se dan conciertos en los que intervienen los Piazza, magistrales intérpretes de la música italiana y francesa.

El 13 de febrero de 1864 la dulce y pequeña corte de los Montpensier, que hace de Sevilla una ciudad como las de principados de Alemania, o como el ducado de Luxemburgo, o los pequeños reinos balcánicos, se cubre de luto. Ha muerto el infante don Felipe, hijo primogénito de los Montpensier. Repican las campanas de la Giralda. Se disparan salvas de cañón desde la batería de la Enramadilla. El niño ha muerto de una fiebre cerebral, según diagnóstico de los doctores Serrano, Ribera, Azopardo, Marsella y Gómez, las eminencias científicas de la Facultad de Medicina hispalense.

El acta de defunción la firman el regente de la Audiencia por delegación del ministro de Gracia y Justicia y la suscriben como testigos el intendente de palacio de los Montpensier, conde de las Lomas, el cardenal arzobispo, el capitán general, el gobernador civil y el alcalde de la ciudad. Sevilla entera desfila por la capilla ardiente para ver la carita de porcelana del niño muerto entre flores del parque de María Luisa. El entierro tiene solemnidad de exequias reales. El ataúd blanco forrado de oro va en una carroza dorada con caballos blancos y bajo un dosel en forma de monte real rematado por la corona regia. (Seguimos la descripción de don Joaquín Albarracín.)

En Madrid estas cosas, pese al protocolo de los testimonios de pésame, causaron recelo. Figuran demasiado los infantes duques de Montpensier.

En 1868 unido el partido progresista del general Prim con la unión liberal que presidía el general Serrano, estalla la revolución al grito de «Abajo los Borbones». El almirante Topete subleva la escuadra en Cádiz. Se movilizan los ejércitos de Andalucía y en Alcolea vencen los revolucionarios. Doña Isabel II que está veraneando en San Sebastián recibe la noticia de su destronamiento con estas palabras: «Creía tener más raíces en este país.» Desde San Sebastián pasa por Irún al destierro.

Es el gran momento de los Montpensier. Los generales Prim y Serrano y el almirante Topete han hecho su golpe de fuerza contra los Borbones pero no contra la institución monárquica. Se sabe que están buscando un candidato a quien ofrecer la corona de España. Don Antonio de Orleáns creía ya segura su designación.

Pero don Antonio ha tenido la mala suerte de matar en un desafío a pistola a su primo. No había tirado a matar, porque en los duelos interesa más salvar el honor por el simple hecho de acudir al campo, que derramar la sangre del contrincante. Sin embargo la bala, guiada por un funesto azar, le ha dado en la frente a su primo. España no puede tener un rey sobre el que haya pesado una sentencia de excomunión por duelista y que haya vertido sangre de su propia familia. Se descartó el candidato. La dulce y pequeña corte de los Montpensier pierde su oportunidad de convertirse en la corte real de España.

Breve reinado de Amadeo I

El general Prim, ante la imposibilidad de dar la corona a Montpensier, se la ofrece al príncipe don Amadeo de Saboya, hijo del rey de Italia. Pero los Saboya habían convertido a Italia en una nación, declarada independiente del dominio papal y han reducido al papa a los estrechos límites del Vaticano.

La Iglesia desarrolla una intensísima campaña contra el rey Amadeo I («el hijo del sacrílego», como se le llama). La aristocracia forma causa común con la Iglesia y trata con desprecio al rey. De este desprecio son fiel reflejo las palabras pronunciadas por el presidente del Gobierno, don Emilio Castelar meses después: «Los pobres, los hambrientos, los oscuros duques de Saboya, eran alabarderos, maceros y nada más que maceros, de la nación española.» (*Diario de las Cortes.*)

Don Amadeo hubiera soportado esta situación si no hubieran llegado a permitirse las aristócratas madrileñas y los prelados, desaires y humillaciones contra la propia reina.

Puede asegurarse que gran parte de esta batalla fue planeada desde Sevilla, desde su dulce y pequeña corte del palacio de San Telmo, por la familia de Montpensier.

Por fin, tras dos años de paciencia, Amadeo I de Saboya abandona el trono de España. Dirige un mensaje a la nación, triste pero sereno y digno, y emprende el viaje al destierro.

Ni una sola persona, ni siquiera el Gobierno por puro protocolo, nadie, absolutamente nadie, fue a despedirle a la estación.

Tras él una España escindida, liberales de Ruiz Zorrilla y Sagasta, conservadores que desean la restauración. Y unas masas extremistas que se van a lanzar a la calle para proclamar la Primera República.

La Primera República

El 11 de febrero de 1873 se proclama en España la Primera República. El mismo día se produce en Sevilla un motín, enfrentándose una gran multitud armada, con la fuerza pública, resultando un muerto y varios heridos. Para tranquilizar al vecindario, los prohombres republicanos publican un manifiesto firmado por los señores Borbolla, Sierra Paiba, Sánchez Nieva, Carmargo, García Guerra, Santaló, Reyes, Álvarez de Cotrales, Valle del Pozo, Sedas, Giménez, Río y Ramos, Fe, Gómez Quevedo, Barrero, Castilla y Ariza.

Queda nombrado alcalde del Ayuntamiento republicano de Sevilla don Romualdo Fernández Luque y secretario don Rafael Salvatella. El día 27 se cambia la bandera, añadiendo a los colores rojo y gualda una franja color morado.

Tres meses más tarde cambiaba el Ayuntamiento, quedando como alcalde presidente don P. Ramón Balboa.

La noche del 23 de junio los elementos más extremistas, muchos individuos incontrolados y expresidiarios y mujerzuelas, promovieron un alboroto, saqueando el museo de donde se llevaron multitud de objetos preciosos, robaron e incendiaron casas particulares, comercios, industrias, e incluso la Maestranza de Artillería, que atacada por sorpresa fue asaltada sacando de ella infinidad de armas, entre ellas el armamento de la compañía de obreros militarizados y varios cañones. Los grupos armados se apoderaron de toda la ciudad y fue necesario al día siguiente traer tropas para restablecer el orden. Sin embargo la multitud armada se rehízo y las autoridades y todas las tropas abandonaron Sevilla, constituyéndose una Junta Revolucionaria que proclamó en Sevilla un cantón independiente, con el lema de República Federal Social. Esta Junta estaba formada por los señores Miguel Mingorance, Narciso Marco, Deomarco, Juan Manuel Rodríguez, José Muñoz, Carlos Sainz, Melchor Lavilla, Luis González, Juan Ponce, Luis Díaz, Lázaro Palomera, Ricardo Ripoll y Miguel Pidala.

Esta solución separatista y de extrema izquierda no satisfizo al Gobierno de la República, que desde Madrid envió el día 29 de junio instrucciones severas al gobernador civil, don Gumersindo de la Rosa, de acabar con este cantón federal, y al día siguiente, un pelotón de voluntarios del barrio de Santa Lucía, al mando del capitán de milicias republicanas señor Balbontín, entró en el Ayuntamiento, disolviendo la Junta Revolucionaria, que se puso en fuga.

Tranquilizada la situación se constituyó una nueva Junta del Cantón Andaluz, que mantiene la forma federal pero reprimiendo el libertinaje callejero. La integran los señores Pedro Ramón Balboa, Manuel García Herrera, José Ariza Sánchez, José Ponce Casado, Federico Dodero, Manuel Nogués, Luis González, Rafael Alonso, Emilio Carreño, Manuel Barreo, Manuel Silva, Manuel Ventana, Miguel Tavera, Genaro Gómez, Miguel Mingorance, Francisco Junco, Eduardo Aguirrevenga, Rafael Carrera y Miguel del Moral.

Decidido el Gobierno de la República a acabar totalmente con el Cantón Andaluz, envió dos columnas del Ejército al mando de los generales Ripoll y Pavía, que tras largo forcejeo de artillería, que duró varios días y choques de infantería que costaron numerosísimos muertos, las divisiones de Pavía y Ripoll entraron al asalto en Sevilla por la Cruz del Campo y por el Prado de San Sebastián, forzando las barricadas de la plaza de Curtidores y de la Puerta de Osario, el 30 de julio, tomando posesión como gobernador civil en nombre del Gobierno de la República, don Alberto Aguilera, quien nombró alcalde al conocido prócer republicano don Ramón Romero y Fernández de Córdoba. (31 de julio de 1873.)

El 30 de diciembre de 1874 caía la República, restaurándose la monarquía en la persona del rey Alfonso XII. Fueron nombrados gobernador civil de Sevilla el conde de Casa Galindo y alcalde el marqués de Tablantes.

Por fin el Dogma de la Inmaculada

Como ya hemos dicho al hablar del siglo XVII Sevilla había intentado en vano obtener la proclamación del misterio de la Concepción de María sin pecado original, como dogma de fe, pero la oposición de los frailes dominicos impidió que el Papa lo proclamase entonces. Dos siglos después, ya debilitado el poderío de la orden dominica, Sevilla vuelve a insistir y el pontífice Pío XI proclama el dogma.

Sevilla recibió esta noticia con gran alegría y vuelven a cantarse las estrofas de la canción que había compuesto en 1600 el religioso franciscano fray Francisco de Santiago:

Todo el mundo en general
a voces, Reina escogida
diga que sois concebida
sin pecado original.

Estrofa cuyo autor todos olvidan o ignoran, porque lo que se recuerda es que «las glosó» el poeta Miguel del Cid. La verdad es que la copla, original del religioso franciscano, fue puesta como tema obligado en un certamen en el convento de San Diego; y fue Miguel del Cid quien hizo la más bella y extensa glosa, en las Navidades de 1615.

Mercedes ya se ha muerto

Los duques de Montpensier tuvieron una hija, Mercedita, que se crió delicada y pálida como una flor de estufa en el palacio de San Telmo. En 1875 el general Pavía restaura a los Borbones en el trono en la persona de Alfonso XII. Don Alfonso, joven apuesto, simpático, viene a Sevilla y se enamora de su prima. Las bodas se celebran en Madrid y Sevilla entera se siente un poco reina en la persona, mejor en la personita angelical y frágil de Mercedita de Montpensier. Con la boda de Mercedita, la infanta doña María Luisa tuvo la satisfacción de que ya que ella no había podido ser reina de España, al menos lo iba a ser su hija.

Pero Mercedita no soporta el clima de la capital de España. Su salud que ya era precaria en Sevilla —la terrible humedad del palacio de San Telmo, con sus balcones asomados al parque y el relente del Guadalquivir entrando a chorros por las rendijas de trescientas ventanas—, se agrava en términos alarmantes. Mercedita sonríe, bajo la capa de polvos de colorete que le ha traído de París la camarera mayor de doña Isabel II, en las ceremonias palatinas, pero su sonrisa parece venir de otro mundo. Mercedita se muere y deja al rey, a España y a Sevilla sumidos en la mayor tristeza.

Don Alfonso vuelve a casarse con María Cristina. Hay prisa porque el rey tenga un heredero, porque a pesar de la gallardía con que monta a caballo, el rey tiene fiebre por las tardes y se sabe que está herido de muerte.

Con doña María Cristina viene a Andalucía el rey Alfonso XII en 1882. Le acompaña la infanta Eulalia, los duques de Montpensier y el infante don Antonio de Orleáns.

Desde Sevilla, donde al rey se le caen encima las nubes de febrero y los techos del Alcázar en una pesadilla de recuerdos de su primer matrimonio, se marcha huyendo, como quien dice, a visitar Jerez. En sólo seis días han levantado los ingenieros de la Casa Portilla, fundición sevillana (estamos en la época del arte moderno en hierro que tiene su partenón en la torre Eiffel), la atrevida construcción de «La Concha» de las «Bodegas de González Byass». «El salón de comedor más bello, más peregrino y más pintoresco que nadie se hubiera podido imaginar. Parece, aun visto a través de los grabados lejanos, el campamento de un sátrapa en el desierto o esos palacios de lona blanca que en *Las mil y una noches* surgen sobre las arenas.» (José de las Cuevas, *Historia del vino de Jerez.*) En Jerez el rey bebe, no para celebrar como invitado la calidad de los vinos que le ofrecen los González Byass, sino como un hombre cualquiera, como un hombre triste que bebe para olvidar. Doña María Cristina con aire ausente, también entristecida, levanta una copa que quiebra a través del vino dorado la luz que viene desde arriba, del techo de «La Concha» y que se descompone en rayos de colores sobre su vestido celeste bordado en blanco.

Desde Jerez, los reyes se van a Sanlúcar, al otro palacio de los Montpensier, también chorreante de humedad, y también con ventanas mal ajustadas por donde se meten como cuchillos los vientos salinos del mar invernizo.

Sevilla bajo la Regencia

El Ayuntamiento de Sevilla recibe el día 24 de noviembre de 1885 un telegrama en el que se le comunica: «El rey marchará a Sanlúcar a habitar el palacio de los duques de Montpensier el día 5 de diciembre, si la estancia en el Pardo no ayudara a su convalecencia.»

Pero no ayudó y el rey don Alfonso XII muere el día 25 de noviembre a las cuatro y media de la tarde. Queda encargada de la Regencia doña María Cristina en las difíciles circunstancias de una España dividida en facciones políticas y las colonias de Filipinas y Puerto Rico en trance de perderse.

De los pequeños sucesos de la vida sevillana en el año 1886 casi el más interesante sea la instalación del pararrayos en la Giralda, que dio lugar a la apertura de un pozo junto a la torre para el cable y planchas de cobre de descarga eléctrica. En este trabajo de excavación se estudió la parte inferior y el subsuelo, lo que dio lugar a que algunos eruditos, entre ellos don Francisco Mateos Gago, catedrático de la Universidad, copiasen algunas inscripciones de las piedras situadas en la base de la Giralda; se emitió también en estos días del mes de marzo un informe negando que los moros hubieran empleado materiales visigodos y romanos para relleno de los cimientos de la torre, informe sin embargo, que no convenció por completo al público.

En esta época la cárcel provincial está en el edificio del exconvento de Nuestra Señora del Pópulo (hoy convertido en oficinas municipales, calle Pastor y Landero). En Semana Santa los presos se asomaban al locutorio y por la reja cantaban en la madrugada del Viernes Santo:

Abrid puertas carceleros
y asomarse a esas ventanas
que está aquí la Soberana
Madre del Dios de los cielos
y esperanza de Triana.

Detrás del edificio había un patio y en él la siniestra «azoteílla» o patíbulo para las ejecuciones.

Sevilla en los últimos años del siglo XIX

En 1888 el día 1 de agosto se produjo un terremoto que si bien apenas lo sintió el vecindario, tuvo catastróficas consecuencias para la catedral. Quebrantado sin duda por anteriores movimientos sísmicos y debido acaso, como señala Guichot, a la mala construcción de los pilares y deficiencias en la calidad y el corte de las piedras, se produjo un hundimiento en el crucero por la rotura de un pilar que arrastró cuatro arranques de bóvedas que descansaban en él, quedando destruidas parte del órgano y de la verja, la vidriera y varias estatuas de barro cocido hechas por Miguel Florentín en 1520. Ocurrió el hundimiento a las tres de la tarde y aunque estaban trabajando varios albañiles precisamente en esa parte del crucero, no ocurrieron desgracias.

En 1890 la vida sevillana, con muy rotunda división de clases sociales, se polarizaba en cuanto a las diversiones en los teatros de «Eslava», «Cervantes», «San Fernando», «Teatro Circo del Duque», «Teatro del Centro» (en la calle Rioja donde hoy está el cine «Llorens»), «Portela», en el barrio de la Puerta de la Carne, y los cafés cantantes «Novedades», «Silverio» y «Burrero». Existían tertulias y círculos literarios, sin duda el más importante, el presidido por don Luis Montoto y Rastenrath a quien se llamaba el patriarca de las letras hispalenses; aparecían en los carteles de la Plaza de la Maestranza los nombres de Lagartijo *el Viejo,* Guerrita, Manuel García *el Espartero* y Ricardo Torres *Bombita,* natural del pueblo de Tomares.

La música tenía importante papel en las reuniones familiares y en los conciertos que se daban en algunos palacios como el de los Montpensier. Figuras eminentes fueron en esta década el compositor y pianista don Luis Mariani y la joven Pepita Piazza, concertista y profesora de piano, que acabó casándose con don Luis y que ha muerto recientemente con 94 años de edad. No existía Conservatorio de Música, pero en cambio se daban clases de este arte en la Sociedad Económica de Amigos del País, y en casa de los Mariani.

Tienen por esta época veinte años los hermanos Joaquín y Serafín Alvarez Quintero, nacidos en Utrera en 1871 y 1873, y que habían estrenado con éxito *Esgrima y Amor,* paso de comedia que les valió la protección de don Luis Montoto, quien los mandó bien recomendados a Madrid donde triunfaron clamorosamente.

En las artes plásticas disfrutaba de fama don Gonzalo Bilbao aunque todavía joven, autor del gran cuadro *Las Cigarreras* con un interior de la Real Fábrica de Tabacos, que se conserva en nuestro Museo Provincial y que comparan los críticos con *Las Meninas* de Velázquez. También pintaban en aquella época don Manuel Villalobos, don José Arpa, Virgilio Mattoni y José Rico Cejudo.

En 1899 llegan a nuestra ciudad los repatriados de Filipinas, Cuba y Puerto Rico, tropas espectrales, con uniforme de rayadillo, soldados enfermos de la fiebre amarilla y del vómito negro, poniendo una nota de patetismo y dolor en la ciudad. Muchos de ellos recién desembarcados murieron en el hospital y otros continuaron viaje a sus pueblos de origen.

En enero de este año vienen también repatriados a bordo del Buque-Aviso *Conde del Venadito* los restos de Cristóbal Colón, que antes había estado en la catedral de Santo Domingo y al perderse aquella isla se llevaron a la Iglesia Mayor de Cuba. El ataúd quedó depositado en la cripta de arzobispos de la iglesia del Sagrario hasta noviembre de 1902 en que se trasladaron solemnemente al catafalco situado frente a la Puerta de san Cristóbal, obra del escultor don Arturo Mélida.

Florece en esta última década del siglo XIX el escultor sevillano Antonio Susillo y Fernández quien se dio a conocer en 1887 con el grupo de yeso *La Primera Contienda.* En 1889 modela y funde la estatua de bronce de Daoíz, erigida en la plaza de la Gavidia; en 1892 la de Velázquez para la plaza del Duque y en 1895 las doce estatuas que coronan la cornisa del palacio de San Telmo. En 1897 en el cementerio de San Fernando, recién inaugurado, quiso el Ayuntamiento colocar un Crucificado monumental, el «Cristo de las Misericordias», escultura que se encargó también a Antonio Susillo. Por haber hecho las abejas un panal dentro de la boca de este Cristo, tan pronto fue erigido, y chorrearle la miel por el pecho, se le llamó «El Cristo de las Mieles», nombre que perdura. Académico de Bellas Artes, gloria nacional a los treinta años, reclamado por el gobierno ruso para hacer la estatua del Zar, mimado de la fortuna, Antonio Susillo se casa con una mujer nefasta, María Luisa Huelin, que despilfarra cuanto gana y hunde al artista en la miseria, lo que le hizo suicidarse el 22 de diciembre de 1896, a los treinta y nueve años de edad. Piadosamente se interpretó su suicidio como un acto de locura, a fin de que no se le negase sepultura en sagrado. El pueblo de Sevilla tributó a su mejor artista el homenaje de enterrarle precisamente al pie del «Cristo de las Mieles», que preside el Cementerio y que él mismo había labrado en bronce.

Otro artista ilustre fue el pintor José Lafita y Blanco, paisajista de quien se conserva un magnífico cuadro, *Atardecer en el río Guadaira,* en nuestro Museo Provincial.

Fueron hijos de este artista, José Lafita, escultor, autor del monumento a Rodrigo Bastida fundador de Santa Marta, Colombia, y Juan Lafita, pintor, periodista y director del Museo Arqueológico Provincial.

CAPÍTULO XIV

EL SIGLO XX HASTA 1936

Los periódicos y la cuestión social

El año 1900 se planteó una curiosa discusión. ¿Era el último del siglo XIX, o era el primero del siglo XX? Tema que dio motivo a numerosas conferencias y artículos.

Lo que no cabe duda es de que en ese año, Sevilla, aunque parezca extraño, leía muchos más periódicos que tres cuartos de siglo después. Cierto que aún no había radio ni televisión, pero de todos modos la cifra de venta de periódicos, diarios, semanales y mensuales, superaba con mucho a la que hoy se imprime en nuestra ciudad, a pesar de que la Sevilla de entonces solamente tuviera una quinta parte de la población que hoy cuenta. Los periódicos que se publicaban en Sevilla eran los siguientes:

El Noticiero Sevillano, en calle Alfonso XII.
El Liberal, en calle Manteros.
El Posibilista, en calle Manteros.
El Progreso, en calle Julio César.
La Opinión, en calle Rosario.
El Universal, en calle O'Donnell.
La Región, en calle San Eloy.
La Monarquía, en calle Monsalves.
El Clamor, en calle Monsalves.
El Crisol, en calle Monsalves.
El Programa, en calle Monsalves.
Don Cecilio de Triana, en calle Monsalves.

El Regional, en calle Osuna.
La Revista de Tribunales, en calle Osuna.
El Baluarte, en calle Lagar.
El Mercantil Sevillano, en calle Sierpes.
La Andalucía Moderna, en calle Sauceda.
El Heraldo Sevillano, en calle Sauceda.
El Loro, en calle Rivero.
El Tribuno, en plaza de Villasís.
El Orden, en calle San Vicente.
El Cronista, en calle Harinas.
El Diario de Sevilla, en calle Aire.
El Correo de Andalucía, en calle Hernando Colón.
El Noticiero Obrero, en calle Vidrio.
La Iberia, en calle Gravina.

Algunos de estos periódicos alcanzaban tiradas muy importantes. Uno, medianamente conocido, *El Tribuno* imprimía 8.000 ejemplares. Cifras mucho más altas sacaban *El Noticiero Sevillano, El Liberal* y el *Noticiero Obrero.*

Esta abundancia de prensa señala un momento político trascendental: el de la llamada «Cuestión social» en que los trabajadores por cuenta ajena, tanto obreros manuales, como empleados de oficina, inician su lucha de reivindicaciones. En 1900 era frecuente el «trabajar por la comida». Los dependientes de comercio durante sus primeros seis u ocho años no cobraban salario, sino que se les daba de comer y dormían en la misma tienda, en un colchón detrás del mostrador.

En aquella época, aún sin reglamentaciones laborales, era frecuente el empleo de niños de diez o doce años, que realizaban jornadas exhaustivas de doce y catorce horas en trabajos penosos. No había ninguna clase de Seguridad Social, y las empresas pagaban impuntualmente. (Agustín López Macías, en su *Recuerdos del tiempo viejo,* Sevilla 1922) dice textualmente: «Eran mirlos blancos los compañeros que cobraban semanalmente, en todas las imprentas.»

La lucha social para conseguir mejores condiciones de trabajo, jornada legalmente establecida, salario fijo, cobrar los domingos y fiestas (que como no se trabajaba no se cobraban), se inició con la fundación de la Sociedad de Obreros del Arte de Imprimir, que funcionó al principio con su Junta Directiva reuniéndose en la taberna «La Mancha» en la calle Santa María de Gracia, pasando luego a un local denominado «Centro de Obreros», que fue el primer germen de la actual Organización Sindical.

El comienzo de la lucha sindical puede considerarse en el siglo XX, la huelga planteada en 1901, por los impresores en los talleres de *El Noticiero Sevillano,* que señaló el comienzo de las reivindicaciones sociales en todos los gremios, a fin de obtener un nivel económico que permitiera una vida más digna a los trabajadores y a sus familias. Esta lucha social se mantiene durante toda la primera mitad del siglo XX y empieza a obtener frutos satisfactorios tales como Seguridad Social, Viviendas Sociales, etc., a partir de 1940.

Renacimiento urbano

El siglo XX representa para Sevilla un auténtico renacimiento urbanístico, industrial y artístico, cuyo cenit se alcanzará en los años 1929 con la Exposición Iberoamericana.

La primera de las grandes mejoras urbanas fue la reconstrucción del Barrio de Santa Cruz, por iniciativa del primer Comisario Regio de Turismo, Marqués de la Vega Inclán, quien convirtió un barrio de casuchas ruinosas, en un barrio residencial de casas de estilo sevillano, de gran señorío y de auténtico atractivo turístico, que pasó a ser el barrio de las familias acomodadas de la ciudad.

Poco después, hacia 1910 el señor Armero, marqués de Nervión, adquiere parte del cortijo de Maestrescuela, y otras fincas, entre el arroyo Juncal y el arroyo Ranilla, y construye la grandiosa barriada de Nervión, que abarca desde la avenida Ramón y Cajal hasta la calle Oriente y que es la mayor empresa constructiva acometida hasta entonces en Sevilla. Ésta se complementa poco después con la edificación de la barriada de Ciudad Jardín.

En 1912 se inicia la construcción del Paseo de la Palmera, y por los mismos años aproximadamente se encarga al jardinero francés monsieur Leforestier que convirtiera en jardines lo que era un simple parque de arbolado, cedido por la infanta doña María Luisa a la ciudad. Con jardinería a la francesa, adaptada a nuestro clima y añadiendo algunas huertas y viveros aledaños, consigue Leforestier crear el célebre Parque de María Luisa, de fama universal en su época. Junto a él se construye el barrio de San Sebastián al que luego se llama Barriada del Porvenir, nombre que ha perdurado.

La arquitectura sevillana alcanza sus mayores vuelos en esta época, con los arquitectos Juan Talavera y Aníbal González. De esta época y hasta 1930 son: el Matadero Municipal, obra del arquitecto don José Sáenz López, la estación del ferrocarril, Plaza de Armas y varios pabellones de la Compañía de Electricidad todos ellos en estilo de inspiración arábigo-andaluza. El puente de la Puerta de la Carne a San Bernardo, sobre el ferrocarril. El teatro «Cine Coliseo», obra de Juan Talavera, y el Pabellón de la Asociación Sevillana de Caridad, obra de Aníbal González.

La electricidad y los transportes

En los primeros años del siglo circulaban aún tranvías tirados por mulos. Los primeros que funcionaron por electricidad recibían la corriente por los raíles y ello daba lugar a que ocurrieran graves accidentes a personas y caballerías cuando pisaban las vías, por lo que se pusieron luego los cables de suministro, colgados de postes. La electricidad se producía por acción de una máquina de vapor y la corriente generada era corriente continua. Más tarde el alumbrado de gas es sustituido en las casas y calles por alumbrado eléctrico, a expensas de centrales térmicas movidas por aceite pesado y desde 1920 ya hay centrales hidroeléctricas. La industria se beneficia de esta nueva fuente de energía y se crean fábricas importantes, como la «Hispano Aviación» para construir aviones, creada en 1918 y se electrifican muchas fábricas modernizando su utillaje, como las de cerámica de Triana.

Los transportes se hacían aún en carros de mulas, llamados «carrozas» de cuatro ruedas, y tímidamente empiezan desde 1910 a verse algunos automóviles de turismo, marcas «De Dion Buton», «Damler» e «Hispano Suiza». Hacia 1918 empieza a haber algunos camiones de transporte, figurando entre los primeros vehículos a motor dos coches de bomberos y una ambulancia de la Cruz Roja. Sus ruedas no eran aún hinchadas de aire, sino macizas, de goma gruesa. En las calles se veían recuas de borriquillos para el transporte de arena y cal para las obras y reparto del pan y la venta ambulante de verduras se efectuaba por las calles, mediante mulos. El pan venía desde Alcalá de Guadaira y en el mismo tren, los mulos para el reparto callejero por Sevilla.

Los «duros sevillanos»

Un episodio pintoresco de los comienzos del siglo XX fue la aparición de los llamados «duros sevillanos». Se trataba de monedas de plata de a 5 pesetas, idénticas a las de curso legal, sin otra diferencia que el trazo horizontal del número 5 que en los duros sevillanos era recto. Por una disposición publicada en la Gaceta Oficial de Madrid el 16 de julio de 1908 se ordenó la recogida de dichas monedas, pero con gran sorpresa del país, no se ordenó su inutilización sino su almacenamiento en el tesoro de la nación. Esto se debía a que ¡los duros falsos sevillanos tenían más cantidad de plata que los duros auténticos de curso legal! Según las noticias que circularon entonces, el gobierno alemán, que se preparaba para la guerra, necesitaba exportar plata aunque fuese a bajo precio, para adquirir material de guerra y vituallas, por lo que exportaba monedas falsificadas, pero de mejor ley que las auténticas. La entrada de estas monedas en España se hacía a través de Sevilla, trayéndolas metidas en tubos de metal niquelado que, aparentemente venían para la fabricación de camas metálicas en una conocida fábrica sevillana, cuyo almacén estaba en la calle Guadalquivir, esquina a Torneo.

Al conocerse que los «duros sevillanos» tenían más plata que los legales, todo el mundo se apresuró a buscarlos y acabaron circulando libremente igual que los legítimos y aún más apreciados que éstos.

La gran sequía de 1905

El año 1905 sufrió Andalucía una terrible sequía, que hizo perder totalmente la cosecha de cereales, produciendo un hambre general. Miles de trabajadores agrícolas pasaron aquel año alimentándose exclusivamente de los repartos de pan gratuito que se hacían en los pueblos con dinero aportado por el arzobispo cardenal Spínola, quien anduvo por las calles de Sevilla pidiendo limosna para remediar a los hambrientos. Paradójicamente esta sequía fue beneficiosa, ya que en vista de lo sucedido se despertó el interés por crear regadíos y el presidente de la Junta Provincial de Fomento don Manuel Vázquez Armero elevó un proyecto al rey Alfonso XIII que había venido a Sevilla, fruto de lo cual se pusieron en regadío 22.000 hectáreas, desde Sevilla hasta Lora del Río.

Inauguración del teléfono y de la radio

El año 1910 a 10 de agosto se inauguró el teléfono en Sevilla, cuya central estaba en la Plaza del Pacífico (vulgarmente Plaza de la Magdalena). Su director era don Arturo Peña, y se instalaron dicho año los primeros 200 aparatos telefónicos, de ellos 19 en centros oficiales y el resto en comercios, industrias y domicilios particulares.

Poco después, se inició la Radio en Sevilla. Los primeros experimentos los hizo el infante de Orleáns, para mantener comunicación desde su coche con el hipódromo de Tablada. Tras esta etapa de experimentación surgen en 1924 dos pequeñas emisoras, una en la calle Albareda y otra en la Cruz del Campo. En la primera, los operadores eran don Ramón García, don Manuel García y don Manuel González y en la segunda don Juan Madariaga. Estas emisoras funcionaban en régimen de «aficionados», y hacia 1929 se fusionan en una sola, que es comprada por don Antonio Fontán, e incorporada a la cadena Unión Radio, de Madrid. El primer ingeniero de radiodifusión en Sevilla fue don Fernando Machado. Los programas constaban de conciertos «en vivo» por una pequeña orquesta y con el tenor Evaristo Luque. Sevilla fue una de las primeras ciudades del mundo donde se transmitieron por radio los partidos de fútbol, hacia 1930; la primera donde se utilizó la radio para fines benéficos, con ocasión de las inundaciones del Guadalquivir en 1934, y la primera en que la radio jugó un papel importante en la guerra como arma psicológica, durante la guerra civil de 1936, haciéndose famosas en este aspecto las charlas radiofónicas del general Queipo de Llano a través de los micrófonos de «Radio Sevilla».

La vida artística y cultural

Los primeros años del siglo xx corresponden a la etapa artística del llamado «modernismo», importado por los pintores y escultores sevillanos que habían estado como becarios en París y por los poetas que mantienen contactos con los escritores hispanoamericanos radicados en la capital francesa. Destacan en el primer tercio del siglo xx los pintotores José Arpa, Virgilio Mattoni, Gustavo Bacarisas, Manuel Villalobos, Rico Cejudo, José María Labrador, y empiezan a sonar Santiago Martínez, Alfonso Grosso y alejado de Sevilla porque se ha convertido en pintor de moda de Madrid, Gonzalo Bilbao.

En la literatura la máxima figura es don Luis Montoto Rastenrauth, auténtico patriarca de las letras hispalenses. Su hijo don Santiago Montoto y Sedas empieza a publicar ensayos históricos de gran interés. La crítica de arte está capitaneada por el catedrático Murillo Herrero. En la poesía destacan *Amantina Cobos* (seudónimo de doña Patrocinio Cobos Losúa), Eva Cervantes y Juan Rodríguez Mateo y empiezan a darse a conocer Rafael Lafón y Javier Lasso de la Vega.

En los relatos y periodismo Manuel Chaves y en las leyendas en verso y en prosa Cano y Cueto.

Respecto al periodismo hay que destacar a don José García Rufino, quien publicaba un semanario satírico titulado *Don Cecilio de Triana* el cual influyó notablemente en la vida pública sevillana, como pudiera haberlo hecho Aristófanes en la Grecia clásica.

La aviación en Sevilla

Ya desde los primeros años del siglo las noticias de que en París había conseguido volar en un aparato más pesado que el aire (lanzado desde un globo) el millonario brasileño Santos Dumondt, y que en América los hermanos Wright consiguen no sólo volar, como el anterior, sino despegar del suelo sin ayuda de globo alguno, hacen despertarse en Sevilla el interés de algunos jóvenes deportistas por la técnica aeronáutica.

Aristócratas, estudiantes y militares, entre los que figura José Rementería, José Rojas, Tomás Martín Barbadillo vizconde de Casa González, José Martín Prat y Joaquín González Gallarza, construyen los primeros aeroplanos «de artesanía» y realizan los primeros vuelos, en Tablada. En 1915 el coronel Vives, jefe de la aeronáutica militar española, ordena la construcción del primer aeródromo militar en Tablada.

Los vuelos eran sólo de unos centenares de metros. Pero en 1910 ya se hacen recorridos a distintos pueblos. Faltaba, sin embargo, emprender viajes largos. En 1918 el capitán don Guillermo Delgado Brackembury ofrece una copa, como premio, para quien fuese capaz de cubrir el recorrido Sevilla Madrid, o Madrid Sevilla en una sola etapa.

Los pilotos José Rementería, José Rojas y José Martín Prat, llevando como observadores a Carmelo Las Morenas, Antonio Peñalver y Joaquín González Gallarza, respectivamente, lo intentan pero las malas condiciones meteorológicas no les permiten llegar.

Más afortunados fueron tres pilotos, Alfonso Fanjul, Manuel Zubia y capitán Sousa, quienes despegando de Madrid llegaron a Sevilla, invirtiendo dos horas veintiocho minutos, dos horas cuarenta y uno y dos horas cincuenta respectivamente, adjudicándose la copa Fanjul.

Luca de Tena y la Exposición Iberoamericana

En el año 1909 y continuando una campaña de opinión pública que databa ya de tiempos de Isabel II, se intenta que Sevilla celebre una Exposición Universal o Internacional. Es la época de las Exposiciones, que han dejado a París la Torre Eiffel y a Madrid el Palacio de Cristal del Retiro.

Ocurre sin embargo que Bilbao también tenía solicitada una Exposición Internacional. Los bilbaínos y los sevillanos acucian al Gobierno de la nación disputándose la autorización oportuna y la prensa de ambas ciudades ataca airadamente ya a la otra ciudad, ya al gobierno, lo que va degenerando en conflicto regional de orden público.

En esa situación, don Torcuato Luca de Tena, ilustre sevillano, director y propietario de los periódicos *Blanco y Negro* y *ABC* de Madrid, consiguió reunir en su despacho a los alcaldes de ambas ciudades, limando asperezas y consiguiendo que la rivalidad se convirtiese en amistosa colaboración para conseguir Sevilla una «Exposición Iberoamericana» y Bilbao una «Exposición Industrial», que el gobierno se apresuró a aprobar.

Desde ese momento empieza en Sevilla una febril actividad, encargándose al coronel de Ingenieros señor Casso la reforma del Parque de María Luisa y al arquitecto don Aníbal González la construcción de los edificios que han de componer la Exposición Iberoamericana. Todo ello se va edificando desde 1919 ya que la fecha señalada para la exposición es la de 1929. También se edifican hoteles, entre ellos el de «Eritaña» (hoy Cuartel de la Guardia Civil), el del «América Palace», hoy viviendas en la avenida de Manuel Bermudo Barrera esquina a Ignacio Benjumea, y el magnífico «Hotel Alfonso XIII» llamado también «Andalucía Palace». Asimismo y para alojamiento del turismo que se espera, se construye la barriada de los Hotelitos del Guadalquivir, que el periodista Luis Claudio Mariani bautizará con el nombre de «Heliópolis» que queda como definitivo.

El monumento a San Fernando

El 15 de agosto de 1924 se inauguró en la Plaza Nueva el monumento al santo rey conquistador de la Ciudad. El plan es del arquitecto don Juan Talavera, la estatua de San Fernando a caballo es obra del escultor Joaquín Bilbao, la del príncipe don Alfonso X *el Sabio*, obra de Enrique Pérez Comendador; la de Garci Pérez de Vargas, la ha hecho Agustín Sánchez Cid; la de Don Remondo, realizada por Adolfo López y la de Bonifaz, por José Lafita y Díaz.

La medicina sevillana en los años veinte

La gran renovación de la Medicina en esta época se debe principalmente al doctor don Eduardo Fedriani, quien introdujo las nuevas técnicas quirúrgicas, anestésicas y hemostáticas, incorporando Sevilla al curso de la Medicina moderna. Junto con él el doctor don Jesús Centeno, creador de la Federación Médica Andaluza, que consiguió que los ayuntamientos pagasen puntualmente sus sueldos a los médicos rurales, que se encontraban en el mayor abandono económico.

Don Ramón Sota y Lastra, uno de los primeros que practicó en España la extirpación radical de laringe en los enfermos de cáncer de este órgano, consiguió resultados asombrosos que trascendieron a toda Europa, pues mientras las mejores clínicas de Viena y Berlín, con los célebres maestros Gutzman y Gluck, conseguían una supervivencia postoperatoria de apenas el 60 por ciento de sus pacientes, Sota y Lastra disminuyó la mortalidad a menos del 20 por ciento.

En la tocología destaca el doctor don Ciriaco Esteban, quien adelantándose en medio siglo a las técnicas del «parto sin dolor» y de la «psicoterapia» concedía la mayor importancia a «inspirar confianza y tranquilidad a las parturientas».

En la medicina, es la principal lumbrera el doctor don Vicente Hernández, y en la cirugía general el doctor don Antonio Cortés, joven catedrático de la Facultad hispalense, aunque nacido en Barcelona, operador maravilloso y de vasta erudición anatómica. En la Pediatría y Puericultura, el doctor don Juan Luis Morales, creador de la benemérita institución «La gota de Leche» y de los dispensarios públicos de Puericultura.

Entre los médicos jóvenes, gozaba ya de gran prestigio el doctor don Salvador Andrés Traver y entre los médicos militares practicando simultáneamente la cirugía y la medicina dermatológica el doctor don Sebastián Lazo, jefe de la expedición de médicos sevillanos a la guerra de África.

La Cruz Roja sevillana

En 1921 la llegada a Sevilla de los heridos procedentes de la guerra de Marruecos obliga a la Cruz Roja a instalar su primer hospital, en la plaza de América, en uno de los pabellones que se estaban construyendo para la Exposición Iberoamericana. Se organiza además la Brigada de Camilleros Voluntarios de la que fueron jefes sucesivamente don José Fernández Quintana, don Juan Delgado Roig, don José Rodríguez Jiménez y don José María Reyes. El cuartel de camilleros estuvo en la calle Trastámara, desde donde pasó a Triana, y ya después de 1950 ha pasado a la avenida de la Cruz Roja. En los últimos tiempos han sido jefes de dicha Brigada, don Enrique Macía (accidentalmente), don Reyes Gómez (accidentalmente), don Enrique Piñal de Castilla y Márquez y últimamente don Jesús Viñas.

Presidentes de la Asamblea de la Cruz Roja sevillana fueron, desde 1921, don Polión Zulueta, don Joaquín Hazañas y la Rúa (el historiador y catedrático de Letras), el marqués de Esquivel, don Antonio Cortés Lladó, la Marquesa viuda de Nervión, el conde de Peñaflor y, desde 1978, el prof. doctor Juan Jiménez Castellanos.

Sevilla cuenta con dos hospitales de la Cruz Roja, uno en Capuchinos y otro en Triana.

Sevilla y el deporte

En los primeros años del siglo XX se inicia en Sevilla el deporte del fútbol, constituyéndose el 14 de octubre de 1905 el equipo «Sevilla Club de Fútbol» siendo su primer presidente don José Luis Gallego.

En 1907 se fundó el equipo «Balompié» y poco después el «Betis» fusionándose ambos con el nombre de «Real Betis Balompié».

El conde de Halcón

En los años 20 fue alcalde de Sevilla el conde de Halcón, a quien cariñosamente se llamaba «el alcalde Palanqueta» por su política municipal de derribar casuchas viejas y hacer ensanches, muchas veces saltándose trámites administrativos en gracia a la celeridad de las obras.

Gracias a su previsión y eficacia se hicieron mejoras urbanas de gran utilidad pública.

El grupo Mediodía

Por los años 1926 surge en Sevilla un grupo de poetas que lanzan la revista *Mediodía.* Se llamaban Rafael Laffon, Joaquín Romero Murube, Juan Sierra, Fernando Villalón, Alejandro Collantes y Eduardo Llosent Marañón, a los que se adhieren Adriano del Valle, Rafael Porlan y Luis Cernuda. La revista *Mediodía* alcanzó una resonancia nacional influyendo en la renovación de la poesía española.

En estos años fue alcalde de Sevilla una temporada don Alfonso Zbikowsky, quien suprimió el uso de sable como arma reglamentaria a los guardias municipales, estimando que para poner orden en las vendedoras del mercado, o multar a los chiquillos que jugasen a la pelota en la calle, era innecesario llevar un sable. Lo sustituyó por un bastón, y aquel año en los carnavales se cantó una copla humorística que decía:

Lo que no tiene «London»

Tres cosas tiene Sevilla
que no las tiene London
el Alcázar, la Giralda
y los guardias con bastón

Poco después se acortó el bastón convirtiéndolo en la porra de goma o «defensa» que hoy llevan. También se deben al alcalde Zbikowsky mejoras en la sanidad pública, tales como haber implantado el uso de chaqueta blanca obligatoria a los vendedores de mariscos y de pescado frito y mejoras estéticas como la de uniformar a los guardas de parques y jardines con sombrero andaluz, chaquetilla y bandolera.

Los grandes políticos sevillanos

En los años 1920 destacaron los políticos sevillanos don Carlos Cañal, que llegó a ser ministro y senador, desde cuyos cargos benefició mucho a Sevilla. Don Pedro Rodríguez de la Borbolla, también diputado y ministro, que apoyó en el gobierno los intereses de la Ciudad.

Comenzaba a destacar el joven abogado don Manuel Fal Conde, líder de la juventud tradicionalista.

El arte del bordado

La devoción sevillana a sus imágenes procesionales, da lugar en el siglo XX a un gran florecimiento del arte del bordado, tanto para mantos de Vírgenes de imágenes del Señor, como para el exorno de los pasos, en sus frontales y techos de palio. Los principales artistas que cultivan las cuatro grandes variedades del bordado en oro (Realce, Gran Relieve, Recamado y Malla de Oro), son:

Juan Manuel Rodríguez Ojeda, José Elena, las hermanas Martín Cruz, Rincón Galicia, Leopoldo Padilla y José Carrasquilla.

De éstos, Rodríguez Ojeda y Elena crearon dinastías familiares. La dinastía de Elena llega hasta nuestros días en que aún es bordadora su sobrina nieta Esperanza Elena Caro, a la que el Ayuntamiento ha otorgado en 1970 el título de Medalla de Bronce de la Ciudad.

Las plazas de toros

Desde 1910 estaba planteada la rivalidad entre los toreros Juan Belmonte y Joselito *el Gallo*, que dividió a los aficionados en dos bandos, cuyas polémicas llegaron algunas veces a derivar en reyertas y hasta alborotos populares.

Estimulados por esta rivalidad, los entendidos en negocios taurinos decidieron construir una segunda plaza de toros, que rivalizase con la Plaza de la Real Maestranza, a cuyo efecto el capitalista don José Julio Lissén promovió la edificación de la Plaza Monumental, en la avenida de Eduardo Dato. Sin embargo duró muy poco, pues Joselito fue muerto por un toro en Talavera de la Reina en 1920 y la Monumental dejó de tener razón de existencia. Un supuesto defecto en la construcción (que algunos consideran dudoso) hizo que las autoridades ordenasen clausurar dicha plaza y quedó destinado su local a almacenes y otros destinos no taurinos. Todavía quedan algunos restos de ella junto a la barriada residencial Oscar Carvallo.

La muerte de Joselito ocurrió el 16 de mayo de 1920 al ser cogido por el toro *Bailaor* de la ganadería de Viuda de Ortega. La noticia causó en Sevilla consternación y la llegada del cadáver el día 19 constituyó la mayor manifestación de dolor popular conocida hasta entonces. Cientos de miles de personas acompañaron desde la estación del ferrocarril de San Bernardo el féretro y al pasar por la Alameda, donde Joselito había jugado a los toros siendo niño, el público arrancó las barandillas de hierro para que el féretro pasara por entre las dos columnas de los hércules, como un triunfo romano. Joselito está enterrado en el cementerio de San Fernando, bajo un monumento de bronce y mármol, obra del escultor Mariano Benlliure, que representa en escultura a una multitud dolorida, llevando en hombros el cuerpo del torero muerto.

La Orquesta Bética. Los músicos

Desde muy atrás, Sevilla venía gozando de gran prestigio musical, tanto por la organización de temporadas de ópera y la existencia de teatros dedicados casi exclusivamente a zarzuela, como por la existencia de un buen número de excelentes compositores como don Luis Mariani y la enseñanza que se impartía en los dos conservatorios privados, uno el de la Sociedad Económica de Amigos del País y otro el dirigido por Luis Mariani y su esposa la pianista Pepita Piazza. La afición era numerosísima y selecta y a Sevilla venían figuras agregias del «bel canto» como Anselmi, uno de los divos que mejor cantó el *Miserere* de Eslava en la catedral Hispalense.

Atraído por ese ambiente tan propicio acudió a Sevilla un joven músico, de tendencias modernistas, a quien en otras ciudades no habían prestado atención. Se llamaba Manuel de Falla. Aquí encontró comprensión, hospitalidad y la generosa colaboración de un grupo de músicos que desinteresadamente se prestaron a estrenar sus obras. Así se formó la Orquesta Bética, promovida por el violoncellista Segismundo Romero y en la que formaban el pianista Manuel Navarro, los violinistas Joaquín Font, Fernando Oliveras, Miguel Matas y los instrumentistas de viento Navarro (padre) y Zaragoza (padre), figurando como director técnico y maestro de coros el maestro de la capilla de la catedral don Norberto Almandoz y como director de la orquesta Ernesto Halfter.

La primera obra de Falla que interpretó la Orquesta Bética fue el *Retablo de maese Pedro* y ante el clamoroso éxito obtenido, la Orquesta Bética salió de Sevilla y realizó una triunfal gira por España y el extranjero, dando a conocer las obras de Falla, quien quedó consagrado.

Otros compositores de importancia en los años veinte al treinta son el maestro Jiménez, autor de muchas zarzuelas; Joaquín Turina, autor de obras sinfónicas, entre ellas *El Corpus en Sevilla* y *La orgía dorada*; Manuel Font de Anta, autor de la célebre marcha procesional *Amargura* que hoy consideramos como el himno oficial de la Semana Santa sevillana; Eduardo Torres, Emigdio Mariani y en la música para banda el director de músicas militares Manuel López Farfán, autor de otra popular marcha procesional titulada *Campanilleros*. Empieza asimismo a componer obras de música religiosa el maestro Antonio Pantión.

Los hermanos Machado

Poetas sevillanos que alcanzan trascendencia nacional son los hermanos Manuel y Antonio Machado, nacidos en el palacio de las Dueñas, donde su padre ocupaba un cargo administrativo al servicio de los duques de Alba. Ambos hermanos cultivan géneros poéticos muy distintos, pues mientras Manuel es el poeta de lo andaluz, con sus libros *Poemas del cante jondo* y otros del mismo género, Antonio se ha impregnado del ambiente de Castilla la Vieja, al ser profesor del instituto de Soria y sus obras son descripciones de la ribera del Duero, o trágicos romances como el de *La tierra de Alvar González*.

Sin embargo ambos unen sus distintas tendencias y logran una obra en colaboración, de teatro poético, titulada *Desdichas de la Fortuna o Julianillo Valcárcel*.

La cabalgata de Reyes Magos

El Ateneo de Sevilla, entidad cultural de gran significación en la vida local, inició en 1918 la cabalgata de Reyes Magos, para llevar juguetes y golosinas a los niños de los establecimientos de beneficencia. La iniciativa partió de los poetas José María Izquierdo, Javier Lasso de la Vega y sus amigos y consocios Jesús Bravo Ferrer y Antonio Sequeiro.

Pero la cabalgata no se limitó a esa finalidad de tipo caritativo, sino que el gran número de ateneístas que cultivaban las Bellas Artes, dio lugar a que la cabalgata se convirtiera en seguida en una manifestación artística callejera, con profusión de bellas carrozas engalanadas, y suntuosa riqueza de trajes orientales. Además, el alto rango cultural, político y social del Ateneo, hizo que colaborasen insignes personalidades en el papel de representar a los Reyes Magos, procurándose que cada año saliesen en la cabalgata, como Reyes, un político o un hombre de empresa, un artista o escritor y un deportista o un torero, lo que daba al desfile una gran popularidad.

Así, en distintos años han salido vestidos de Reyes Magos escritores como don Jacinto Benavente, Premio Nobel; don José María Pemán, presidente de la Real Academia de la Lengua; Eduardo Marquina, ilustre dramaturgo; los periodistas José Losada de la Torre, Joaquín Carlos López Lozano y Antonio Olmedo, los tres directores del diario *ABC*; los pintores Enrique Segura, Alfonso Grosso, Santiago Martínez y Eduardo Acosta; los escultores Juan Luis Vasallo, Juan Lafita y Monsalve. Los poetas José María Izquierdo, Javier Lasso de la Vega, Joaquín Romero Murube; los eruditos Francisco Sánchez Castañer y Collantes de Terán. Los políticos Fernando Coca de la Piñera, Luis Ortiz Muñoz, Eduardo Benjumea y Sancho Dávila. El orfebre Fernando Marmolejo, el actor

Casimiro Ortas y los toreros Miguel Báez *Litri*, Juan de Dios Pareja Obregón, Alfredo Jiménez, Manolo González, Juan Belmonte y Curro Romero, todos ellos desde 1918 hasta 1974. En la dirección artística de la cabalgata ha destacado durante muchos años José Jesús García Díaz.

La Exposición Iberoamericana

El 9 de mayo de 1929 y con asistencia del rey Alfonso XIII, se inauguró la Exposición Iberoamericana de Sevilla, cuyos edificios venían edificándose desde 1919 siendo los más importantes los de la bellísima plaza de España, obra del arquitecto don Aníbal González y los edificios de la plaza de América, en la que el pabellón real había sido decorado por el pintor Gustavo Bacarisas, nacido en Gibraltar pero sevillano de adopción.

La inauguración constituyó un acontecimiento mundial, asistiendo personalidades de todos los países americanos. El rey vestía uniforme de gala de capitán general y la reina Victoria Eugenia un vestido de seda color flor de romero, según anotaron los cronistas de la Prensa. Cada país americano había construido un pabellón, donde exhibían sus productos: así Colombia presentaba valiosísimas colecciones de sus esmeraldas de las minas de Chocó y Muzu; Cuba montó una fábrica de tabacos en la que se elaboraban los célebres cigarros puros de «Vuelta abajo» a la vista del público. Portugal, también incluida en el certamen, expuso la maravillosa custodia confeccionada por Gil Vicente con el primer oro que vino de la India. Estados Unidos naturalmente presentó una máquina, que contaba automáticamente las personas que entraban en su pabellón.

La Exposición Iberoamericana fue el canto de cisne de la dictadura de Primo de Rivera, y de la propia monarquía. Los resultados económicos no respondieron al esfuerzo realizado, por coincidir con la terrible depresión económica de 1929 y 1930 lo que retrajo a los industriales y comerciantes y por otra parte una campaña política internacional saboteó la venida de turistas. Este fracaso económico lo pagó Sevilla, que quedó empeñada para muchos años.

Como suceso dramático hemos de reseñar que en la función de ópera con que se inauguró el «Teatro Lope de Vega», pudo ocurrir una catástrofe. Un anarquista italiano había venido a Sevilla con el intento de asesinar a los reyes de España y a las principales personalidades extranjeras, a cuyo efecto estaba provisto de dos bombas en forma de cilindros de acero que se había sujetado a las piernas por debajo de los pantalones disimuladamente, y que proyectaba arrojar desde el piso alto, contra el palco real. Durante largo rato, el comisario de policía don Francisco Carlavilla estuvo buscando al terrorista, cautelosamente para no llamar la atención, lo que hubiera provocado el pánico colectivo. Por fin le localizó en una platea, y le detuvo sacándole del teatro cuando ya estaban apagándose las luces para comenzar la representación. Las dos bombas fueron arrojadas por el comisario al río Guadalquivir donde hicieron explosión a la hora exacta en que estaba ajustado su mecanismo, cinco minutos más tarde. (El relato de este suceso figura en las obras de Mauricio Karl.)

El correo aéreo

El mismo año 1929 y cuando acababan de cubrirse con éxito los mayores recorridos hechos hasta entonces en avión, por los aviadores Franco, Rada y Ruiz de Alda en el avión *Plus Ultra* y Jiménez e Iglesias en el avión *Jesús del Gran Poder*, podía ya confiarse en el avión como medio de transporte a grandes distancias y con una suficiente probabilidad de exactitud en el tiempo de recorrido. Esto animó al ilustre periodista don Juan Ignacio Luca de Tena, a traer diariamente a Sevilla, desde Madrid, ejemplares del periódico *ABC* ya que en Sevilla no había ningún periódico impreso por el sistema de huecograbado y la abundante información gráfica de la Exposición Iberoamericana, ofrecía muchas posibilidades de venta a un periódico gráfico. Al efecto Luca de Tena montó un servicio aéreo de periódicos Madrid-Sevilla, con lo que el diario *ABC* que se publicaba en Madrid podía leerse en Sevilla en la misma mañana y no al día siguiente como ocurría trayéndolo por ferrocarril.

El éxito de esta iniciativa animó a la Dirección General de Correos a implantar los servicios de transporte postal aéreo, a cuyo efecto se estableció una oficina de correo aéreo, la primera de España, en Sevilla, a cargo del funcionario don Máximo Ruiz, quien la rigió acertadamente durante muchos años, hasta su jubilación.

Artistas sevillanos en los años 29 y 30

A más de los ya mencionados, destacaron el dibujante y pintor Hohenleiter, uno de los mejores artistas de su generación; José María Labrador, inigualable en temas rurales; el dibujante Francisco Arévalo, gran ilustrador de revistas y novelas; el escultor Francisco Marcos, profesor de la Escuela de Artes; el repujador, cincelador y tallista Francisco Farfán, a quien se llamaba Maese Farfán, autor de numerosos frontales de «pasos» de Semana Santa, y comenzaban a ser conocidos los escultores e imagineros Antonio Illanes y Echegoyan, que aún hoy, en 1975, continúan siendo ilustres artistas en activo.

En la música popular hay que destacar a Antonio Pantión, autor de la marcha procesional «Jesús de las Penas», José Martínez Peralto, autor de la marcha «Hiniesta» y el maestro Castillo, director de la

Banda Municipal, autor de diversas marchas, pasodobles y obras de banda.

Sevilla en los años de la Segunda República (1931-1936)

La crisis económica mundial llamada «La gran recesión» que azotó a todos los países en los años 1929 y 1930, produjo en Sevilla lamentables efectos: por un lado, la ruina económica de Estados Unidos y de Inglaterra restó a la Exposición Iberoamericana de Sevilla todo su éxito en cuanto a realización de negocios que se esperaba del certamen. Nadie tenía dinero para comprar y las fábricas y comercios de aquellos países estaban más para vender a bajo precio sus saldos que para comprar nuevas mercancías. Así que en el aspecto mercantil nuestra Exposición Iberoamericana fue un fracaso. En segundo lugar los habitantes de aquellos países, depreciada su moneda, desvalorizados sus ahorros, privados de sus ingresos por el paro o el miedo al paro, no estaban en condiciones de practicar el lujo del turismo, así que tampoco vinieron como simples visitantes. Y con los países hispanoamericanos no había que contar porque sus estructuras económicas —un inmenso proletariado rural, y una escasísima minoría acaudalada— no podía brindarnos el turismo masivo que necesitábamos para salvar nuestra Exposición.

El resultado fue que el enorme esfuerzo que había hecho Sevilla para construir la Exposición, significó un desastre, del que todas las clases sociales sufrieron los gravísimos efectos. Los grandes capitalistas, agricultores e industriales, que habían gastado su dinero en montar pabellones, e incluso que habían instalado ya fábricas con la idea de vender a aquellos países sus aceites, aceitunas, maquinaria agrícola, vinos, se vieron defraudados en sus esperanzas y no sólo no vendieron sus productos, sino que les costó el dinero la exhibición. La clase media, que había montado negocios modestos, de hostelería, peluquerías, tiendas de *souvenirs*, bares y que se encontró sin clientes que los hicieran rentables, pero teniendo que pagar las deudas contraídas para su instalación o ampliación. Y la clase obrera, que habiendo venido a establecerse en Sevilla para trabajar en esos mismos bares, hoteles, comercios y servicios, se encontró instalada en una ciudad en la que no había empleos. En fin, toda una ciudad que había invertido sus economías en la Exposición y que al llegar 1930 se encontraba con las manos vacías de beneficios, pero cargada de deudas. El propio Ayuntamiento quedaba empeñado en el pago de los créditos a largo plazo que había obtenido para construcción de edificios, alcantarillado, pavimentación, etc., deuda municipal que había que seguir pagando, con grandes sacrificios, durante más de cuarenta años.

La pobreza y la desesperación de los comerciantes e industriales empobrecidos o arruinados y de las masas de trabajadores parados, dio por resultado en Sevilla que al convocarse las elecciones municipales del 14 de abril de 1931, dieran sus votos en favor de los candidatos republicanos, pensando que quizás éstos pudieran tener una solución para tantos males.

Mientras tanto, en el resto de España, aun sin estos mismos motivos, pero sí con una ruina económica general, motivada por la gran recesión económica mundial, se producía el mismo fenómeno, de votar en favor de los candidatos republicanos, por lo que el 14 de abril triunfaban éstos y quedaba implantada en España la Segunda República.

Los partidos políticos

Durante los años 1931 a 1936 la vida política sevillana se desarrolla en torno a los dos grandes bloques políticos denominados:

DERECHAS. — Partido Monárquico, Partido Tradicionalista o Carlista, Renovación Española, Acción Popular o Democracia Cristiana y Agrarios o Federación Católica Agraria.

IZQUIERDAS. — Partido Republicano, Partido Radical, Partido Socialista.

Entre estos dos bloques hay un partido centro de escasísimos afiliados y de más escasa actuación y un partido regionalista que más que partido es una simple tertulia literaria, animada por unos ideales soñadores y románticos, sin aplicación práctica posible.

La política busca apoyo en las masas obreras, que se agrupan así: las de derecha en el Sindicato Obrero Católico, y las de izquierda en la UGT (Unión General de Trabajadores) y en la CNT (Confederación Nacional del Trabajo).

Además existen grupos de extrema derecha, que son Falange y las JONS, que acaban fusionándose en 1934. Y de extrema izquierda que son el PC (Partido Comunista) y la FAI (Federación Anarquista Ibérica).

Principales figuras de la política sevillana

En la derecha, don Rodrigo Fernández y García de la Villa, monárquico, quien a pesar de serlo, fue alcalde de un ayuntamiento de mayoría republicana y se hizo estimar y respetar por la caballerosidad y hombría de bien. Don Manuel Fal Conde, abogado, líder tradicionalista y que llegó a ser presidente nacional del Partido Tradicionalista. Don Manuel Giménez Fernández, catedrático de Derecho Canónico, demócrata cristiano, que llegó a ocupar un cargo de ministro.

En la izquierda, don Diego Martínez Barrios, antiguo tipógrafo, que se había elevado culturalmente y que llegó a ser ministro y presidente del Gobierno, don Manuel Blasco Garzón, republicano moderado, que ocupó los cargos de ministro de Justicia y ministro de Comunicaciones. Don José González y Fernández de la Bandera, médico, liberal que ocupó los cargos de concejal, diputado y alcalde de Sevilla. Don Eladio Egocheaga, socialista, diputado a Cortes. Don Hermenegildo Casas Jiménez, socialista, primer teniente de alcalde, diputado y presidente de la Diputación Provincial.

En el centro del Partido Regionalista, don Blas Infante, notario y escritor, quien había ganado el Premio José María Izquierdo del Ateneo por su libro *El ideal andaluz*, fundador del Partido Regionalista, hombre soñador y de nula actuación directa en la política.

En la cxtrema derecha, los directivos falangistas Sancho Dávila, Rafael Carmona, Joaquín Miranda e Ignacio Jiménez.

En la extrema izquierda, José Díaz que llegó a ser secretario general del Partido Comunista Español y Saturnino Barneto, líder de los obreros portuarios.

También las mujeres participaron activamente en la política, destacando la señorita Diana Pesquera, en el sector de las derechas, habiendo sido anteriormente concejal durante la monarquía; Amantina Cobos de Villalobos, poetisa, escritora y oradora del bloque católico y en las posiciones extremas, Milagros Ferrer en la izquierda, organizadora de la ayuda a familias de presos y parados y en la extrema derecha Pilar Real, primera militante femenina del partido de la Falange Española.

Periódicos y periodistas

En esta época los periódicos más destacados eran: *El Correo de Andalucía*, dirigido por don José María Medina Togores, procedente del grupo de Propagandistas Católicos, y formado en la escuela de periodismo de *El Debate*. Entre los periodistas de este diario destacaban don José Montoto, quien escribía diariamente una sección titulada «Pajaritas de papel», y don Luis Joaquín Pedregal, que escribía una sección, muy leída, titulada «Ecos». Este periódico puede considerarse como el oficialmente católico y de derechas.

De carácter moderado, o centrista, el diario *El Noticiero Sevillano*, que tuvo varios directores pero que era inspirado por el notario y político don José Gastalver.

La Unión fue un periódico que antes se había llamado *El Fígaro* y que fue convertido en portavoz de los comerciantes e industriales medianos, con el único propósito de defenderse de las excesivas contribuciones que se les habían cargado para costear el déficit de la Exposición Iberoamericana. Este periódico lo dirigía don Domingo Tejera, procedente del Partido Tradicionalista en su grupo más moderado. El propietario editor era don Pedro Fernández Palacios, y su periodista más leído y de mayor éxito popular era Luis Claudio Mariani, de pluma sagacísima e irónica.

Se publicaban además en Sevilla varios semanarios, entre ellos uno de temas taurinos muy importante y que tuvo repercusiones nacionales e incluso fuera de España; se titulaba *Seda y Oro* y lo dirigía el periodista y gran entendido en toros don Fernando López Grosso y entre sus colaboradores destacaba Julio Estefanía, muy joven en aquel entonces.

Por último citaremos como periódico de izquierdas *El Liberal* que lo dirigía don José Laguillo, excelente periodista, hombre de letras y que hacía gala de escribir con ilustración, respeto y moderación.

En 1934, mediada la época republicana, se funda en Sevilla el periódico *FE* (cuyas letras corresponden a las iniciales del partido Falange Española), entre cuyos periodistas se encuentra José Cirre y Manuel González Moreno.

Periodismo oral

Podríamos decir que existió en Sevilla desde 1900 a 1936 una forma de periodismo oral, a la manera de los juglares de la Edad Media, o de los coros de comedias de las obras de Aristófanes. Eran las célebres «murgas» o «comparsas» de carnaval, que cada año contaban, en forma jocosa, los principales sucesos ocurridos en la ciudad, o que satirizaban de algún modo las personas y los hechos locales. De estas murgas, las más conocidas fueron las de *Regaera* y *Los Rondan.* Estas murgas al principio actuaron en la calle en los días del carnaval, pero después se profesionalizaron y daban sus representaciones en las «veladas» o verbenas de barrios, en los jardines de Eslava, y como intermedio en los cines de verano de la Alameda de Hércules. Los principales cómicos murguistas fueron *Regaera, Carabolso, Taburete, Peralta, Don Amasco, El Maestro Bernal* y *Rondán.* Sus trajes eran de levita y chistera, o bombín y con bigotes y narices postizos acompañando sus coplas con música ratonera, hecha mediante pitos de canutos de caña, y con ruidoso acompañamiento de bombo y platillos.

Regaera solía cantar, como presentación, una copla disparatada que decía:

El insigne Regaera
nació en el pueblo de Verdún
en una fabricación
de cisco de carbón
y cajas de betún.

Regaera se llamaba en realidad José María Pujales y había nacido en Málaga, aunque pasó toda su vida en Sevilla.

Un ejemplo de lo que tenían de noticiero, de relato periodístico informativo, las coplas de las murgas es el siguiente: el «Casino Liberal» encargó al pintor don Alfonso Grosso, un retrato al óleo del presidente de su partido político, señor Borbolla. Aquel año, la murga de *Regaera* cantó esta copla cómica glosando la noticia:

Al pintor Alfonso Grosso
que pinta mejor que Goya
le han encargado que pinte
la cabeza de Borbolla.

Mejoras públicas en los años 1931 a 1936

Pese a las grandes dificultades económicas por las que atravesaba la nación en aquellos años de crisis mundial y a la pobreza local derivada de los efectos de la Exposición, no dejaron de hacerse en Sevilla algunas mejoras públicas, ya costeadas por la Administración estatal, gracias a las gestiones de los políticos sevillanos, ya costeadas por la propia hacienda municipal. Y también se hicieron mejoras de carácter cultural aun cuando no significasen inversiones dinerarias.

Entre otras pueden destacarse por su importancia, la construcción de la prisión provincial, que aún hoy existe, próxima a la Cruz del Campo, en el terreno inmediato al antiguo arroyo de Ranilla. Desde la segunda mitad del siglo XIX la prisión provincial estaba alojada en el edificio antiquísimo del exconvento de Nuestra Señora del Pópulo, en la calle Pastor y Landero (donde hoy están las viviendas municipales). Este viejo convento no reunía ninguna de las condiciones de higiene, seguridad y amplitud necesarias a su utilización penitenciaria.

Para sustituir a este edificio se construyó la nueva prisión, con el carácter de cárcel Modelo, en lugar alejado de la ciudad, en pleno campo, con buena ventilación y amplio espacio, reuniendo las mejores condiciones para la salud de los reclusos. Este edificio fue inaugurado en 1934 por la directora general de Prisiones, doña Victoria Kent, sevillana, licenciada en Derecho y destacada figura republicana.

Otra mejora importante fue la creación en Sevilla de un Conservatorio Oficial de Música, pues hasta ese momento solamente había una escuela particular, en casa de don Luis Mariani, y unas clases nocturnas en la Sociedad Económica de Amigos del País. A petición del compositor Ernesto Halfter y de varios músicos sevillanos, el político don Diego Martínez Barrios gestionó y obtuvo la creación de un conservatorio estatal, como lo había en Madrid. También se construyeron diversos grupos escolares.

Deterioro de la convivencia ciudadana y de la paz pública

Aun cuando la mayoría de los sevillanos, tanto de derechas como de izquierdas, deseaban la paz pública y esperaban que el nuevo régimen republicano serviría para dar a Sevilla una mayor prosperidad y una mejor justicia social, algunos minoritarios no deseaban esta paz y orden constructivo, sino por el contrario pretendían imponerse a la mayoría pacífica, mediante alteraciones y violencias que asustasen al vecindario. Así, en la noche del día 11 de mayo de 1931, apenas un mes de proclamada la República, los extremistas de izquierda incendiaron varias iglesias y conventos, entre ellas la capilla de San José, de la calle Jovellanos. Este atentado produjo la pérdida de obras de arte, tanto cuadros como imágenes religiosas, entre ellas las del «paso» de la Hermandad de San Juan de la Palma, del que sólo se salvó el Cristo.

Como réplica, un grupo de extremistas de derecha intentaron restaurar la Monarquía, para lo cual, el día 10 de agosto de 1932 hicieron una sublevación simultáneamente en Sevilla y Madrid, al mando del general Sanjurjo y del comandante Esteban Infantes. La sublevación fracasó y el general Sanjurjo y sus compañeros fueron detenidos, pasando a prisión. El Gobierno de la República demostró clemencia, pues Sanjurjo, condenado a muerte, fue indultado y sus compañeros condenados solamente a la pena de confinamiento en Villa Cisneros, plaza del Sáhara, de la cual escaparon poco después.

Sin embargo, la moderación del Gobierno republicano no era compartida por los elementos extremistas, los cuales prendieron fuego al «Chalet Casablanca», del paseo de la Palmera, donde según se decía habían organizado el alzamiento militar el general Sanjurjo y el marqués de Luca de Tena. En este incendio se perdieron valiosas obras de arte, salvándose tan sólo de la colección que allí existía, un cuadro de Julio Romero de Torres, *La consagración de la copla*, que hubo de ser restaurado. También incendiaron la casa de los señores Marañón, junto a la antigua Puerta de Triana.

Ya a partir de este momento se puede decir que las autoridades pierden el control de las calles y que el vecindario pacífico sufre una constante zozobra. Se hacen frecuentes los atentados y las represalias de unos a otros. Extremistas de izquierda que intentan implantar por la violencia la dictadura del proletariado y extremistas de derecha que intentan implantar el fascismo, se tirotean en las esquinas, o se ponen bombas en sus locales políticos.

El cañoneo de la Casa de Cornelio

Un episodio más bien grotesco que dramático fue el célebre cañoneo de la Casa de Cornelio. Esta casa estaba situada en la Macarena, en una acera de pequeñas edificaciones alineadas con el costado del mismo arco de la Macarena y que desaparecieron al construir la actual basílica de la Hermandad de la Esperanza.

Esta Casa de Cornelio era lugar de reunión de los elementos políticos más extremistas de las izquierdas, lo que traía preocupados a los republicanos más moderados lo que motivó que en 1934, el gobernador civil, hombre de no muchos alcances, tuvo la peregrina idea de hacer disparar unos cañonazos contra la Casa de Cornelio, pero sin ánimo de hacer daño a nadie, para lo cual ordenó antes que el edificio fuera desalojado de sus ocupantes.

Una vez vacío, se emplazó una batería de artillería en la explanada de la Macarena, a la entrada de la calle Don Fadrique y apuntando hacia la Casa de Cornelio se dispararon varios proyectiles.

Lo peor fue que, a pesar de la buena intención del gobernador, de que se tirase contra la casa, vacía para no hacer daño a nadie, la puntería de los artilleros fue desastrosa, o por falta de pericia, o por mal estado de las piezas, así que los proyectiles pasaron por encima de la casa, yendo a caer uno en la calle Pozo, otro en la plaza del Pan y otro en el Salvador, sin que por fortuna ocasionasen víctimas.

Entre los líderes que frecuentaban la Casa de Cornelio se encontraba el doctor Pedro Vallina y Manuel Adame, quienes trasladaron sus reuniones a otro lugar.

El ministro que autorizó el cañoneo, señor Maura, tras este suceso pintoresco, tuvo que presentar la dimisión.

Luchas callejeras. Atentado en Semana Santa

Poco a poco se intensifica la rivalidad entre los grupos de derecha e izquierda que desembocan en repetidos atentados, unas veces por motivos patronales, otras por motivos políticos o confesionales religiosos. Entre los primeros figura un atentado contra el célebre arquitecto don Aníbal González, contra quien dispararon en la calle San Luis, sin ocasionarle mayores daños. También sufrió un atentado, del que resultó muerto, el jefe de la Unión Patronal don Pedro Caravaca, en la calle Conde Negro.

Pero no solamente se enfrentan monárquicos y falangistas contra socialistas y comunistas, sino que incluso en el bando republicano existen profundas divisiones que se resuelven en luchas callejeras y atentados sangrientos: así los socialistas pelean contra los comunistas, éstos contra los sindicalistas y los anarquistas contra todos.

La inseguridad cotidiana perjudica gravemente a los intereses de la ciudad, ya que dejan de acudir turistas a las fiestas y en verano. La Feria de Abril pierde la mayor parte de sus visitantes y la Semana Santa, que era la más importante del mundo, deja de celebrarse, pues las iglesias y cofradías son objeto de amenazas y atentados. En 1934 la única procesión que sale en Semana Santa es la de la Virgen de la Estrella de Triana, y durante su recorrido los extremistas le hacen disparos de pistola y le arrojan una bomba.

Constitución del Frente Popular

Aproximándose las elecciones generales del mes de febrero de 1936, los partidos de izquierdas se unen constituyendo el llamado Frente Popular. Esta unión significó que los partidos de izquierda moderada se verían involucrados, sin haberlo previsto, y sin desearlo, en una postura violenta y extremista, ya que los grupos de extrema izquierda, les impondrían su propio ritmo.

(Al compartir la candidatura, los partidos de izquierda moderada se hacían solidarios de la política global, regida por la izquierda avanzada, solidaridad que más tarde va a dar lugar a que los elementos de izquierda moderada sufran la represión con la misma dureza que los izquierdistas más avanzados, como veremos más adelante al explicar el 18 de julio.)

Victoriosa la candidatura del Frente Popular. Sin embargo, aun teniendo el mando, no se canalizan las reivindicaciones obreras (en su mayor parte justas) a través de los cauces legales, que les eran ya plenamente favorables, sino que se plantean tumultuosamente, a través de amenazas, violencias físicas contra los patronos, huelgas y sabotajes, que arruinan a las empresas y hacen huir el capital.

En estos términos, durante la primavera de 1936 se cierran fábricas, aumenta el desempleo y Sevilla se encuentra en una situación francamente miserable. El erario municipal en junio de 1936 debe a los proveedores facturas atrasadas de más de dos años y hay funcionarios que no cobran sus salarios desde más de seis meses atrás.

Alzamiento militar del 18 de julio de 1936

Iniciado en África el alzamiento militar encabezado por el general don Francisco Franco Bahamonde, el 17 de julio de 1936, al día siguiente se sublevaron numerosas guarniciones de la península.

En Sevilla, el general don Gonzalo Queipo de Llano, acompañado del comandante don José Cuesta Monereo, se pronunció contra el Gobierno, redactando un bando por el cual se proclamaba el Estado de Guerra en la ciudad. Este bando fue leído en público en la plaza de la Gavidia, en la puerta del edificio donde estaba la Capitanía General, e inmediatamente se sumaron a la sublevación los jefes y oficiales del Regimiento de Infantería de Soria, que tenía su cuartel en lo que hoy es plaza del 18 de Julio, entre las de la Gavidia y el Duque. Queipo de Llano era entonces director general de Carabineros.

Mientras tanto, en el cuartel de la Guardia de Asalto, en la Alameda de Hércules, los guardias habían procedido a repartir entre los obreros de izquierdas, gran cantidad de fusiles, pistolas y municiones. Importantes núcleos así armados se dirigieron a la Macarena, San Julián y Triana, levantando barricadas con los adoquines de las calles, y cortando el tránsito.

El general Queipo de Llano acudió al Gobierno Civil para hacerse cargo del mando provincial, pero encontró resistencia, pues allí se habían concentrado las fuerzas de la Guardia de Asalto. El Gobierno Civil estaba en la actual calle Pedro Parias, a espaldas del «Hotel Inglaterra». Para vencer esta resistencia, el general Queipo de Llano ordenó emplazar una batería de artillería en la plaza Nueva y disparar contra el Gobierno Civil, que se rindió tras los primeros cañonazos. Tras tomar posesión del edificio, el general destituyó al gobernador republicano y nombró para sustituirlo a don Pedro Parias.

Seguidamente pasó el general al Ayuntamiento, donde destituyó al alcalde republicano don Horacio Hermoso y nombró para sustituirle a don Ramón de Carranza, marqués de Soto Hermoso.

Viendo Queipo de Llano que la ciudad hervía de gentes armadas y que se disparaba desde torres y azoteas y que con las escasas tropas de la guarnición no podía dominar la situación (escasas porque era en julio y estaban con vacaciones o permisos de verano la mayor parte de los jefes y oficiales, y más de la mitad de los soldados), recurrió a un ingenioso ardid de guerra: pidió al general Franco que le enviase desde Africa un pelotón de legionarios del Tercio, en un avión; uno de aquellos antiguos aviones de hélices y que en junto podía transportar ocho o diez pasajeros; pero quitándole los asientos, perchas y todo elemento suprimible se aligeró su tara y cupieron hasta treinta y cuatro legionarios. Una vez llegados a Sevilla, el general Queipo de Llano los hizo subir en dos camiones y ordenó que recorriesen la ciudad una y otra vez, para dar la sensación de que eran muchos camiones y que Sevilla estaba llena de legionarios. Inmediatamente promulgó un bando intimidando a todas las personas que tuvieran armas en su poder, para que las entregasen o las echasen a la calle, bajo pena de fusilamiento inmediato a quien las conservase, con lo que consiguió pacificar la mayor parte de la ciudad.

Quedaban sin embargo las barricadas de la Macarena, contra las que mandó una carga de caballería que las deshizo. Las de calle Rubios (hoy calle Fray Diego de Cádiz) y calle Relator fueron tomadas por asalto tras un fuerte tiroteo, por legionarios y soldados, a los que se habían unido algunos paisanos de los partidos de derechas. El barrio de Triana quedó por el momento aislado de Sevilla, pues el general Queipo no contaba con fuerzas suficientes para intentar su ocupación y sólo dos días después, cuando ya hubo recibido más tropas de África en avión, pudo realizar la maniobra necesaria y apoderarse del barrio. La llegada de tropas legionarias y de Regulares por vía aérea, fue posible únicamente por haber conquistado el aeródromo de Tablada el piloto militar Vara de Rey, quien resultó herido en la refriega.

Excesos y barbarie de ambos bandos

Como suele ocurrir siempre en las alteraciones del orden público, se cometieron lamentables excesos y violencias por parte de ambos bandos contendientes. Los republicanos de izquierda prendieron fuego a las iglesias de San Gil, San Julián, San Roque, San Marcos, Santa Marina, Omnium Sanctorum y otras, durante las horas en que fueron dueños de la situación y dominaron las calles. En estos incendios se perdieron totalmente las ricas techumbres mudéjares de estas iglesias, sus retablos y altares y numerosas imágenes y cuadros de gran valor artístico, salvándose solamente la imagen de la Virgen de la Esperanza Macarena, porque días antes, previendo lo que se avecinaba, un devoto cofrade llamado don Antonio Román Villa, la sacó de la parroquia de San Gil y la llevó a su casa, en calle Orfila, donde la tuvo escondida. Tras los incendios cometieron numerosos desmanes y algunas muertes.

Por su parte, el bando llamado nacionalista, en el que se habían integrado los militares y los partidos de derechas, organizaron una durísima represión, en parte por represalia contra los incendios y violencias ocurridos y en parte para intimidar a sus rivales, impidiendo que volviesen a reorganizarse. Así, fueron fusilados los principales jefes de los extremistas de izquierda, como don Saturnino Barneto, pero también otros republicanos más moderados, éstos bajo la acusación de que al integrar sus partidos en el Frente Popular habían dado apoyo a las fuerzas extremistas revolucionarias y les habían permitido conquistar el poder. Bajo esta acusación fueron fusilados don José María Pueyes, presidente de la Diputación Provincial; don Eugenio Hermoso, alcalde; don Juan José González y Fernández de la Bandera, exalcalde, y el notario don Blas Infante, jefe del Partido Regionalista Andaluz.

Los extremistas de izquierda que habían participado en los actos violentos contra patronos, huelgas revolucionarias, sabotajes y demás actos en los meses anteriores, viendo perdida la situación, huyeron, los que pudieron, unos hacia Madrid y otros hacia la provincia de Sevilla, en la que en muchos pueblos dieron muerte a propietarios, curas, maestros, a muchos de ellos sin otro motivo que el de pertenecer a la clase media. Por su parte las derechas organizaron columnas formadas por tropa y milicias, que recorrieron los pueblos, donde prendieron y fusilaron a cuantos elementos de izquierda consiguieron capturar, muchos de ellos inocentes.

La historia de aquellos días constituye no solamente un doloroso capítulo del conjunto de la Historia de Sevilla, sino un muestrario de barbarie y brutalidad a rienda suelta por parte de unos y de otros, como suele ocurrir en todas las contiendas fratricidas que se llaman guerras civiles.

CAPÍTULO XV

DESDE 1936, LA GUERRA CIVIL
OTROS SUCESOS

Lo que el 18 de julio parecía que iba a ser un movimiento militar, rápido, se convierte en una larga guerra civil que dura tres años. Sevilla no sufrió sus consecuencias, pues Queipo de Llano, como general en jefe del Ejército del Sur consiguió en pocos días alejar la zona de combates a más de cien kilómetros de la capital sevillana. La columna mandada por el comandante Castejón pasa por Sevilla y se dirige a Badajoz conquistando todos los pueblos que le oponen resistencia. Asimismo salen columnas hacia Málaga que es ocupada durante el mismo verano.

Poco después llega a Sevilla el general Franco quien pone su puesto de mando en el palacio de Yanduri en la Puerta Jerez, y desde allí dirige las operaciones para la conquista de Málaga.

A partir de octubre de 1936 se estabilizan los frentes de guerra, en posiciones fijas y trincheras, en Peñarroya, hacia el nordeste, y en Don Benito, hacia el noroeste, mientras que por el norte el frente más próximo está en la provincia de Córdoba. Durante los tres años, hasta abril de 1939, Sevilla solamente padeció como consecuencias de la guerra, las naturales privaciones, escasez de algunos artículos comerciales, y uno o dos bombardeos aéreos que ocasionaron muy escasos daños.

El suceso más grave relacionado con la guerra fue la explosión del taller de cartuchería militar que se había instalado en el pabellón del Aceite, antiguo edificio de la Exposición Iberoamericana en el Parque de María Luisa. En dicha explosión murieron numerosas personas, principalmente mujeres, que trabajaban como obreras en el rellenado de cartuchos. Esta catástrofe ocurrió el 28 de abril de 1937.

También en 1938 ocurrió un suceso que merece registrarse. Fue que durante toda una noche, en primavera, permaneció el cielo extrañamente iluminado por un resplandor rojo intenso. En los dos frentes de la guerra se reforzaron las medidas de defensa, pues cada bando pensó que se trataba de un arma nueva de los enemigos. Sin embargo después se comprobó que nadie había experimentado ningún artefacto militar nuevo. La explicación oficial que se dio, de que se trataba de «una aurora boreal» no convenció a nadie puesto que en un clima cálido como el nuestro no puede haber auroras «boreales». El fenómeno fue visto no sólo en España sino en toda Europa, no faltando quien lo haya atribuido a la visita a nuestro planeta de seres extraterrestres, según han publicado autores de este tipo de temas.

Ya en 1939, y a consecuencia del abandono de los cultivos en las zonas de guerra que habían estado tres años sin arar, se presentó en toda España una terrible plaga de langosta, que se repitió en el año 1940 y que causó graves daños en la comarca sevillana.

Beneficios que reportó la guerra a Sevilla

No todo fueron perjuicios para Sevilla en esta época, pues en los años 1936 y siguientes, gracias a la guerra civil, Sevilla experimentó una serie de beneficios. Por el pronto, algunas personas que habían huido de Cataluña, Vascongadas y otras regiones más castigadas por la contienda, se establecen en Sevilla y fundan aquí industrias de importancia, que crean puestos de trabajo y mejoras urbanas. Así nacen la «Hytasa», fundada por don Prudencio Pumar, y que llega a ser en nuestros días, la tercera fábrica textil de Europa. También se fundan las industrias de «Cristalerías Erausquin», creadas por los hermanos Garmendia Erausquin, vascos establecidos en Sevilla.

Asimismo las necesidades de la guerra hacen crear las importantísimas factorías industriales de «Construcciones Aeronáuticas» y las «Industrias Subsidiarias de Aviación», y se amplía la fábrica «Hispano Aviación» que ya existía desde 1918 en Triana.

Los años del hambre. Explosión demográfica

La finalización de la guerra civil no permitió a España restablecerse rápidamente de los daños sufridos, porque inmediatamente después empezó la guerra mundial en setiembre de 1939. Aunque España, gracias a la habilidad política de Franco, no se vio envuelta en ese universal conflicto, sí se vio privada de poder adquirir en el exterior alimentos que compensasen el déficit de cosechas de tres años sin cultivar la tierra en la mayor parte de nuestra patria, y la desaparición casi total de la ganadería.

Esto determina que el invierno de 1939-40 y los siguientes, se padeciera en España una penuria grandísima, y más aún en Sevilla, puesto que nuestra agricultura es casi exclusivamente olivarera y algodonera, pero escasamente horticultora y cerealista.

Estos años, de 1939 a 1945, se llaman aquí globalmente, «el año del hambre», un año larguísimo que duró aproximadamente cinco años y medio. El bollo de pan que en 1936 costaba diez céntimos, se vendía a una peseta con veinticinco céntimos, o sea doce veces y media más, y aun así había dificultad para conseguirlo, pues lo vendían clandestinamente, a escondidas de los guardias, mujeres revendedoras que se llamaban «estraperlistas». También se vendían de «estraperlo» o sea clandestinamente, otros artículos, entre ellos el tabaco. Ciertamente que la población recibía una ración de cada artículo, pero eran sumamente escasas, por esto había que recurrir a la compra clandestina. Cada persona recibía legalmente cien gramos de pan diarios, un kilo de garbanzos y otro de lentejas cada diez días, y un octavo de aceite por semana. Cuando había patatas se daban dos kilos por persona para diez días, y las hortalizas no estaban racionadas pero se pasaban días sin encontrarlas. La gente salía a los pueblos y traía, a escondidas, algo de tocino, o de carne. En esos inviernos, muchas personas comieron en vez de alubias: yeros, altramuces, arvejas, arvejones, muelas caballunas, y en sustitución del arroz hacían sopas de trigo.

El tabaco se daba por ración, dos cajetillas para diez días, mediante un documento oficial, la «cartilla de fumador», que se expedía a los varones que tuvieran más de dieciocho años.

En estos años del hambre, la mortalidad por tuberculosis alcanzó cifras alarmantes, por lo que se crearon sanatorios antituberculosos, que realizaron una labor sanitaria y humanitaria muy destacada, como el sanatorio de Tomillar, destacando en la asistencia a estos enfermos el doctor don Emilio Regli.

También hubo en esta época una epidemia de tifus, que se transmitía a través de los piojos, y que se llamó por eso «la epidemia del piojo verde» que fue cortada, gracias a la acertada labor sanitaria municipal. Por su abnegada labor entre los enfermos tíficos, murió contagiado el médico municipal doctor don Isidoro Camacho.

Sin embargo, por el conocido axioma de que «la furia de Marte engendra la furia de Venus», en estos años de la guerra y posguerra aumenta la natalidad vertiginosamente. Y el aumento supera con mucho a la mortalidad. Además en 1945, tras la guerra mundial, los medicamentos antibióticos, que no solamente acaban con la tuberculosis, sino con las infecciones y las fiebres tifoideas veraniegas. El resultado es un aumento de natalidad, y una disminución de la mortalidad. Entonces se produce una auténtica explosión demográfica, que aumenta la población de Sevilla, y que hace insuficientes las habitaciones disponibles. Llegan a vivir hijos casados con los padres y los suegros. En cada vivienda modesta hay dos o tres familias. En otros casos las familias que tienen una vivienda ceden alguna habitación a otras familias, en calidad de «realquilados». Todo esto crea problemas de promiscuidad, incomodidades, falta de higiene, y malestar social.

A la demanda, por crecimiento vegetativo, hay que añadir la demanda de viviendas de los inmigrantes que vienen de pueblos de la provincia a vivir en la capital, y el número de familias que teniendo ya vivienda, se quedan sin ella por ser edificios viejos que se van declarando en ruina o se hunden, principalmente los corrales o casas de vecindad instalados en conventos secularizados de la «desamortización» del siglo XIX, o palacios señoriales del XVII convertidos en casas de vecinos en el 1800.

Para remediar esta angustiosa situación, en la que Sevilla, con habitaciones para ciento cincuenta mil personas llegó a tener más de doscientos cincuenta mil habitantes, se arbitraron los medios a través de varios organismos, entre ellos la Secretaría Municipal de Viviendas y Refugios, dirigida por don Gregorio Cabezas; el Real Patronato de Casas Baratas (que ya existía desde época de la monarquía pero que adquiere ahora su máximo desarrollo y actividad), presidido por don Mariano Pérez de Ayala, y dirigido por don Antonio Fernández Medina. La Obra Sindical del Hogar, dirigida sucesivamente por don Ramón Jover y don José María Núñez de Castro; el Instituto de la Vivienda y Delegación del Ministerio de la Vivienda, dirigidos por don José Rubio Rivas, don Francisco Zarza del Valle y don Francisco Sanabria.

Población y barrios

La creación de barrios nuevos por parte de estos organismos aumenta entre 1940 y 1970 la superficie urbana de Sevilla en veinte veces su tamaño anterior. El conjunto de barrios que componen Sevilla en 1970 es el siguiente:

DISTRITO PRIMERO. — CASCO URBANO VIEJO: Con las parroquias de Santa Catalina, San Román, San Julián, San Gil, Omnium Sanctorum, San Lorenzo, San Vicente y sus aledaños: 53.585 habitantes.

DISTRITO SEGUNDO. — CASCO URBANO VIEJO: El Sagrario, Santa Cruz, San Bartolomé, El Salvador, Magdalena, San Isidoro y sus aledaños: 34.270 habitantes.

DISTRITO TERCERO. — Triana, parroquias de San Jacinto, Santa Ana y la O, con el Patrocinio y el Barrio Voluntad, y Barrio León. Añadida la barriada nueva de Santa Cecilia. Total 46.510.

DISTRITO CUARTO. — Los Remedios, El Tardón, Barriada Sindical y sus anejos: 40.540.

DISTRITO QUINTO. — El Porvenir, Pirotecnia, Santa Genoveva, Tiro de Línea, Polígono Sur, Tabladilla, Santa Ana, Heliópolis, Sector Sur, Barriada Elcano, San Gabriel, Bellavista: 68.928.

DISTRITO SEXTO. — Estación de Cádiz, La Viña, La Calzada, Huerta de Santa Teresa, Nervión, El Plantinar, San Roque, Eduardo Dato: 49.862 habitantes.

DISTRITO SÉPTIMO. — La Candelaria, Pajaritos, Amate, Cerro del Águila, La Rochelambert, Juan XXIII, La Plata y San Fernando: 81.372 habitantes.

DISTRITO OCTAVO. — Torreblanca y sus anejos rurales: 19.431 habitantes.

DISTRITO NOVENO. — San Carlos, San José Obrero, Su Eminencia, El Fontanal, El Árbol Gordo, La Gorza, Polígono de San Pablo, Santa Clara, Alcosa: 59.525 habitantes.

DISTRITO DÉCIMO. — Toda la Nueva Macarena hasta San Jerónimo inclusive: 78.786.

El total de habitantes ha pasado de doscientos mil en 1940 a 556.786 en 1970, sin que esto quiera decir que la población total de Sevilla sea ésa, ya que muchos de los inmigrantes procedentes de los pueblos de la provincia, aunque viven en Sevilla, siguen censados en sus pueblos de origen y no aquí, para conservar ciertos beneficios municipales en sus localidades de nacimiento, pudiendo darse como cifra real de habitantes en Sevilla un millón en 1979.

Un munícipe destacado

Entre las personalidades que más han destacado en estos años en la vida municipal sevillana descolló don Manuel Bermudo Barrera, a quien en sus épocas de teniente de alcalde y de alcalde accidental se deben la reorganización de la Feria de Abril terminada la guerra civil, la recreación del «pregón» de la Semana Santa, la restauración de la capilla del Santo Entierro y la coronación canónica de la Virgen de la Amargura de la Hermandad de San Juan de la Palma, que constituyó un acontecimiento señaladísimo en la vida local. También fue presidente del Aeroclub y dio un gran impulso a la vida social y al fomento del turismo.

Mejoras en la enseñanza

A partir de 1940 se produce en Sevilla un gran aumento de la preocupación de las autoridades en beneficio de la enseñanza. Se crean numerosísimos grupos escolares para atender a su numerosa población. Se autoriza a los colegios para impartir la enseñanza de bachillerato (antes solamente se daba en el instituto, es decir en un centro; después de la guerra se llega a dar bachillerato en más de setenta colegios). Se crea la Universidad Laboral y se amplía la Universidad Literaria, trasladándola de su pequeño edificio de la calle Laraña, a la enorme fábrica de tabacos, mucho más capaz, aumentando además el número de Facultades, con la de Física y la de Farmacia, y se ha convertido la Escuela de Bellas Artes en Facultad.

También se han creado colegios mayores (San Juan Bosco, Hernando Colón, San Hermenegildo, Fernando III), institutos de enseñanza media femenina, escuelas de secretariado, hostelería, marina, turismo, decoración y otras muchas ramas.

Igualmente se ha dado gran importancia a la asistencia de los niños subnormales, cuyos primeros establecimientos fueron creados por el doctor Jaime Rodríguez Sacristán (para deficientes mentales) y por el padre Serafín de Madrid (para niños deficientes físicos).

En los diversos aspectos del fomento de la enseñanza y cultura merecen ser nombrados aquí, los rectores universitarios don Mariano Mota Salado, don Juan Manzano, don Carlos García Oviedo, don José Hernández Díaz y el profesor Clavero Arévalo en la enseñanza superior; don Norberto Almandoz y don Manuel Castillo en la enseñanza musical; don Antonio Sancho y don Eduardo Acosta Palop en la enseñanza de las artes; y el teniente de alcalde e inspector don Luis Montero Bernal en el fomento de la enseñanza primaria.

Popularidad de Queipo de Llano

La preocupación del general Queipo de Llano por mejorar a las clases más humildes, creando puestos de trabajo, viviendas, colegios y comedores, le valió pronto una gran popularidad, aumentada por su simpatía personal y por sus cualidades de valentía, audacia e ingenio, prendas que son muy estimadas por el pueblo sevillano.

El general Queipo de Llano murió en 1950, a los setenta y cinco años de edad, y fue enterrado en la basílica de la Macarena, iglesia en cuya construcción contribuyó con su protección política y con su aportación económica privada.

Queipo de Llano fue un personaje extraordinario, que sin ser sevillano, se identificó totalmente con Sevilla, convirtiéndose en prototipo del sevillanismo; alegre de carácter, nunca tomó en serio la política, lo que le puso en ocasiones enfrentado al Gobierno y distanciado de Franco. Mandó en Andalucía, no como un capitán general, sino como un virrey, y así le llamaban las gentes. Con sus virtudes y defectos, consiguió hacerse perdonar las unas, y los otros. Fue en fin, un personaje de los más sugestivos e importantes que hayan existido en la historia de Sevilla.

Mejoras en los servicios públicos

En los últimos treinta años y bajo el mando de los alcaldes don Ramón de Carranza, el duque de Alcalá, don Eduardo Luca de Tena, el marqués de Contadero, don Mariano Pérez de Ayala, don José Hernández Díaz, don Félix Moreno de la Cova y don Juan Fernández Rodríguez y García del Busto, se han efectuado mejoras que han dado a la ciudad el aspecto y servicios de una ciudad cosmopolita, entre ellas la gran traída de aguas, con la construcción del pantano de la Minilla, el pantano de Cala y el pantano de El Ronquillo, y los depósitos de El Carambolo. Se ha hecho la corta de Chapina, alejando del casco urbano el peligro de las inundaciones, y está haciéndose en la actualidad la rectificación de curvas del Guadalquivir, desde Sevilla hasta Sanlúcar, y está en marcha la corta de la Cartuja.

Se han construido grandes avenidas con buena pavimentación y alumbrado como las de Eduardo Dato, Ramón y Cajal, Kansas City, Tablada, Ronda de los Remedios, etc. Se ha hecho un espacioso aeropuerto en San Pablo.

Los antiguos tranvías se han sustituido por autobuses y microbuses. Se han hecho varias estaciones de autobuses interurbanos, terminándose el feo espectáculo de los autobuses que venían de los pueblos y que aparcaban en cualquier calle, descargando los equipajes en la acera obstaculizando el tránsito. Se ha construido un nuevo puente, el del Generalísimo, que une el Parque María Luisa con el barrio de los Remedios, y otro puente, al final del Patrocinio, para mejorar la comunicación de Sevilla con Castilleja y Santiponce.

En estas mejoras locales han tenido una actuación decisiva para obtener autorizaciones, créditos y presupuestos del Gobierno los gobernadores civiles señores Ortí y Meléndez Valdés, Altozano y Moraleda, y José Utrera Molina; el presidente de la Feria de Muestras, José González Reina y su director técnico don Francisco Sánchez Apellaniz; el gerente del Polo de Desarrollo, don Manuel Bono Janeiro; el delegado de la Confederación Hidrográfica del Guadalquivir, don Juan Moya, y el presidente de la Junta de Obras del Puerto, don Joaquín Carlos López Lozano.

Otra mejora digna de reseñarse ha sido la ampliación de servicios telefónicos: en 1936 Sevilla contaba con menos de 10.000 teléfonos. En los años que dirigió la «Compañía Telefónica» en Sevilla don Aníbal García López, se ha llegado, en 1970, a la cifra de 103.000 abonados.

Dos terremotos

El 20 de marzo de 1951, precisamente el mismo día que murió el general Queipo de Llano, se sintieron en Sevilla dos temblores de tierra, con una diferencia de veinte horas entre uno y otro. A consecuencia de ello se produjeron daños en la cúpula de la iglesia del Sagrario, cayendo al suelo varias toneladas de piedra, por lo que hubo que cerrar dicho templo hasta su restauración.

En noviembre de 1968 hubo un gran terremoto en toda España, y que en Sevilla se percibió con grandes ruidos subterráneos, «como si pasasen carros y caballos al galope por debajo de la ciudad», según descripción de un periódico local. Este gran seísmo no causó víctimas, pero afectó gravemente a más de mil edificios, que quedaron tan deteriorados que hubo de declararlos en ruina y derribarlos en poco tiempo.

Mejoras sanitarias

La vida sanitaria en estos cuarenta años experimenta grandes mejoras, principalmente al disminuir casi radicalmente la mortalidad infantil, por la acertada actuación asistencial y educativa de la Escuela de Puericultura, de la calle Luis Montoto, dirigida por el doctor don Juan Luis Morales, la actuación del director de la Casa Cuna, doctor don Manuel Laffon, creación del policlínico universitario de Pediatría, por el catedrático doctor don Manuel Suárez Perdiguero y creación del hospital infantil de la Seguridad Social, dirigido por el doctor don Andrés González Meneses Pardo, perteneciente a una ilustre familia de pediatras.

La mayor conquista social de estos años ha sido en España el Seguro de Enfermedad, que en Sevilla cuenta con numerosos ambulatorios, en cuya creación destacaron como directivos don Francisco Arenas Martín, don Francisco Avanzini y don Juan Ramírez Filosía, así como los doctores don José Hernández Gil y don José Barranco García, al frente de la inspección provincial médica de la Seguridad Social.

El viejo hospital de la Macarena continuó prestando servicios después de la guerra, hasta 1970, bajo la dirección del doctor Zarapico. Cerrado por su estado ruinoso ha sido sustituido por el nuevo Hospital Clínico Universitario, construido en sus inmediaciones y que se ha inaugurado en 1974.

Pero la mayor empresa sanitaria acometida en Sevilla en estos años es la construcción de la «Ciudad Sanitaria Virgen del Rocío», que comprende un hospital de enfermos, con más de 700 camas, llamado «Residencia García Morato»; un hospital de traumatizados y minusválidos llamado «Centro de Rehabilitación y Traumatología», un hospital infantil y un hospital maternal. En el período comprendido entre 1958 y la actualidad han destacado en la dirección de esta grandiosa obra asistencial el doctor don Juan Bermudo de la Rosa como director de la Ciudad Sanitaria, los doctores don Ángel González Murga y Joaquín de la Cruz como directores de la Residencia García Morato; don Pedro Albert Lasierra y don Santiago Haya, como directores sucesivamente del Centro de Rehabilitación y Traumatología, don Emilio Freire como director del hospital maternal y don Andrés González Meneses, ya citado, como director del hospital infantil.

También se ha conseguido en los últimos treinta años erradicar e paludismo, que era endémico en esta zona del Guadalquivir, merced a la labor constante y acertada del inspector provincial de Sanidad doctor Ferrand y del médico don Fernando Rey.

El periodismo y las letras

Desaparecidos algunos periódicos durante la guerra, y creados otros, en los últimos años existen en Sevilla tres diarios, el *ABC*, que ha sido dirigido por don Antonio Olmedo y por don Joaquín Carlos López; *El Correo de Andalucía*, por don José Montoto, don José María Javierre y últimamente por José María Requena; el diario de la tarde *Sevilla*, dirigido por don Manuel Benítez; el samanario *La Hoja del Lunes*, dirigido por Ramón Resa, Juan José Gómez y últimamente por Celestino Fernández Ortiz.

Además de los directores, que generalmente escriben los editoriales, y comentarios de alto rango, han destacado como autores de artículos y reportajes, los periodistas Benigno González, Manuel Ferrand, Fausto Botello y Manuel Ponce; en la crónica de sucesos, Manuel Bormujo; en el tema sindical, Manuel Benítez Salvatierra, director de la edición del periódico *Pueblo* de Madrid para Andalucía; en la crítica deportiva, Ignacio García Ferreira y Francisco García Montes (rama en la que destacó también el malogrado Manuel Vicedo); en la crítica de libros, Antonio Burgos; en la crítica de arte, Ramón Torres Martín y Manuel Olmedo; en la información taurina, Enrique Vila, Manuel Murga y Cristino Braojos; en la entrevista, Francisco Amores; en los temas cofradieros, Luis Joaquín Pedregal; en el periodismo fotográfico, Angel Gómez Galán, Serrano, Fernando López Vílchez, y Fernando Gelán, hijo; en el periodismo radiofónico, Francisco Pérez González, José Luis López Murcia, los hermanos José Ángel y Eduardo Bonachera Pombo, y Diego Díaz Muñoz. Y últimamente, en Televisión, Francisco Pérez, José Luis López Murcia y Francisco Narbona.

En la literatura encontramos, a partir de 1940, como poetas: José Antonio de Ochaita, María de los Reyes Fuentes, Manuel Lozano, José Félix Navarro, Joaquín Caro Romero, Manuel Mantero y Aquilino Duque.

Un género dentro de la poesía es el de la composición de letras para canciones andaluzas, en que han destacado desde 1940 Juan Guardón (autor de *Tres cruces*), Infantes Florido (autor de *La hija de don Juan Alba*), Rafael de León, autor de innumerables cuplés y Camilo Murillo.

Como escritores de temas históricos: Santiago Montoto, Luis Ortiz Muñoz, Antonio Muro Orejón, Francisco Morales Padrón, Alfonso Lazo, Antonio Blanco Freijeiro, José Guerrero Lobillo, Antonio de la Banda, José María Javierre y Francisco Aguilar Piñal.

De novela: Manuel Halcón, Alfonso Grosso, Manuel Barrios, José María Requena, Manuel Ferrand y Domingo Manfredi. Y en la novela radiofónica Juan Bustos.

Como autor de obras sobre estudios económicos y sociales, merece considerarse auténtico maestro a Nicolás Salas.

Y finalmente, en la literatura hablada, José Luis de la Rosa, y Ricardo Mena Bernal en el género de Pregón de Semana Santa, y Rafael Santisteban, Agustín Embuena, Manuel Fernández Campos (Manolo Bará) y José Luis Bustamante, en el género radiofónico como locutores presentadores de programas.

El progreso agrícola

Apenas terminada la guerra civil, todavía en época del general Queipo de Llano, se acometen importantes mejoras agrícolas, tanto para producir más alimentos, de que tan necesitada está la España de la postguerra, como para abastecernos nosotros mismos de algunos productos que tradicionalmente se importaban del extranjero, y que en los años 1939 a 1945 no pueden traerse a causa de la guerra mundial.

Lo más importante es la creación de extensos cultivos de arroz en las marismas del Guadalquivir, el incremento de las plantaciones de caña de azúcar, el aumento de superficie destinada a cultivos de algodón, la plantación de girasoles para su aprovechamiento aceitero, ya que mientras el olivo necesita muchos años para dar fruto, el girasol ofrece cosecha a los pocos meses de sembrado. Igualmente se dedican grandes superficies al cultivo de la remolacha.

Todo ello, respaldado por un plan de regadíos, y de desecación y desalinización de terrenos en la marisma, y valle inferior del Guadalquivir.

Estas mejoras agrícolas sirven para crear una industria azucarera en la Rinconada, factorías de clasificación y envase de arroz, y numerosas fábricas de aceite de semillas, piensos para el ganado derivados de la pepita del algodón, etc.

El aumento de población agrícola en una zona que tradicionalmente estaba despoblada por ser marisma improductiva, da lugar a la construcción de nuevos pueblos como Villafranco del Guadalquivir, San Ignacio del Viar, Guadalema de los Quintero, y otros, edificados por el

Instituto Nacional de Colonización.

Merece destacarse como muy meritoria la participación en esta labor de don Rafael Beca Mateos, en lo relativo al arroz, y de don Federico Crespo, pionero del cultivo del algodón.

También se crean cultivos de tabaco, y se establece un importante establecimiento científico, el Instituto de las Grasas, para el estudio e investigación de éstas.

Mejoras sociales. Transformación de la vida

Desde 1936, con la creación de la «Organización Nacional de Ciegos» que redime a los invidentes de pedir limosna callejera, se inicia una etapa de mejoras sociales. El «Auxilio de Invierno», que después se llamará «Auxilio Social» con sus comedores públicos, acaba con el hambre, que desde siglos daba ocasión a la muerte, por inanición, de mendigos en la vía pública. Se crea el subsidio familiar, que proporciona una cierta ayuda a las familias. Más tarde se establece un subsidio o ayuda para las personas que carecen totalmente de bienes, y se encuentran incapacitadas. Y un subsidio para los ancianos que no estén disfrutando de alguna pensión o jubilación. Pasada esa primera etapa de aliviar el hambre física, se empieza a obtener una mejora en las retribuciones económicas del trabajo, lo que permite a las clases proletarias el disponer de una mayor capacidad adquisitiva. Ello da como resultado que se produzca un cambio total en la indumentaria. Así, hasta 1936 la prenda de calzado más frecuente era la alpargata, que después de 1940 desaparece por completo y aún más, desaparece el lamentable espectáculo anterior de gente descalza que era frecuente ver por las calles. En cuanto a la ropa desaparece el ver por la calle a las clases obreras vestidas con la ropa de trabajo, el blusón o el «mono»; a partir de 1940 los obreros tienen ya un «mono» de trabajo, en el taller, pero para salir a la calle disponen de ropa de calle. Aproximadamente desde 1950 todas las clases sociales visten prácticamente igual, siendo imposible determinar por su aspecto exterior, quién es obrero manual, quién intelectual, quién capitalista.

La alimentación mejora considerablemente desde 1940, y así las clases trabajadoras, que anteriormente tenían como base de su alimento el pan, el tocino y los garbanzos, comienzan a alimentarse de carne y pescado, pasando la carne de pollo, que anteriormente era un artículo de lujo, a convertirse en plato cotidiano. Esto, y el aumento del consumo de leche y frutas, da como resultado que entre 1936 y 1961, la estatura media de la población aumenta considerablemente, gracias a que los niños reciben mejor almento durante su etapa de crecimiento. Así podemos ver hoy una notable diferencia de estatura entre la generación de los jóvenes que hoy tienen veinte años, y sus padres que hoy tienen cincuenta.

En el utillaje del hogar se advierte también una gran mejora, gracias a la mayor capacidad adquisitiva de las clases populares. Así, en todos los hogares hay máquinas lavadoras eléctricas, habiendo desaparecido los barreños, lebrillos, artesas y pilas, donde se solía lavar la ropa a mano. Artículos de elevado precio como el televisor, están hoy hasta en los hogares más humildes; han desaparecido las viviendas denominadas «corrales de vecindad» donde vivían hacinadas las familias en una habitación única, y prácticamente la casi totalidad de las clases trabajadoras viven hoy en pisos, de construcción moderna, y provistos de los necesarios servicios higiénicos, habiéndose generalizado la ducha, con la consiguiente ventaja para la salud individual y pública.

Aspectos negativos de la política urbana entre 1936 y 1970

Frente a esas importantes mejoras industriales, urbanas, y sociales, hay que reseñar como datos negativos, en primer lugar la destrucción de la fisonomía arquitectónica de Sevilla, error increíble y de consecuencias nefastas. En efecto, Sevilla era, acaso con Venecia y Florencia, una de las ciudades más bellas del mundo, con una gran unidad arquitectónica, formada por palacios, casas particulares con patio, fachadas con hermosísimos balconajes de hierro y otros detalles de fuerte personalidad.

La Ley de Arrendamientos Urbanos, que congelaba los precios de los alquileres, tenía como principal objetivo un bien social, ya que tendía a que los precios de las viviendas arrendadas se mantuvieran bajos, a fin de no gravar las economías de las clases modestas. Sin embargo, la consecuencia fue adversa, puesto que la baja rentabilidad de los inmuebles (tanta menor cuanto que los precios de las raparaciones sí subían), determinó que los propietarios se abstuvieran de desembolsar el más mínimo gasto en conservación de los edificios y por este abandono, en pocos años se deterioraron miles de casas, que hubieron de ser declaradas en ruina y derribadas. De este modo perdió Sevilla la mayor parte de su caserío antiguo, que le daba su típica personalidad urbana.

Otro gravísimo error fue la concentración de la industria en la capital en los años 1950, en vez de instalarla en los pueblos. Esta industrialización atrajo a la capital a miles de personas en busca de trabajo, creándose así un crecimiento artificioso de Sevilla, crecimiento que obligó al Ayuntamiento a crear unas infraestructuras urbanas, calles, alcantarillado, alumbrado, etc., desproporcionadas a sus ingresos, puesto que en la inmensa mayoría, estos inmigrantes a la capital eran personas sin trabajo, o trabajadores de escasa capacidad económica, y que por lo tanto aportaban al Ayuntamiento unos ingresos insignificantes, muy inferiores a los que éste les tenía que devolver en forma de servicios públicos. El resultado de este error ha sido el empobrecimiento del erario municipal, y el consiguiente deterioro de la calidad urbana (mal estado de las calles, escasez de jardines, falta de vigilancia con la consiguiente destrucción de adornos públicos, etc.) unido a la incomodidad de aglomeración humana en una ciudad superpoblada, y la contaminación atmosférica producida por las industrias; todo ello junto, ha hecho disminuir el interés de los turistas por Sevilla, pues la ciudad modernizada ya, no es la ciudad histórica y típica que ellos deseaban ver, y las incomodidades de Sevilla convertida en gran urbe, son iguales a las que ellos padecen en sus ciudades de origen, y de las que precisamente desean librarse en sus vacaciones. La disminución del turismo en los años 1970 ha supuesto una grave disminución de los ingresos que la ciudad obtenía por este concepto.

Finalmente señalaremos que la contaminación atmosférica de estos años, tanto por humos industriales como por humos de vehículos, ha dado origen a una enfermedad de la piedra caliza de los más nobles edificios sevillanos, entre ellos el Ayuntamiento y la Catedral, cuyos sillares de cantería, esculturas talladas en las fachadas, balaustradas y demás adornos, se están desmoronando, reblandecida la piedra por los humos de hidrocarburo.

En fin, los años 1940 a 1970 representan una etapa de transformación radical en la vida sevillana. Desaparece el costumbrismo y se adquieren hábitos de vida semejantes a los de cualquier otra ciudad de cualquier otro país. Entre las costumbres perdidas a causa de la vida moderna hemos de mencionar las «Cruces de Mayo», fiestas caseras que consisten en poner una cruz adornada con flores en los patios de las casas de vecindad, y cantar y bailar a su alrededor. También se pierden las «veladas» de los barrios, una de las que más carácter pintoresco tenía era la de San Juan de la Palma. Y la Feria de Abril cambia en esta época su primitivo carácter de coches de caballos y jinetes, disminuyendo su número, y en cambio saturándose de vehículos de motor, nuevo signo de los tiempos.

Incendio en la Feria de Abril

El día 21 de abril de 1964 se produjo un terrible incendio en el Real de la Feria de Abril, que destruyó setenta casetas. La circunstancia de ocurrir a primera hora de la tarde, en que la afluencia de público era menor, evitó una catástrofe que hubiera sido inevitable, de suceder en las horas de mayor afluencia por la noche. Hubo solamente un muerto y media docena de heridos, pero los daños materiales fueron muy cuantiosos. Sin embargo el espíritu cívico y el buen humor del pueblo sevillano salvaron la situación, y la feria pudo continuar como si nada hubiera pasado.

La gran inundación

Aun cuando las desviaciones del Guadalquivir realizadas desde 1940, impedían ya que el río en sus crecidas pudiera entrar en Sevilla, se produjeron dos graves inundaciones, motivadas por dos afluentes: en la primavera de 1948, el Guadaira, acrecentado por la rotura de un dique, invadió Sevilla desde Heliópolis. El agua, pasando por el alcantarillado, inundó las partes bajas del casco urbano, alcanzando en la Alameda de Hércules una altura de más de dos metros. Esta inundación duró cerca de dos semanas.

Años más tarde, el 25 de noviembre de 1961, tras un mes de lluvias, el arroyo Tamarguillo rompió violentamente su margen, en las proximidades del polígono de San Pablo, descendiendo con gran violencia las aguas por la barriada de la Corza, hasta San Benito, rellenándose toda la Ronda de Capuchinos, y la parte baja de Luis Montoto, alcanzando en San Bernardo la altura de los segundos pisos de las casas. En San José Obrero, el Árbol Gordo y el Fontanal, cubrió los pisos bajos y la mitad de los principales. Puedo dar fe de ello porque en aquella época, siendo teniente de tropas de socorro de la Cruz Roja, me tocó acompañar al concejal don Manuel Calleja Álvarez, nombrado comisario especial para el auxilio de aquellas barriadas, y de noche, teníamos que meter una linterna en el agua, por debajo de nuestra barca, para poder leer los rótulos de las calles, pues el nivel del agua era tan alto que alcanzaba a taparlos, y el reparto de alimentos y medicinas, y la evacuación de enfermos, la hacíamos por los balcones de los pisos principales, que estaban a nivel de la barca, y en algunas calles, por los balcones de los pisos segundos.

El agua, pasando por el alcantarillado, desde Capuchinos, invadió la Alameda, las calles Trajano y Amor de Dios, el Duque, y la Campana mientras que desde la Puerta de la Carne pasaba por San Fernando a inundar la Puerta Jerez y la Avenida de José Antonio. Cubrió, en fin, los dos tercios de Sevilla, afectando a más de cien mil personas los efectos, en sus casas y bienes. Sorprendentemente no hubo más que una víctima: un niño de corta edad, que estaba solo en una choza, habiendo salido sus padres al trabajo.

En la noche de la inundación y días siguientes participaron en la ayuda de los vecinos de calles arriadas, la Cruz Roja, fuerzas militares, policía, bomberos, jóvenes nadadores y piragüistas del Frente de Juventudes y de las Congregaciones de los Luises, y tropas americanas de las bases de San Pablo y Morón de la Frontera, que llegaron con helicópteros y lanchas.

El gobernador civil don Hermenegildo Altozano y el alcalde don Mariano Pérez de Ayala pidieron medidas de urgencia en favor de la ciudad, y el Generalísimo Franco nombró un ministro, don Pedro Gual Villalbí, para que viniera a Sevilla y dirigiera la Comisión de Ayuda y Reconstrucción. El Ayuntamiento designó un concejal como delegado especial para cada barriada. La Sección Femenina, Auxilio Social y el Ayuntamiento y Diputación, atendieron a miles de niños, dándoles alojamiento y alimento mientras duraron estas circunstancias.

Catástrofe de la «Operación Clavel»

Pasada la gran inundación, se iniciaron en distintas ciudades españolas, campañas destinadas a recoger ropas y otros donativos para ayuda de las familias que habían resultado damnificadas en Sevilla. El locutor de «Radio España» de Madrid, don Roberto Deglané (Boby Deglané), con su llamamiento a los radioyentes, obtuvo inmensa cantidad de regalos para Sevilla, y organizó la «Operación Clavel» consistente en una caravana de camiones que vendría a Sevilla a traer aquellos miles de donativos. Desafortunadamente, una avioneta, en la que volaba el fotógrafo madrileño Antonio, haciendo fotografías del acontecimiento, se enganchó en unos cables y cayó sobre la comitiva y sobre el público que presenciaba su llegada, en la Avenida de Kansas City, ocasionando dieciocho muertos y centenares de heridos. Esta catástrofe ensombreció el júbilo de la «Operación Clavel» y dio un día de luto a la ciudad.

Mejoras en el urbanismo. Derribos lamentables

La destrucción de edificios, tanto a consecuencia del terremoto de 1951 y del 1968, como a consecuencia de la gran inundación de 1961, sirvieron para que al derribarse muchas casas viejas se pudiera remozar la ciudad. Al mismo tiempo se construyen calles nuevas como la Avenida de Sánchez Pijuán y la del Doctor Fedriani, y se renueva totalmente el alumbrado pûblico en las principales avenidas. También se afronta el traslado de la Feria de Abril que ya no cabía en el Prado de San Sebastián al haberse edificado en él los edificios de la Audiencia y los Juzgados, creándose un espacioso campo de feria en los Remedios. Igualmente y bajo el mandato municipal del alcalde don Juan Fernández Rodríguez y García del Busto, se inaugura entre los Remedios y el Tardón el nuevo Parque de los Príncipes, y se instalan en numerosos lugares de Sevilla hermosas fuentes monumentales, en 1970. A partir de 1950 se han hecho en Sevilla construcciones de gran importancia. Así en la arquitectura de edificios industriales merecen destacarse la Fábrica de Hytasa y los Astilleros Elcano; en arquitectura funeraria el Panteón de Sevillanos Ilustres, todos ellos obra del arquitecto Galnares Sagastizabal.

En arquitectura religiosa el templo de Jesús del Gran Poder, por los arquitectos Alberto Balbontín y Antonio Delgado Roig. Y en cuanto a viviendas, la de la Plaza de Pilatos número 5, obra de Rafael Manzano, y el conjunto denominado Casas del Cabildo, situado en el antiguo colegio de San Miguel, frente a la catedral, obra del arquitecto Barquín.

Sin embargo hemos de reseñar que por imprevisión, o por tolerancia municipal, y por falta de atención a los intereses turísticos de la ciudad, se ha permitido el derribo de numerosos edificios de gran belleza y mérito, como los palacios de Medina Sidonia y los de los Solís, en la Plaza del Duque, el palacio de Gelves y en la calle Méndez Núñez esquina a la plaza de la Magdalena, y el edificio de la Casa de Contratación de Indias, en la plaza de la Contratación, así como más de cien palacios y casas señoriales en distintos barrios, principalmente en San Vicente, San Lorenzo y San Isidoro. Y se ha derribado un barrio entero, pintoresco y curiosísimo, cuyo trazado era de época visigoda, el barrio de San Julián, que debería haberse conservado restaurándolo, en lugar de edificar el moderno polígono de San Julián, auténtico crimen contra la historia, perpetrado en beneficio de la especulación de terrenos.

Catástrofes y siniestros

En los últimos treinta años, deben reseñarse la explosión del Polvorín, que estaba situado en lo que hoy es la barriada del Cerro del Águila, en la esquina de la calle Capitán Barón con calle Bucarelli, y que destruyó todas las casas del contorno, ocasionando numerosas víctimas. Esto ocurrió en 14 de marzo de 1941.

Otro suceso dramático fue el incendio de los almacenes «Vilima» en la calle Puente y Pellón esquina a calle Lagar, en la noche del 25 de julio de 1968, en el que murieron tres bomberos al hundirse encima de ellos el edificio. En esta ocasión todo el casco urbano de Sevilla se vio en gran peligro, pues por la estrechez de las calles del sector, y por ser edificios comerciales, en los que abundaban plásticos, pinturas y tejidos, hubiera podido arder todo el centro, si con denodados esfuerzos el personal de Bomberos, la Cruz Roja y la Policía Municipal, no hubieran impedido que se extendiese.

El Teatro en Sevilla

A partir de 1940 la actividad teatral profesional decrece, principalmente por la competencia del cine. Actores como Miguel Ligero y Antonio Martelo, se pasan al cine, y la eminente actriz Carmen Díaz, que había alcanzado los máximos triunfos en el teatro quinteriano, abandona las tablas.

Únicamente queda, durante los años 40 y 50, la Agrupación Álvarez Quintero, de teatro «amateur» cuyos actores y actrices son sin embargo de categoría igual o superior a la de las compañías profesionales. Entre estos artistas destacan Conchita Villegas, Ángel Gómez Galán, Eulogio Serrano, Conchita García, Clara de Silva, José Rodríguez Cuesta y ya en tiempos más recientes, Angelita Granja y Emilio Segura.

Otras agrupaciones teatrales en los años 60 son el TEU (Teatro Universitario), Gorka, Tabanque y Espartero y la agrupación de alumnos del Conservatorio.

Los directores teatrales más destacados han sido Manolo González, Sebastián Blanch, y Joaquín Arbide. En los años 1970 hay un gran florecimiento teatral, con numerosos grupos de teatro experimental, como Abraxa, COU, Crótalo, La Cuadra, Esperpento, Farándula, Lebrijano, Maofi, Mediodía, Tabanque, Talía, Tech, Tinaja y continúa la Agrupación Álvarez Quintero.

La literatura teatral está representada principalmente por J. Barrionuevo Lorente y por Onofre Rojano y Fernando Macías, el primero de temas andaluces, y los otros dos sociales; y Julián Martínez de Velasco en teatro infantil y marionetas.

Otras ramas del teatro son la recitación, en que han descollado Mariló Naval y Carmina Cercas, y el arte lírico, con las cantantes de ópera y zarzuela Amparito Pompas Illobre y Mary Carmen del Río, los tenores Pedro Sánchez «Chessán» y Manuel Villalba, y las profesoras de canto Elvira Olivares y Pilar Jiménez Olivares.

Finalmente, en teatro mímico, Gerardo Sánchez Paz. Artistas teatrales sevillanos que han triunfado y residen en Madrid son Juan Diego y Conchita Bautista.

La Música

Desde 1940 hasta 1960 es indiscutible patriarca de la composición musical don Norberto Almandoz, junto con los compositores Emigdio Mariani, Antonio Pantión y Luis Lerate. Ya en 1958 empieza a destacar Manuel Castilla al ganar el Premio Nacional de Composición.

En cuanto a instrumentistas, Guillermo Salvador y José Antonio Medina Labrada, que pronto se marchan de Sevilla, y Luis Romero Yáñez, todos tres pianistas. En años posteriores a 1960 destaca como máxima figura del piano Marilí Rentería. En la guitarra clásica, la gran figura es América Martínez Serrano.

La prohibición por el cardenal don Pedro Segura de que el *Miserere* de Eslava se continuase interpretando en la catedral, da lugar a que el maestro Pedro Braña lo saque, primero a la iglesia de la Universidad, y después al teatro San Fernando. Esto origina un despertar a la afición a la música coral, que cristaliza en la fundación de la Agrupación Coral Sevillana y de la Orquesta Filarmónica, como necesario acompañante; en la dirección de ambas alcanza los mayores triunfos el director de orquesta Luis Izquierdo, quien aún las dirige.

En la música para bandas, son meritísimos directores don Pedro Gámez, de la Banda Militar del Regimiento de Soria; don Francisco Mena del Rosal, de la Banda de Aviación Militar, y don Pedro Braña y su sucesor el maestro Albero, de la Banda Municipal. También hace una labor modesta pero muy popular, el maestro Domingo Tejera, al frente de la banda de la Plaza de Toros, fallecido en 1971.

En la música religiosa, don Ángel Urcelay, eleva a gran rango a los niños seises, y Escolanía Virgen de los Reyes, de la catedral.

En la composición de música folklórica, el maestro Moradiellos y Luis Rivas rivalizan en calidad. Los letristas de canciones más populares son Cipriano Gómez Lázaro, J. Gardey, José Alfonso y Andrés Molina Noles. Sevillanos, pero residiendo en Madrid, los más ilustres cultivadores del cuplé y canción española son el poeta Rafael de León y el compositor maestro Quiroga.

Como intérpretes del folklore, desde los años 40 hasta 1975, destacan Paquita Rico, Juanita Reina, Marifé de Triana, Mikaela y Conchita Bautista. En el cante flamenco, ya consagrados desde los años 20, Pastora Pavón, llamada *La niña de los peines*, y su marido Pepe Pinto, y algo posteriores, Manolo Caracol, *Gordito de Triana, Naranjita de Triana*, y desde 1960 Antonio Núñez *el Chocolate*. En el género «saeta» destaca entre 1940 y 1960 *La niña de la alfalfa*, por su nombre Rocío Vega. Posteriormente, en el género de «sevillanas», los hermanos Reyes y *el Pali*.

En el baile andaluz, en los años 40, la pareja Rosario y Antonio, discípulos del célebre Manuel Real *Realito*, que tuvo su academia en la calle Trajano esquina a la Alameda. Otros maestros de baile famosos han sido el maestro Otero, Enrique *el Cojo*, la profesora Adelita Domingo, a partir de 1950, y Manuel Valdivia Herrera.

El desarrollo deportivo

En los años 1940 la actividad deportiva se limitaba a la existencia de los dos equipos de fútbol Sevilla y Betis. A partir de 1950 se produce un auge de otras actividades deportivas, principalmente por la iniciativa del concejal señor González Cabañas, quien en época del alcalde marqués del Contadero creó los Juegos Deportivos de Otoño, en los que se incluyen toda clase de manifestaciones deportivas. Por otra parte el Ayuntamiento crea en Chapina unas instalaciones deportivas permanentes. A esto hay que añadir la promoción deportiva en varios clubs y sociedades de recreo, tanto militares (Club Pineda, con equitación, natación y otras), como civiles (intalaciones deportivas del Círculo de Labradores, del Mercantil, del Frente de Juventudes) y de colegios como los Salesianos y Portaceli, y posteriormente, desde 1965, Claret. Se crean equipos de baloncesto, patinaje, atletismo, etc. Una mención muy elogiosa merece el Club Natación Trastámara, del que han salido notables deportistas de rango nacional. También alcanzan mucho auge la Sociedad del Tiro de Pichón y la Escuela de Paracaidismo Deportivo de Tablada, en la que se forman paracaidistas de fama nacional como la señorita Cano. En halterofilia es campeón nacional el sevillano Francisco Mateos.

En el arte del toreo

En el arte del toreo hay que mencionar desde 1940 como figura insigne, a Pepe Luis Vázquez, y desde 1960 los grandes matadores Diego Puerta (retirado en 1974) y Paco Camino (aún en activo).

Las Bellas Artes desde 1936

La destrucción de iglesias por los incendios de 1931 y 1936 que hemos mencionado, obligó, después de la guerra civil, a reponer el tesoro artístico religioso, labor en la que la máxima actividad fue desarrollada por el insigne imaginero Antonio Castillo Lastrucci, a quien se deben más de treinta nuevas imágenes procesionales, labradas entre 1936 y 1960, para las cofradías sevillanas. Asimismo se le encargó la restauración de la cara de la Virgen de la Esperanza de Triana y como al despegar la pintura con que estaba recubierta desde el siglo XIX se desmoronó la pasta con que la habían restaurado, hubo de hacer una cara nueva, tallada y policromada, que es la que ahora tiene la imagen.

Otros imagineros que hicieron bellas figuras procesionales en los mismos años son Antonio Illanes, cuya principal creación es la Virgen de la Paz, de la parroquia del Porvenir, y de sus crucificados, el más celebrado es el de la Lanzada, de la iglesia de San Martín; Castillo Lastrucci, autor de la Virgen de la Iniesta; Sebastián Santos, gran maestro de la talla; Luis Ortega Bru, de exquisita delicadeza, y en años sucesivos, Francisco Buiza, autor del Cristo de la Hermandad de las Cigarreras, Luis Álvarez Duarte, a quien se debe la imagen de la Virgen del Patrocinio (ya que la anterior fue destruida en un incendio fortuito en 1973).

En la escultura religiosa de altar, y escultura civil, son figuras eminentes Juan Luis Vasallo y Antonio Cano Correa, autores de las excelentes esculturas y arcosolios que se pusieron en 1948 en la capilla Real de la catedral en los enterramientos de don Alfonso X *el Sabio* y doña Beatriz de Suabia. Nicomedes Díaz, autor de la estatua de don Juan Tenorio en la plaza de Refinadores; la señora de Cano Correa, autora de un «niño desnudo dormido» que se conserva en el Museo Provincial de Bellas Artes, Nati Reichardt, autora de diversas imágenes de altar; Ricardo Comas y otros.

En cuanto a la pintura, después de la guerra civil siguen trabajando Gustavo Bacarisas, Alfonso Grosso, Santiago Martínez y Francisco Hohenleiter, de la generación de 1920. Rafael Cantarero, de la generación de 1930, y posteriores Francisco Maireles, de gran delicadeza en el color y en la elección de sus temas; Cortijo, de tendencia social; Pérez Aguilera, Néstor Rufino, especializado en temas de caza; Isacio Contreras, especializado en temas históricos; Joaquín Sáenz Cembrano, paisajista, y dos pintores médicos, José Alemán Caballero, pintor de la montería y de pueblecitos andaluces, y Antonio Adelardo, de temas gitanos. Finalmente citaremos a Cortijo en temas sociales, y Molina en el retrato y la figura.

En los años 1960 aparecen Pajuelo, Juan Britto y Álvarez Gámez con gran éxito. Mención aparte reclaman las pintoras Pepi Sánchez y Teresa Duclos, de renombre nacional.

En las artes decorativas hay que reseñar a los orfebres Seco, Armenta, Domínguez y Fernando Marmolejo, este último autor del cáliz de la consagración del papa Juan XXIII. En el bordado Carrasquillo, el maestro Padilla y Esperanza Elena Caro, autora del manto grande de la Macarena.

La vida religiosa en Sevilla

Tras la guerra civil, y como reacción contra los incendios de iglesias y persecuciones religiosas, hubo un renacimiento de la piedad pública. No sólo se reconstruyeron la mayoría de los templos quemados (algunos quedan aún sin restaurar en 1974), sino que se erigieron otros, como la basílica de la Macarena, el templo del Señor del Gran Poder, parroquias en todas las barriadas modernas, y el gigantesco monumento a los Sagrados Corazones, en el cerro de San Juan de Aznalfarache, obra promovida por el cardenal don Pedro Segura.

Las hermandades se restablecieron, y se crearon algunas nuevas, alcanzándose la cifra de 55 cofradías de penitencia que salen a hacer las procesiones de Semana Santa, y cuya lista actual es como sigue, en 1979:

DOMINGO DE RAMOS. — Sagrada entrada en Jerusalén, de la parroquia del Salvador. — Nuestro Padre Jesús de la Victoria y María Santísima de la Paz, de la parroquia de San Sebastián. — Sagrada Cena Sacramental, de la iglesia de la Misericordia. — Cristo de la Buena Muerte y Nuestra Señora de la Hiniesta, de la parroquia de San Julián. — Jesús de las Penas y Virgen de Gracia y Esperanza, de San Roque. — Jesús de las Penas y Virgen de la Estrella, de su capilla de calle San

Jacinto. — Jesús del Silencio en el desprecio de Herodes y Virgen de la Amargura, de San Juan de la Palma. — Cristo del Amor y Nuestra Señora del Socorro, de la iglesia del Salvador.

LUNES SANTO. — Jesús en el beso de Judas y Nuestra Señora del Rocío, de la iglesia de Santiago. — Jesús Cautivo y Virgen de las Mercedes, de Santa Genoveva. — Cristo de la Caridad en su traslado al sepulcro y Santa Marta, de San Andrés. — Jesús ante Caifás y Nuestra Señora de la Salud, de San Gonzalo. — Cristo de la Vera Cruz y Nuestra Señora de las Tristezas, de su capilla de calle Jesús. — Jesús de las Penas y Nuestra Señora de los Dolores, de San Vicente. — Cristo de las Aguas y Nuestra Señora del Mayor Dolor, de San Bartolomé. — Santísimo Cristo de la Expiración y Virgen de las Aguas, de la capilla del museo.

MARTES SANTO. — Cristo de las Almas y Virgen de Gracia y Amparo, de la iglesia de los Jesuitas. — Jesús de la Salud y Buen Viaje y Virgen de los Desamparados, de San Esteban. — Jesús ante Anás, Virgen del Mayor Dolor y Virgen del Dulce Nombre, de San Lorenzo. — Presentación de Jesús al pueblo, Cristo de la Sangre y Virgen de la Encarnación, de San Benito. — Jesús de la Salud y Virgen de la Candelaria, de San Nicolás. — Cristo de la Buena Muerte y Virgen de las Angustias, de la Universidad. — Cristo de las Misericordias y Nuestra Señora de los Dolores, de la iglesia parroquial de Santa Cruz.

MIÉRCOLES SANTO. — Cristo de las Siete Palabras y Virgen de los Remedios, de San Vicente. — Cristo de la Salud y Virgen del Refugio, de San Bernardo. — Cristo del Buen Fin y Nuestra Señora de la Palma, de San Antonio de Padua. — Cristo de la Misericordia y Nuestra Señora de la Piedad, de la capilla del Baratillo. — Jesús en su prendimiento, Virgen de Regla y San Andrés, de la capilla de los Panaderos, de la calle Orfila. — Cristo de Burgos y Madre de Dios de la Palma, de la parroquia de San Pedro. — Sagrada Lanzada y Virgen del Buen Fin, de San Martín. — Cristo de la Sed y María Santísima de Consolación, de la iglesia parroquial de Nervión.

JUEVES SANTO. — Cristo de la Fundación y Nuestra Señora de los Ángeles, de la capilla de los Negritos. — Cristo de la Exaltación y Virgen de las Lágrimas, de Santa Catalina. — Jesús atado a la columna y Virgen de la Victoria, de la fábrica de tabacos, de los Remedios. — Sagrada oración en el huerto y Virgen del Rosario, de la capilla de Montesión. — Dulce Nombre de Jesús, Sagrado Descendimiento y Quinta angustia de la Virgen, en la iglesia de la Magdalena. — Coronación de espinas, Jesús con la cruz al hombro, Virgen del Valle y Santa Mujer Verónica, iglesia del Santo Ángel. — Jesús de Pasión y Nuestra Señora de la Merced, de la iglesia del Salvador.

VIERNES SANTO (MADRUGADA). — Jesús Nazareno y María Santísima de la Concepción, de la iglesia de San Antonio Abad. — Jesús del Gran Poder y Virgen del Mayor Dolor y Traspaso, iglesia de San

Lorenzo. — Cristo de la Sentencia y María Santísima de la Esperanza, basílica de la Macarena. — Cristo del Calvario y Virgen de la Presentación, iglesia de la Magdalena. — Cristo de las tres Caídas, Nuestra Señora de la Esperanza y San Juan Evangelista, capilla de los Marineros, de Triana. — Jesús de la Salud y Virgen de las Angustias, parroquia de San Román.

VIERNES SANTO (TARDE). — Cristo de la Salud y Virgen de la Luz, y Nuestra Señora del Mayor Dolor, capilla de la Carretería. — Santa Cruz en el Monte Calvario, Cristo de la Salvación y Nuestra Señora de la Soledad, iglesia de San Buenaventura. — Cristo de la Expiración y Nuestra Señora del Patrocinio, capilla del Patrocinio, de Triana. — Jesús Nazareno y Nuestra Señora de la O, parroquia de la O. — Jesús de las tres Caídas y Nuestra Señora de Loreto, de San Isidoro. — Cristo de la Conversión del Buen Ladrón y Virgen de Montserrat. — Cristo de la Sagrada Mortaja y María Santísima de la Piedad, iglesia del exconvento de la Paz.

SÁBADO SANTO. — Cristo de la Providencia y Virgen de la Soledad, capilla de los Dolores (Servitas). — Sagrado Decreto, Cristo de las cinco Llagas y Virgen de la Esperanza, iglesia de la Trinidad. — Santo Entierro y Nuestra Señora de Villaviciosa, iglesia de San Gregorio. — Nuestra Señora de la Soledad, iglesia de San Lorenzo.

Construcciones de templos

Después de 1940, además de reconstruirse algunos templos incendiados, se han construido de nueva planta numerosas parroquias, generalmente de estilo arquitectónico modernista, destacando en su edificación los arquitectos Delgado Roig, Gómez Millán, Balbontín, Recaséns, Abaurre y Galnares Sagastizábal, viéndose en algunas excesiva austeridad, faltas de todo adorno y sin altares. En otras se ha hecho un decorado de vidrieras, o con pinturas murales, destacando en estas últimas los pintores Santiago Martínez y Francisco Maireles.

Con objeto de que la vida de las cofradías no se limitase a las procesiones, por iniciativa del cardenal arzobispo Bueno Monreal, se ha dedicado una parte de los fondos de las hermandades a obras benéficas y sociales, entre las que citaremos como ejemplos relevantes, la Bolsa de Caridad de la Hermandad del Gran Poder, y las Escuelas Profesionales de la Hermandad de la Hiniesta.

Otra obra, religiosa, y al mismo tiempo sanitaria, de gran importancia ha sido la creación del Sanatorio de Niños Lisiados de San Juan de Dios, en la avenida de Eduardo Dato, obra dedicada a la cirugía infantil rehabilitadora, y en cuya construcción participó con sus donativos todo el pueblo de Sevilla.

Dos grandes templos se han edificado en estos últimos treinta años, uno la basílica de la Macarena, en la que debemos mencionar el camarín donde está colocada la Virgen y que forma a manera de una habitación con las paredes revestidas de plata repujada y cincelada, con versículos y temas ornamentales, obra insigne del orfebre Fernando Marmolejo. También se ha edificado de nueva planta el templo votivo de Nuestro Padre Jesús del Gran Poder, en edificio inmediato a la parroquia de San Lorenzo y con la particularidad àrquitectónica de ser de planta circular, y coronado por una soberbia cúpula.

Profundos cambios religiosos

A partir de 1960 se empieza a percibir en Sevilla un cambio religioso de gran significación. Por una parte, la vida moderna, con mayores ocupaciones y preocupaciones económicas y mayor ocupación de tiempo en el trabajo, disminuye la afluencia de público a las iglesias. La mujer ha empezado a estudiar carreras superiores y medias y trabaja en los mismos trabajos que el hombre, desapareciendo por ello la cifra de mujeres jóvenes de clase media y elevada, que antes tenía como única ocupación los ejercicios de piedad. También el cambio de estructuras sociales hace desaparecer las sirvientas, con lo que las amas de casa de clases superiores, tienen que afrontar por sí mismas los trabajos domésticos y no disponen de tiempo libre, ni para las misas de por la mañana, ni para los cultos de novenas, triduos y rosarios de por la tarde. La religión deja de ocupar, pues, una parte importante del tiempo diario de un gran público, principalmente femenino.

Otro elemento nuevo de la vida moderna es el automóvil, que permite a las familias desplazarse en dos horas a las playas del Atlántico. A partir de 1960 miles de familias sevillanas se marchan los domingos a primera hora de la mañana, con sus niños, a las playas, y vuelven por la noche, con lo que disminuye considerablemente la afluencia dominical a los templos, y aunque una parte de estas personas van a misa los sábados, no todas lo hacen.

También el disponer de automóvil, facilita el marcharse a pasar la Semana Santa entera al campo o a la playa, por lo que un gran número de sevillnos se ausentan de la ciudad, y se desinteresan de las procesiones, que vienen a quedar casi como un espectáculo turístico. Un signo interesante es que, mientras en los años 40, los cargos directivos de las cofradías eran ostentados por aristócratas o personas de la más alta sociedad y categoría económica, a partir de los años 60 se distancian esas personas de dichos cargos, los que van a pasar a ser ocupados por profesionales y clase media. (Todo ello con las naturales excepciones.) En líneas generales puede hablarse, tanto de un proceso de descristianización general de la sociedad, como de una pérdida del apoyo que las clases más altas prestaban a las hermandades sevillanas.

Aparición de otras religiones

También, a partir de los años 60 se produce el fenómeno de la aparición de otras religiones, o de otras iglesias dentro de la religión cristiana. Así, por ejemplo, la Iglesia protestante tiene en Sevilla varias capillas, que aun cuando venían funcionando sin publicidad, en estos últimos años adquieren mayor importancia tanto en número de sus fieles como en la publicidad de sus cultos. Sus principales templos están en calle Conde Negro (iglesia Evangélica); calle Relator (iglesia Reformada Episcopal) y calle Beatriz de Suabia (Bautistas).

Otras confesiones protestantes o disidentes cristianas son la Iglesia de los Santos de los Últimos Días establecida en calle Álvarez Quintero, y la Iglesia Adventista del Séptimo Día, en calle Viriato, ambas con unas congregaciones de escaso número de fieles.

Muy numerosa, en cambio, es la denominada Testigos de Jehová, que se estableció por primera vez en Sevilla en 1962, y que tuvo su primer templo en la calle Fortaleza, cerrado en 1974 para abrir otros tres, uno en Padre Pedro Ayala (Nervión), otro en calle Jorge de Montemayor y el otro en Los Remedios.

El antipapa Gregorio XVII

Mayor importancia ha tenido el cisma religioso originado en Sevilla por un vidente llamado Clemente Domínguez, quien ha fundado una orden llamada Carmelitas de la Santa Faz, y que habiendo siendo ordenado sacerdote, y después obispo (por mano del obispo de Vietnam), ha consagrado a su vez numerosos obispos. El 6 de agosto de 1978, cuando murió en Roma el papa Pablo VI, este Clemente Domínguez ha sido elegido por sus obispos como Papa, con el nombre de Gregorio XVII. Este «antipapa» cuenta con numerosos seguidores en América, y constituye un serio problema para la Iglesia Romana. Su residencia en Sevilla la tiene en la calle Redes número 20, y su templo principal está situado en el lugar denominado El Palmar de Troya, cerca del pueblo de Utrera.

El fenómeno «religioso» del fútbol

Señalaremos finalmente, en el aspecto religioso, la gran cita de personas que han abandonado toda práctica religiosa, en los últimos años, por pérdida de la fe recibida en su educación, principalmente universitarios llegados al ateísmo por el camino racionalista. También se aprecia en la Sevilla actual un gran número de personas arreligiosas, que no han recibido ninguna educación piadosa, en ninguna religión y cuyo único móvil espiritual fuera de su trabajo profesional, lo constituye, a manera de pseudorreligión, el fútbol, transmitiendo a los jugadores «ídolos» el culto de adhesión y admiración que sus abuelos dedicaban a los santos. (Sobre este fenómeno de la sustitución de tiempo dedicado a la religión por tiempo dedicado al fútbol, y la elevación del deporte-espectáculo al rango de pseudorreligión, han hecho ya algunos estudios los psicólogos que se interesan por la psicología de las masas.)

OVNIS en el cielo de Sevilla

En los últimos años, a partir de 1960, existe una general preocupación e interés por un fenómeno, aún desconocido, y que se trata de la aparición, algunas veces, de Objetos Volantes No Identificados (cuyas iniciales han dado uso corriente a la palabra OVNI). Se trata, al parecer, de aeronaves, que por su forma, velocidad rapidísima y cambios de dirección en su vuelo, no parecen estar fabricados por el hombre.

Algunos de estos OVNIS han sido vistos por grupos numerosos de personas, lo que descarta la posibilidad de invención, o falsedad. La teoría más generalizada es que podrían ser aeronaves tripuladas por hombres procedentes de otros planetas. Aun cuando también hay quienes piensan que se trata de aparatos voladores de un nuevo modelo, creados por algún país de nuestro propio planeta, con fines militares, o de observación y espionaje. La forma de estos OVNIS según quienes los han visto, es circular, sin que presenten hélices, alas, ni motores visibles. Su semejanza con un plato de los utilizados para comer, ha dado motivo para que se les llame «platillos volantes».

Fin del régimen del General Franco

El 20 de noviembre de 1975 moría en Madrid el Generalísimo don Francisco Franco, quien durante cuarenta años había gobernado España. Un balance somero de los efectos de su gobierno en Sevilla nos da como positiva la modernización de la ciudad, creación de industrias y mejora de la vida de los ciudadanos en su nivel económico, cultural y sanitario.

En el aspecto negativo hay que señalar que la falta de una política de educación del pueblo en la planificación familiar ha dado lugar a una desenfrenada tasa de reproducción humana, lo que ha hecho insuficientes todas las previsiones de progreso, ya que la natalidad ha ido muy por delante de las disponibilidades económicas para crear infraestructuras municipales y puestos de trabajo. Esto ha producido la dramática cifra de cerca de medio millón de personas que en Sevilla y su provincia han tenido que marchar a la emigración a diversos países europeos, o a las provincias de Cataluña y las Vascongadas, con la natural conflictividad familiar y social, quedando además, en Sevilla, otros cien mil parados.

La concentración de las industrias creadas en estos últimos treinta años, en la capital sevillana, ha atraído a miles de personas de los pueblos, creándoles problemas de falta de vivienda, y de desarraigo familiar, que se hubieran debido evitar llevando las industrias a los pueblos, en vez de traer los trabajadores a la capital.

Democracia y autonomía

Con la muerte del General Franco, el 20 de noviembre de 1975, queda cerrado el período más largo de Dictadura de la Historia de España. El 22 de noviembre es proclamado Rey de España don Juan Carlos I, y se inicia inmediatamente la transición política hacia un sistema democrático.

Por lo que respecta a Sevilla, el primer signo de la transición fueron elecciones municipales en las que obtuvo el puesto de alcalde el candidato del Partido Socialista Andaluz, PSA, don Luis Uruñuela.

Asimismo se inicia el proceso autonómico, en el que actúa como presidente provisional del Gobierno Autonómico Andaluz, el diputado socialista don Plácido Fernández Viagas. Para consolidar esta situación provisional, en 21 de junio de 1982, se constituye solemnemente el Parlamento Andaluz, en un acto celebrado en el salón de los Reales Alcázares, figurando en el Parlamento 109 diputados y siendo presidente de este organismo don Antonio Ojeda.

En 15 de julio del mismo año, es investido Presidente del Gobierno Autonómico Andaluz el candidato del Partido Socialista Obrero Español, PSOE, don Rafael Escuredo, quien forma gobierno con miembros de su partido.

Poco después, en octubre del mismo año, se celebran elecciones que gana el Partido Socialista en toda España, por mayoría absoluta. También en estas elecciones tiene un gran protagonismo Sevilla, puesto que los puestos más importantes del Gobierno español van a ser sevillanos; el Presidente Felipe González Márquez, y el Vicepresidente Alfonso Guerra.

En Sevilla en las elecciones municipales pierde su puesto el PSA ganando el PSOE por lo que Luis Uruñuela cesa en el cargo de alcalde, sustituido por Manuel del Valle, quien ya ocupaba anteriormente la presidencia de la Diputación.

También, y aun dentro del mismo partido PSOE, cesa Rafael Escuredo como Presidente del Gobierno Autonómico Andaluz, y pasa a ocupar su puesto don José Rodríguez de la Borbolla.

Tras cuatro años de gobierno autonómico, en las elecciones celebradas en 1990, ocupa la presidencia andaluza el candidato del PSOE don Manuel Chaves. Sin embargo este partido no consigue la mayoría absoluta en las elecciones municipales de 1991 por lo que el alcalde del PSOE don Manuel del Valle Arévalo cesa, ocupando su cargo el candidato del Partido Andalucista don Alejandro Rojas Marcos, quien por no alcanzar tampoco la mayoría ha de gobernar el Ayuntamiento sevillano en coalición con el Partido Popular, encabezado por doña Soledad Becerril.

Los grandes cambios urbanísticos

Una de las últimas disposiciones que dictó el General Franco fue, pocos días antes de su muerte, la Ley 37/75 del 31 de octubre de 1975 por la que se aprobaba la construcción del Ferrocarril Metropolitano en Sevilla, es decir el medio de transporte urbano conocido vulgarmente con el nombre de Metro. Las obras se iniciaron inmediatamente, pero el cambio de régimen hizo que ésta como otras disposiciones fueran cambiadas por la nueva política, y así un año después de gobernar el Partido Socialista, en 1983 se suspendieron las obras indefinidamente y así continúan aún en 1991 cuando ya estaban construidos varios kilómetros de galerías subterráneas.

Sin embargo, esta deprivación de la que iba a ser importante mejora urbana se ha compensado con la construcción de la Exposición Universal de 1992, la Expo-92.

La concesión de esta Exposición a Sevilla fue proclamada por el Rey Juan Carlos I, en un memorable discurso pronunciado el 12 de octubre de 1986, e inmediatamente fue nombrado Comisario General de la Exposición el catedrático de Derecho don Manuel Olivencia Ruiz, de esta Universidad formándose un equipo técnico y un equipo asesor.

El PLAN DIRECTOR de las obras determinó la construcción de siete puentes con los que se remodela toda la red viaria tanto de ferrocarril como de carreteras de Sevilla, convirtiendo a la ciudad en una gran metrópoli moderna. Estos puentes son:

1. Puente del Alamillo. Gigantesca obra, situada junto a San Jerónimo. Su autor el ingeniero Santiago Calatrava.
2. Puente de la Barqueta. Sus autores Juan José Arenas de Pablo y Marcos Pantaleón.
3. Puente de la Cartuja, frente a la calle Baños. Sus autores los ingenieros/arquitectos Leonhard y Luis Viñuelas.
4. Puente de Chapina o del Cachorro. Autor José Luis Manzanares, prestigioso ingeniero trianero.
5. Puente de las Delicias. Doble y levadizo. Sus autores Leonardo Fernández Troyano y Javier Manterola Armicen.
6. Puente Reina Sofía (paralelo al puente de Juan Carlos I). Autores Juan José Arenas de Pablo y Marcos Pantaleón.

7. Puente del Centenario. El más representativo y el de mayores dimensiones. Obra de José Antonio Fernández Ordóñez y Julio Martínez Calzón.

El director de los proyectos del Ministerio de Obras Públicas en el conjunto de estas obras ha sido el ingeniero don Emilio Miranda Valdés.

Junto a esta ingente labor se han construido varios cientos de kilómetros de carreteras, para la circunvalación de Sevilla, que permiten pasar de Madrid a Huelva y a Cádiz sin cruzar la ciudad como anteriormente ocurría; se ha suprimido la vía férrea que penetraba en la ciudad hasta Plaza de Armas, y la de la Estación de San Bernardo, liberando grandes extensiones de terreno, utilizables para edificación.

Se ha construido un nuevo aeropuerto, cuya capacidad se estima en poder acoger a más de un millón de viajeros al mes. El arquitecto sevillano Rafael Moneo ha sido el autor de esta colosal obra.

Los pabellones de la Expo-92

A diferencia de la Exposición de 1929 en que la arquitectura fue renacentista, barroca y regionalista, en esta Exposición de 1992 la arquitectura es no sólo moderna sino futurista. Se trata de adelantarse al siglo XXI.

El contenido de la Expo-92 abarca diversas áreas, dos de ellas históricas, sobre la Navegación y sobre situación cultural y técnica del mundo en el siglo XV. Las otras dos se refieren a EL CAMINO DE LOS DESCUBRIMIENTOS que nos lleva a recorrer desde el siglo XVI hasta hoy los sucesivos descubrimientos en astronomía, biología, mecánica, geología, medicina, y cuanto hoy disfrutamos. Y el PABELLÓN DEL PRESENTE Y EL FUTURO dedicado a las conquistas más recientes y a los proyectos en marcha sobre energía, robótica, inteligencia artificial, exploración del espacio, telecomunicaciones, y otras ramas de la ciencia, la técnica y el pensamiento.

El contenido de los pabellones de las naciones comprende las obras de arte traídas de museos de todo el mundo, así como muestras de productos industriales de tecnología avanzada de cada país. Hay varios teatros que ofrecen espectáculos de los distintos países, conciertos de las principales orquestas mundiales, representaciones de ópera, recitales de los más famosos intérpretes de la música moderna, ballets clásicos y modernos, circo, festivales ecuestres, y en fin cuanto existe hoy en el mundo entero en espectáculos de primer rango.

La construcción de la Expo-92 se ha desarrollado sobre el terreno de la llamada Isla de la Cartuja (isla porque está comprendida entre dos brazos del río Guadalquivir). Ello permite ofrecer también competiciones deportivas y espectáculos acuáticos, tanto en el río como en un lago artificial.

Todo el complejo de la Exposición gira en torno al edificio de la Cartuja de Santa María de las Cuevas, edificio de finales del siglo XI y que tiene una gran relación con el Descubrimiento de América, ya que en este convento vivió algún tiempo Cristóbal Colón, y en él se enterraron varios miembros de su familia.

Como detalle curioso señalaremos que se han plantado nada menos que cien mil árboles en la zona de la Exposición. Los edificios, una vez terminada la celebración en 12 de octubre de 1992, serán dedicados a fines universitarios, culturales e industriales.

Como suele ocurrir en estos grandes eventos, ha habido una lucha política en torno a la Expo-92 que llevó a una crisis en la que el profesor don Manuel Olivencia Ruiz, independiente, fue cesado el 22 de julio de 1991, cuando prácticamente estaba terminada la construcción del recinto, los viales y los puentes. En su lugar fue nombrado Comisario el político y técnico don Emilio Cassinello Aubán, afín al Partido Socialista. Esto determinó que varios de los más ilustres miembros del comité de expertos, entre ellos el filósofo Julián Marías y los catedráticos Juan Antonio Carrillo Salcedo y Antonio Gallego Morell dimitieran como protesta por el cese de Olivencia y por la politización de la Expo.

En cualquier caso, Sevilla, por encima de las luchas políticas ha demostrado tener energías, inteligencia y hombres capaces para realizar una obra de tan grandiosas proporciones como la Expo-92 que deja abierta la historia de la ciudad hacia un futuro prometedor en el próximo milenio, que comienza dentro de ocho años.

Colofón

A lo largo de estas páginas hemos ido viendo cómo Sevilla, nacida de un poblado prehistórico, amurallada por los romanos, convertida en emporio del arte almohade, y en joyel del barroco, capital del Imperio español en la época de la navegación descubridora y mercantil de Indias, postrada en el XIX y renacida en la época de la Exposición Iberoamericana, alcanza, en la segunda mitad del siglo XX su desarrollo urbano de gran capital.

No es deseable que Sevilla llegue a alcanzar los tres millones de habitantes, como profetizaba el alcalde don Félix Moreno de la Cova para los próximos veinte años. Quizá lo más adecuado y conveniente sería que la industrialización no se concentre en la capital, sino que se reparta por los pueblos, dando vida a la provincia y repartiendo bienestar a los habitantes de los pueblos, sin forzarles a desplazarse como emigrantes a la capital para constituir un proletariado urbano.

He aquí algo que deben considerar los jóvenes de hoy como su misión para los años venideros, cuando la actual generación joven ocupe el mando de Sevilla, por el natural transcurso del tiempo.

Si queremos que Sevilla pueda mejorar cultural y urbanísticamente es necesario, en primer lugar, impedir el desaforado crecimiento y la industrialización descompensada, que tanto deterioran la ciudad, la convivencia de sus moradores, el estado sanitario y el nivel moral, ya que las ciudades excesivamente grandes se cargan de polución atmosférica y de delincuencia juvenil.

Tareas principales para la generación joven actual serán, la distribución de la industria por la provincia; elevar el nivel económico y cultural de la capital, como centro espiritual de la comarca; velar por la conservación de la personalidad propia de Sevilla, en sus formas artísticas, en sus costumbres, en sus fiestas, y en su habla dialectal, todo ello amenazado actualmente por un afán internacionalista fomentado por la publicidad, la cinematografía y demás medios de comunicación social, mal usados.

Y finalmente, la restauración y conservación de la ciudad, sus edificios y sus calles. En este aspecto podemos sentirnos esperanzados y optimistas, ya que en los últimos tiempos, un grupo de arquitectos jóvenes están esforzándose en salvar conjuntos urbanos, y en construir edificios nuevos pero con respeto a la tradición arquitectónica sevillana más auténtica.

A la juventud actual, de estos años del último cuarto del siglo XX, le incumbe tan hermosa y digna labor de salvar a Sevilla, y elevarla, por nuevos y quizás impensados caminos, a un alto nivel espiritual, intelectual, artístico y social.

FIN

CATÁLOGO DE AUTORIDADES

Ofrecemos a continuación un Catálogo de Autoridades, o sea de los autores que pueden ser considerados como de mayor autoridad en temas, generales o particulares, de la Historia de Sevilla, con mención de sus obras más destacadas.

A

AGUILAR PIÑAL, FRANCISCO. — «La Sevilla de Olavide». Sevilla 1966. — «Catálogo de documentos sevillanos existentes en el Museo Británico». Sevilla 1965. — «El teatro en Sevilla en el siglo XVIII». Sevilla 1974.

ALBARRACÍN Y ARIAS DE SAAVEDRA, JOAQUÍN. — «Miscelánea histórica y cofradiera». Sevilla 1948.

ÁLVAREZ BENAVIDES Y LÓPEZ, MANUEL. — «Explicación del plano de Sevilla». Sevilla 1872. — «Callejero de Sevilla», tomos publicados entre 1870 y 1889.

ARIÑO, FRANCISCO. — «Sucesos de Sevilla de 1552 a 1604». Edición de la S.B.A. Sevilla 1873.

B

BALLESTEROS, ANTONIO. — «Sevilla en el siglo XIII». Madrid 1913.

BANDAS Y VARGAS, ANTONIO DE LA. — El arquitecto Hernán Ruiz. Sevilla 1974. — Además conferencias incluidas en el libro de las «Conferencias sobre Urbanismo» editado por la Real Academia de Bellas Artes Santa Isabel de Hungría, en 1970.

BARRIOS GUTIÉRREZ, MANUEL. — «Mirando hacia atrás sin ira». Colección de artículos publicados en *El Correo de Andalucía* sobre la vida sevillana en los años 1940. Sevilla 1975, periódicos correspondientes a enero-febrero.

BLANCO FREIJEIRO, ANTONIO. — Urbanismo sevillano en la época romana. Capítulo del libro de conferencias editado por la Real Academia de Bellas Artes Santa Isabel de Hungría, en 1970. Además, artículos en el diario *ABC*, 1970-1975.

BURGOS, ANTONIO. — «Guía secreta de Sevilla». 1974.

BRAOJOS, ALFONSO. — Tesis doctoral sobre el Asistente Arjona. (Manuscrito) Archivo de la Universidad. La tesis fue presentada en 1974.

BRAOJOS, CRISTINO. — Sevilla, itinerario turístico. Sevilla 1972.

C

CARANDE, RAMÓN. — Sevilla fortaleza y mercado. Madrid 1926. Reedición en Sevilla 1972.

CARO, RODRIGO. — Obras.

CARRIAZO, JUAN DE MATA. — Sevilla protohistórica. Sevilla 1972. «La Boda del Emperador». Sevilla 1959. Otras obras.

COLLANTES DE TERÁN, FRANCISCO. — El patrimonio artístico y monumental del Ayuntamiento de Sevilla. Sevilla 1967. — Papeles del Mayordomazgo años 1340 y 1499. Tomos publicados por el Ayuntamiento de Sevilla en los años 1968 a 1972.

CH

CHAVES, MANUEL. — Ambientes de antaño. Sevilla 1921.

D

DELGADO ORELLANA, JOSÉ ANTONIO. — Catálogo de los Caballeros Maestrantes de Sevilla. Sevilla 1966.

DÍAZ DÍAZ, RAFAEL. — Artículos publicados con el seudónimo «Proel» en el diario *El Correo de Andalucía* en los años 1950 a 1972.

DOMÍNGUEZ ORTIZ, ANTONIO. — Orto y ocaso de Sevilla. Madrid 1940. Reedición. Sevilla 1974.

E

ESPINOSA DE LOS MONTEROS, PABLO. — Teatro de la santa Iglesia Metropolitana de Sevilla. En Sevilla por Matías Carvajal. 1631.

G

GARCÍA DE DIEGO. — Toponimia mayor y menor del antiguo reino de Sevilla. Sevilla 1945.
GARCÍA NARANJO, JOAQUÍN. — Varios libritos de conferencias sobre monumentos artísticos sevillanos, editados entre 1940 y 1955.
GENER CUADRADO, EDUARDO. — Conferencia sobre barcos tartésicos y fenicios y sus periplos. Manuscrito. Archivo de la Academia de San Romualdo, San Fernando (Cádiz), y Real Academia Hispanoamericana de Cádiz.
GESTOSO, JOSÉ. — Sevilla monumental. — Guía de Sevilla. — Los barros vidriados de Triana, y otras obras.
GONZÁLEZ, ADELAIDA. — El ceremonial del Ayuntamiento de Sevilla. Sevilla 1969.
GONZÁLEZ, BENIGNO. — Artículos sobre diversos temas históricos civiles, religiosos y militares, en el diario *ABC*, Sevilla 1950-1975.
GONZÁLEZ, JULIO. — Edición crítica del Repartimiento de Sevilla. Dos volúmenes con el título de «El Repartimiento» editados por el Consejo Superior de Investigaciones Científicas, Madrid 1951.
GONZÁLEZ DE LEÓN, FÉLIX. — Las calles de Sevilla. Sevilla 1839. Hay una reedición, con prólogo de José Guerrero Lobillo, hecha en Sevilla. 1973.
GONZÁLEZ MORENO, JOAQUÍN. — Catálogo del Archivo de la Casa Ducal de Medinaceli. Sevilla 1973. El viaje a Jerusalén. (Edición crítica del manuscrito del viaje realizado en 1520 a los Santos Lugares por el primer marqués de Tarifa, don Fadrique Enríquez de Ribera.) Sevilla 1974. Además, numerosísimos artículos sobre temas históricos sevillanos, publicados en el diario *ABC* entre 1950 y 1975.
GUERRERO LOBILLO, JOSÉ. — Sevilla árabe. Capítulo del libro de conferencias editado por la Real Academia de Bellas Artes Santa Isabel de Hungría en 1970. Además, el interesante prólogo al libro de Las Calles, de González de León, antes citado y un mapa fundamental para conocer la Sevilla de la época árabe.
GUICHOT, ALEJANDRO. — El Cicerone de Sevilla. Sevilla 1935. Dos tomos.
GUICHOT, JOAQUÍN. — Historia de la Ciudad de Sevilla. Seis tomos y un apéndice, editado en Sevilla en 1875 y años siguientes. Otro: Historia del Ayuntamiento de Sevilla. Edición oficial hecha por el Municipio, en los mismos años.

H

HAUSER, DOCTOR. — Estudios sanitarios de Sevilla. Madrid 1881.
HAZAÑAS Y LA RÚA, JOAQUÍN. — Conferencias sobre Historia de Se-

villa. Sevilla 1932. Otro: Maese Rodrigo de Santaella. Biografía y documentos. Sevilla 1909.
HERMOSILLA, ANTONIO. — Historia de la Medicina Sevillana. Sevilla 1970.
HERNÁNDEZ DÍAZ. — Estudio iconográfico y técnico de la imaginería montañesina. Sevilla 1939. Otras numerosas obras, conferencias y artículos, principalmente editados por Laboratorio de Arte de la Universidad, o insertos en la revista Archivo Hispalense. Además, su participación en el Catálogo de Monumentos de la Provincia.
HERRERA PUGA, PEDRO. — Sociedad y delincuencia en el Siglo de Oro. (Primordialmente referido a la Cárcel Real de Sevilla). — Editado en Granada. Universidad. 171.

I

ILLANES, ANTONIO. — Del viejo estudio. Sevilla 1960. — Del nuevo estudio. Sevilla 1967. — Son dos libros en los que cuenta sucesos y habla de personajes que pasaron por su estudio de escultor en los años 1920 a 1967.
INFANTE, BLAS. — El ideal andaluz. Sevilla 1930.

L

LAZO, ALFONSO. — La desamortización de los bienes eclesiásticos en Sevilla. Sevilla 1970.
LÓPEZ GROSSO, FERNANDO. — Artículos publicados en *El Correo de Andalucía* y otros periódicos sevillanos, desde 1910 a 1968.
LÓPEZ MACÍAS, «GALERÍN». — Artículos publicados en diversos periódicos entre 1910 y 1930.

M

MATUTE Y GAVIRIA, JUSTINO. — Anales eclesiásticos y seculares de Sevilla, continuación de los que escribió don Diego Ortiz de Zúñiga. — Sevilla 1887.
MENA CALVO, JOSÉ MARÍA DE. — «Ésta es Sevilla». Sevilla 1955. Leyendas y tradiciones sevillanas. Sevilla 1968. — Historia de la Medicina. Madrid 1970. — Historia de Sevilla. Sevilla 1970. Calles, plazas y barrios. Antequera 1973. Antigüedades y casos raros de la Historia de Sevilla. Antequera 1974.
MONTOTO Y RASTENRAUTH, LUIS. — Nuevas calles de Sevilla. Sevilla 1916.

MONTOTO Y SEDAS, SANTIAGO. — Sevilla en el Imperio. Sevilla 1940. — Biografía de Sevilla. Sevilla 1970. — Esquinas y Conventos. Sevilla 1973. Otras obras.

MORALES PADRÓN, FRANCISCO. — Sevilla insólita. Sevilla 1972. Sevilla hace cien años. Colección de artículos publicados en el diario *ABC* en 1972. — Visión de Sevilla. Sevilla 1974.

MORGADO, ALONSO DE. — Historia de Sevilla. Sevilla 1587.

MURO OREJÓN, ANTONIO. — Numerosos artículos publicados en *El Correo de Andalucía* y otros periódicos entre 1970 y 1975, sobre temas sevillanos. Monografías publicadas en Archivo Hispalense, y en la revista de la Escuela de Estudios Hispanoamericanos, en los mismos años.

O

ORTIZ DE ZÚÑIGA, DIEGO. — Anales eclesiásticos y seculares de la Muy Noble y Muy Leal Ciudad de Sevilla. En Madrid. Imprenta Real. 1677.

OSUNA, JOSÉ MARÍA. — Andalucía en el fiel. Madrid 1952.

P

PALOMO, FRANCISCO DE BORJA. — Historia crítica de las riadas o grandes avenidas del Guadalquivir. Sevilla 1878.

PEDREGAL, LUIS JOAQUÍN. — Artículos publicados en el diario *El Correo de Andalucía* y en el Boletín de las Cofradías, en los años 1940 a 1970.

PEDRAZA, LUIS. — Historia de la Imperial Ciudad de Sevilla. Manuscrito. Archivo Municipal.

R

REQUENA, JOSÉ MARÍA. — Artículos sobre diferentes temas, relacionados con la historia de Sevilla. En *El Correo de Andalucía,* años 1968 y siguientes.

REQUENA, FERMÍN. — Hay relación con la historia de la Sevilla musulmana, en sus obras: «Madina Ruda», «Madina Raya», «Madina Antakira», «Los emires de Algeciras» y «El emirato independiente de los Beni Hafsun», editadas en Antequera, entre los años 1948 y 1968.

RINCÓN ÁLVAREZ, MANUEL. — Recuerdos de la Sevilla pintoresca de 1890 a 1900. Sevilla 1975.

ROMERO MURUBE. — Artículos publicados en el diario *ABC* entre 1940 y 1968. Además su magnífico Pregón de la Semana Santa.
RUIZ LAGOS, MANUEL. — Ilustrados y reformados de la Baja Andalucía. Sevilla 1974.

S

SALAS, NICOLÁS. — Los siete círculos viciosos del subdesarrollo. Sevilla, conspiración del silencio. Las Ferias de Abril. (Tres obras de gran interés sobre la economía política sevillana. La última galardonada por el Ayuntamiento con el Premio Ciudad de Sevilla 1974.)
SANCHO CORBACHO, ANTONIO. — Catálogo arqueológico y Monumental de Sevilla. Sevilla 1939 a 1955. Tomos editados por la Diputación Provincial. — Además, numerosas monografías en Archivo Hispalense, entre 1940 y 1975.
SERRANO DE PABLO, LUIS (Teniente General de Aviación). — Historia de Tablada. — (La obra está publicada sin su firma, como obra anónima, del Ministerio del Aire.) Sevilla 1971.

T

TORRES MARTÍN, RAMÓN. — Zurbarán.

V

VEGA Y SANDOVAL, JUAN. — Edificaciones antiguas de Sevilla. Sevilla, hacia 1911.
VELILLA, JOSÉ. — El teatro en España. (Hemos manejado un ejemplar sin la página de pie de imprenta, como el anterior, pero creemos que debe ser de hacia 1900.)
VILA, SAMUEL. — El cristianismo evangélico. Chicago 1950. (Este libro lleva un capítulo sobre el luteranismo en Sevilla y su represión por la Inquisición.)